MIASTO GNIEWU

RYAN
GATTIS

MIASTO
GNIEWU

PRZEŁOŻYŁ ROBERT SUDÓŁ
AKA BOB THE BOB

WYDAWNICTWO CZARNA OWCA
WARSZAWA 2016

Tytuł oryginału:
ALL INVOLVED

Redakcja:
Igor Mazur

Zdjęcie na okładce:
© Chris Hepburn/Photodisc/Getty Images

Adaptacja okładki:
Magdalena Zawadzka/Aureusart

Korekta:
Mirosław Grabowski

DTP:
INSATSU Michał Żelezniakowicz

Redaktor prowadzący:
Anna Brzezińska

Wydanie I

Druk i oprawa:
OPOLGRAF S.A.

Książka została wydrukowana na papierze Creamy 70g/m², vol 2,0
dystrybuowanym przez: ZiNG

ISBN 978-83-8015-030-0

ul. Alzacka 15a, 03-972 Warszawa
www.czarnaowca.pl
Redakcja: tel. 22 616 29 20; e-mail: redakcja@czarnaowca.pl
Dział handlowy: tel. 22 616 29 36; e-mail: handel@czarnaowca.pl
Księgarnia i sklep internetowy: tel. 22 616 12 72; e-mail: sklep@czarnaowca.pl

DEDYKOWANE PAMIĘCI
PUŁKOWNIKA ROBERTA HOUSTONA GATTISA

SPIS TREŚCI

FAKTY

Kwadrans po trzeciej 29 kwietnia 1992 roku ława przysięgłych uwolniła szeregowych funkcjonariuszy policji Theodore'a Briseno i Timothy'ego Winda oraz sierżanta Staceya Koona od zarzutu przekroczenia uprawnień podczas obezwładniania Rodneya Kinga. Ława przysięgłych nie zdołała uzgodnić werdyktu w sprawie funkcjonariusza Laurence'a Powella.

Około piątej po południu wybuchły rozruchy. Trwały sześć dni, aż do poniedziałku 4 maja. Dziesięć tysięcy dziewięćset cztery osoby trafiły do aresztu, blisko dwa tysiące czterysta odniosło rany, odnotowano jedenaście tysięcy sto trzynaście podpaleń, a straty materialne wyceniono na ponad miliard dolarów. W wyniku rozruchów śmierć poniosło sześćdziesięciu mieszkańców, ta liczba nie uwzględnia jednak tych, którzy z powodu złego funkcjonowania służb ratowniczych stracili życie z dala od miejsc bezpośrednio dotkniętych zamieszkami. Jak powiedział pierwszego wieczoru Daryl Gates, komendant policji w Los Angeles: „Pojawią się takie sytuacje, kiedy ludzie nie będą mogli liczyć na żadną pomoc. Takie są twarde fakty. Nie ma nas aż tylu, żebyśmy mogli być wszędzie".

Możliwe, a nawet bardzo prawdopodobne jest, że niektóre ofiary niewliczone do żniwa rozruchów stały się celem ataku z racji sprzyjających okoliczności. Sto dwadzieścia jeden godzin bezprawia w mieście zamieszkanym przez ponad trzy i pół miliona ludzi w sercu prawie dziesięciomilionowego hrabstwa to dostatecznie dużo czasu na to, aby wyrównać rachunki.

Ta książka opowiada właśnie o wyrównaniu rachunków.

DZIEŃ 1
ŚRODA

CIEKAWSZE JEST NASTĘPUJĄCE PYTANIE: DLACZEGO WSZYSCY BOJĄ SIĘ KOLEJNYCH ROZRUCHÓW – CZY OD OSTATNICH ZAMIESZEK SPRAWY W WATTS NIE ULEGŁY AŻ TAK DUŻEJ POPRAWIE, ŻE NIE MA SIĘ CZYM MARTWIĆ? WIELU BIAŁYCH SIĘ NAD TYM ZASTANAWIA. NIESTETY, ODPOWIEDŹ JEST PRZECZĄCA. BYĆ MOŻE W OKOLICY ROI SIĘ OD PRACOWNIKÓW SPOŁECZNYCH, ANKIETERÓW GROMADZĄCYCH DANE, WOLONTARIUSZY I PRZEDSTAWICIELI RÓŻNYCH ORGANIZACJI CHARYTATYWNYCH, KTÓRZY MAJĄ JAK NAJLEPSZE INTENCJE, ALE NIEWIELE Z TEGO WYNIKA. TAM WCIĄŻ PANUJĄ BIEDA, POCZUCIE KLĘSKI, PRZESTĘPCZOŚĆ I ROZPACZ, WSZYSTKO TO W STANIE WRZENIA, KTÓRY CECHUJE STRASZLIWA DYNAMIKA.

THOMAS PYNCHON,
„NEW YORK TIMES",
12 CZERWCA 1966

ERNESTO VERA

29 KWIETNIA 1992

20.14

1

Jestem w Lynwood, to South Central, w pobliżu Atlantic i Olanda, przykrywam folią aluminiową niezjedzoną fasolę z urodzinowego kinderbalu, gdy nagle każą mi jechać do domu i raczej nie stawiać się do pracy nazajutrz. A być może nawet przez cały następny tydzień. Mój szef boi się, że dojdzie do nas to, co dzieje się za stodziesiątką. Unika takich słów jak „problemy" czy „rozruchy". „Te sprawy na północ od nas", tak gada, ale na myśli ma to, że ludzie podpalają, włamują się do sklepów, biją jedni drugich. Przychodzi mi do głowy, żeby zaprotestować, bo potrzebuję pieniędzy, ale nic bym nie wskórał, więc nie marnuję śliny. Pakuję fasolę do lodówki w furgonetce, biorę kurtkę i już mnie nie ma.

Parę godzin wcześniej, jak tu przyjechaliśmy, ja i Termite, czyli facet, z którym pracuję, zobaczyliśmy dym, cztery czarne kolumny wznoszące się do nieba jak z płonących odwiertów naftowych w Kuwejcie. Może nie tak wysokie, ale wysokie. Podpity ojciec tego dzieciaka, który ma urodziny, zobaczył, że dostrzegliśmy dym w trakcie przygotowywania stołów, i wyjaśnił, że to dlatego, że gliniarze, którzy pobili Rodneya Kinga, nie pójdą do więzienia, i co my na to? Rany, człowieku, wiadomo, że nie skakaliśmy z radości, ale przecież nie będziemy tego mówić klientowi naszej firmy! Jawna niesprawiedliwość, bez dwóch zdań, ale co to ma wspólnego z nami? Walnęło gdzie indziej. My trzymamy gęby na kłódkę i robimy to, co do nas należy.

Już prawie trzy lata rozwożę jedzenie w firmie Tacos El Unico. Jestem do usług, na cokolwiek macie ochotę. *Al pastor*. *Asada*. Zero problemu. Robimy też smaczną *cabeza*, jeśli akurat najdzie was chrapka. Jak nie, to *lengua*, *pollo*, do wyboru, do koloru. No wiecie, dla każdego coś miłego. Przeważnie pracujemy na naszym stoisku na rogu Atlantic i Rosecrans, ale czasem obsługujemy urodziny, rocznice, co się da. Wtedy nie płacą nam od godziny, więc im szybciej impreza się skończy, tym lepiej. Żegnam się wtedy z Termite'em, upominając go, żeby następnym razem porządnie umył ręce przed przyjazdem, i znikam.

Szybkim krokiem mam dwadzieścia minut do domu, piętnaście, jeśli pójdę Boardwalk między domami. To nie żadna promenada jak w Atlantic City ani nic takiego. Wybetonowana alejka służąca za deptak między główną ulicą a osiedlem. To moja droga na skróty. Jak mówi moja siostra: „Kretyni zawsze uciekają tamtędy przed gliniarzami". W jednym kierunku człowiek dociera wprost na Atlantic. W drugim między domy, ulica za ulicą. Tam właśnie idę. Między domy.

Światła pogaszone prawie na wszystkich gankach. Na podwórkach od tyłu też. Nikogo na zewnątrz. Żadnych normalnych odgłosów. Nie słychać żadnych muzycznych staroci Arta Laboe. Nikt nie dłubie przy samochodach. Mijając kolejne domy, słyszę tylko włączone telewizory, prezenterzy mówią o plądrowaniu i podpaleniach, o Rodneyu Kingu i czarnych, i gniewie, no i trudno, nie szkodzi, bo skupiam się na czym innym.

Nie zrozumcie mnie źle. Nie jestem niewrażliwy ani nic, po prostu troszczę się o to, o co trzeba. Jakbyście się urodzili w takiej okolicy jak moja, ze sklepem z bronią, w którym sprzedają naboje na sztuki każdemu, kto ma złe myśli i ćwierćdolarówkę, to być może bylibyście tacy sami. Nie zblazowani czy wkurzeni, ale właśnie skoncentrowani. Bo ja teraz odliczam te miesiące do chwili, kiedy będę mógł się wyrwać.

Dwa powinny wystarczyć. Wtedy zaoszczędzę już tyle, że styknie na jakieś cztery kółka. Skromne oczywiście. Tyle, bym mógł jeździć do pracy i z powrotem, a nie łazić po ulicach. Widzicie, zawsze pichciłem według cudzych przepisów, ale zamierzam to w końcu zmienić. Jak będę miał samochód, to pojadę do śródmieścia i wybłagam przyuczenie do zawodu w kuchni R23, tej zwariowanej suszarni w samym sercu dzielnicy, z której kiedyś pochodziła większość zabawek na świecie, a gdzie teraz stoją same puste magazyny, bo przemysł zabawkarski przeniósł się do Chin.

O tej suszarni wiem od Termite'a, bo on lubi japońszczyznę. To znaczy lubi wszystko co wschodnie, zwłaszcza kobiety, ale nie w tym rzecz. Zabrał mnie tam w zeszłym tygodniu i ja, *pinche*, wybuliłem trzydzieści osiem dolców za posiłek, ale było warto, bo japońscy kucharze się spisali. Takie niebo w gębie, o jakim nigdy nie śniłem. Sałatka szpinakowa z węgorzem. Tuńczyk tak wspaniale opieczony, że z wierzchu ugotowany, a w środku maślany i surowy. Ale prawdziwym szokiem było to, co nazywają *California roll*. Na zewnątrz to ryż wprasowany w te małe pomarańczowe rybie jajeczka. A w środku zielona otoczka z wodorostów dokoła kraba, ogórka i awokado. To ten ostatni składnik tak mnie rozwalił.

Ludzie, nie rozumiecie. Zrobiłbym wszystko, żeby się uczyć od tych kucharzy. Zmywałbym gary, zamiatał podłogę, czyścił kible. Tyrałbym co dzień do późna. Wszystko jedno! Po prostu chcę być jak najbliżej dobrego japońskiego jedzenia, bo wtedy zamówiłem to sushi z powodu jego nazwy, potem popatrzyłem i uznałem, że nie chcę tego jeść, bo nie znoszę awokado, ale Termite rzucił mi wyzwanie, więc wzruszyłem ramionami i wziąłem gryza. Kiedy poczułem smak na języku, coś we mnie rozbłysło. W głowie mi się rozjaśniło i zobaczyłem wielkie możliwości tam, gdzie nigdy żadnych nie dostrzegałem. A wszystko dlatego, że jacyś kucharze wzięli coś, co mi zbrzydło i z czym stykam się codziennie, i przeobrazili to w coś innego.

Pokrójcie, wydrylujcie i rozetrzyjcie tysiące awokado, a zrozumiecie, o co mi chodzi. Szybko poczujecie ból w kościach, jak zawsze, gdy się daną czynność wykonuje tak często, że ręce zachowują się jak automat i czasem aż nam się to śni. Róbcie guacamole codziennie oprócz niedziel przez prawie cztery lata i przekonajcie się, czy wam też nie zbrzydną te oślizłe zielone skurczybyki.

Coś wali w ogrodzenie nad moją głową i odskakuję, unosząc ręce w gotowości. Parskam śmiechem, bo widzę, że to gruby jasnorudy kot, jasna cholera, ale napędził mi stracha.

Ruszam dalej, bo Lynwood to nie jest okolica, w której człowiek chciałby się dać zaskoczyć, stercząc w bezruchu, chyba że jest kretynem. W śródmieściu jest inaczej. Tam jest lepszy świat, przynajmniej mógłby być, dla mnie, tyle rzeczy chciałbym poznać, tyle pytań chciałbym zadać tym kucharzom. Na przykład jak miejsce wpływa na kulinaria? Być może nie wiem za dużo, ale jestem prawie pewny, że w Japonii nie ma awokado. Korzenie kulinarne tego miasta są meksykańskie, bo dawniej Kalifornia leżała w Meksyku. Kalifornia ma nawet hiszpańską bródkę, która pozostała w Meksyku, tylko kraina na północy już inaczej się nazywa. To trochę jak ze mną. Rodzice są z Meksyku. Tam się urodziłem i gdy miałem rok, trafiłem tu, do Los Angeles. Moja młodsza siostra i brat urodzili się już tutaj. Dzięki nim jesteśmy teraz Amerykanami.

Tak właśnie wykorzystuję powroty na piechotę do domu. Mnożę w głowie pytania, marzę, myślę. Czasem aż tracę kontakt z rzeczywistością. Wychodzę zza winkla na swoją ulicę i ciągle się zastanawiam, co, do cholery, kombinował japoński kucharz, gdy zrobił pierwszą *California roll*, i tak główkuję, że awokado może się stać czymś nowym i pięknym, jak się je włoży w inną oprawę, i właśnie wtedy podjeżdża z tyłu samochód z rzężącym silnikiem.

Nie myślę o tym za bardzo. Powaga. Tylko odsuwam się w lewo, ale fura hamuje tuż obok. No to przesuwam się do końca, tak? W sensie, że nie ma problemu, gość pojedzie dalej, jak zobaczy, że nie jestem z branży. Żadnych dystynkcji *cholo*. Żadnych tatuaży, nic. Jestem czysty.

Ale samochód jedzie za mną, przesuwa się do przodu, a jak boczna szyba od strony kierowcy się osuwa, ze środka wylewa się szybkie pianinko w stylu Motown. W tej okolicy wszyscy znają stację KRLA. 1110 AM na skali. Ludzie uwielbiają grane przez nich starocia. Słyszę początek *Run, Run, Run* The Supremes. Rozpoznaję saks i pianino.

– Ej! – woła do mnie kierowca, przekrzykując muzykę. – Znasz kolesia, co się nazywa Lil Mosco?

Od razu robię ostry zwrot, gdy słyszę ksywkę swojego młodszego brata padającą z ust nieznajomego faceta. Z każdym następnym krokiem czuję się coraz bardziej tak, jakby żołądek miał mi wyskoczyć przez gardło. Bo wie, że się, kurwa, zaczęły kłopoty.

Słyszę, że kierowca się śmieje i wrzuca wsteczny, wciska gaz. Samochód wyprzedza mnie szybko i hamuje. Z przodu wysiadają dwaj faceci, trzeci zeskakuje z tyłu. Trzej faceci ubrani na czarno.

Adrenalina wali na całego. Robię się czujny jak chyba jeszcze nigdy w życiu i wiem, że jeśli uda mi się z tego wywinąć, to powinienem zapamiętać jak najwięcej, więc odwracam w biegu głowę i patrzę. No dobra, to ford. Granatowy. Chyba ranchero. Tylny reflektor rozbity. Lewy.

Numerów nie widzę, bo muszę patrzeć teraz przed siebie, skręcam w Boardwalk, długa między domy, chcę dotrzeć do następnej ulicy, hop przez płot, zniknąć na czyimś podwórku, ale tamci przebierają nogami. Wszyscy trzej. Nie przepracowali dziesięciu godzin przy grillu, nie serwowali taco bandzie cholernych gnojów i pijaków. Nie są zmęczeni. I są silni.

Słyszę ich tuż za plecami, chociaż krew szumi mi w uszach, i wiem, że mnie mają. Została mi jedna wredna sekunda, żeby złapać haust powietrza i napiąć mięśnie, bo zaraz mnie dopadną, zwalą z nóg, wyrżną czymś twardym w szczękę. A potem będę widział tylko gównianą czerń, i to nie wiadomo jak długo.

Oberwałem kiedyś w szczękę, ale nie tak mocno jak tym razem. Budzę się, jak mnie ciągną do samochodu, i czuję, jakby moja twarz rozpadła się na dwie połowy. Mimo dzwonienia w uszach dociera do mnie, że szoruję obcasami po asfalcie, i domyślam się, że zamroczyło mnie najwyżej na kilka sekund.

– Nie bijcie – słyszę swój głos. Aż dziwne, jacy są spokojni; a moje serce wali milion razy na minutę. – Błagam. Nic wam nie zrobiłem. Mam pieniądze. Bierzcie, co chcecie.

Reagują, ale nie słowami. Twarde łapska stawiają mnie na nogi, z Boardwalk ciągną w zaułek z garażami po obu stronach. Ale to tylko przygrywka.

Szybkie słabe ciosy po nerkach, w brzuch, w żebra. Ze wszystkich stron. Nie za mocne, ale dość, żeby mnie zatkało. Z początku nie rozumiem, ale potem widzę krew na swojej koszuli, gapię się i gdy się zastanawiam, jakim cudem nie poczułem ostrzy, dostaję baseballem.

Tuż przed uderzeniem widzę czarny błysk i odskakuję. Gruby koniec trafia mnie w ramię, ale już nie stoję i nie gapię się na koszulę, leżę na wznak i widzę nocne niebo. Cholera.

– I co? – wrzeszczy mi jeden z nich w gębę. – Skurwysynu.

Zwijam się w kłębek, czuję, jakby mi ktoś smażył szczękę na patelni. Podciągam ręce, żeby zasłonić twarz, ale to nie pomaga.

Kij spada na mnie raz za razem. Obrywam w szyję i wtedy cały drętwieję.

Drugi głos mówi:

– Weź zawiąż to gówno, jak on leży.

Nie mogę oddychać.

Inny głos, może ten pierwszy, dodaje:

– Ta, zrób to, jak jesteś taki chojrak, Joker.

A więc jeden z nich to Joker. Muszę zapamiętać. To chyba ważna informacja. Joker. To słowo zapada mi w umysł, obrabiam je na wszystkie strony. Nie znam żadnych Jokerów oprócz tych z komiksów, i w ogóle to nie ma sensu, że dopadli mnie, a nie mojego brata, skoro znowu narobił syfu.

– Proszę – stękam, odzyskując oddech, jakby błaganie kiedykolwiek poskutkowało z takimi bandytami.

Akurat. Są zajęci, ciągną mnie za stopy, ale jestem tak odrętwiały, że nic nie czuję. Pod spodem tylko napięcie mięśni w nogach.

– Gotowe – mówi jeden z nich.

Otwieram oczy, myśląc: ale co gotowe? Dokoła widzę znajomą okolicę. Przez chwilę wydaje mi się, że nic mi nie grozi, ale nagle słyszę, że tamci odchodzą, i widzę, że światła hamującego samochodu barwią garaże na czerwono. Oblewa mnie fala ulgi. Chyba sobie poszli. Poszli! I wtedy dostrzegam chłopca, może dwunastolatka, który się chowa na Boardwalk. Twarz ma czerwoną od blasku świateł stopu i widzę, tak, gapi się na mnie. Wytrzeszcza oczy. Tak się we mnie wlepia, że patrzę po sobie za jego spojrzeniem aż do nóg i prawie rzygam, bo mam nogi w kostkach przywiązane grubym drutem do tylnego zderzaka.

Szarpię się jak najmocniej, ale drut nie puszcza, tylko mi się wrzyna w ciało. Wierzgam nogami resztką sił, ale nic się nie dzieje. Nic się nie zmienia. Sięgam rękami, żeby jakoś ściągnąć to z siebie.

Wtedy warczy silnik i leżę rozciągnięty, i zaczynają mnie wlec, coraz szybciej, trę potylicą po asfalcie. Powietrze bucha na mnie i czuję, jakby każdy centymetr skóry na plecach palił się żywym ogniem. I nagle samochód hamuje ostro.

Z rozpędu lecę do przodu. Trzy metry? Sześć? Chyba się uniosłem nad ziemią, a potem coś twardego i zimnego wali mnie w twarz. Tym razem kość policzkowa pęka. Czuję wyraźnie, jak trzaska od środka, aż odgłos rozbrzmiewa mi w uszach, kość się rozpada, krew tryska na język. Odwracam głowę, otwieram usta i kapituluję. Potem słyszę, jak krew bluzga na asfalt, nie przestaje płynąć, i wtedy wiem, że to już koniec.

Wiem, że już po mnie.

Może wcześniej miałem jakąś szansę, ale teraz już nie.

Słyszę głos wrzeszczący z samochodu, nie wiem już który.

– Złap ten drut, głąbie, skurwiel musi zdechnąć!

Drzwi się otwierają, zamykania nie słyszę. Słyszę za to nadchodzące kroki, a potem majaczy nade mną jakaś sylwetka, sprawdza, czy jeszcze zipię.

Nie myślę. Tylko pluję z całej siły.

Chyba trafiłem w cel, bo słyszę szuranie nogami i sylwetka odchodzi.

– Jezu. Napluł mi, kurwa, krwią do ust! Chcesz mi sprzedać hifa czy co?

W tej chwili z całego serca chciałbym mieć AIDS, żeby go zarazić! Próbuję szerzej otworzyć oczy. Otwiera się tylko prawe. Widzę, że ten ktoś wkłada sobie coś do ust i szczerzy się szyderczo, odsłaniając zęby. A potem wskakuje na mnie, tak szybko, że w ogóle nie wiem, co się dzieje, i wali mnie mocno trzy razy w pierś. Z początku nie czuję noża, ale po odgłosach wiem, że to nóż, po tym, jak mi oddech zatyka. Ten pusty dźwięk, plask, kiedy wchodzi do środka. Tak głęboko, jak tylko nóż może wejść.

– Powiedz bratu, że idziemy po niego – szepcze do mnie jak moja matka, kiedy się wścieknie na kogoś w kościele. Cicha wściekłość.

Znowu wrzeszczy ten, co wydaje rozkazy:

– Ludzie patrzą, głąbie!

Sylwetka nade mną znika. Samochód też. Odjeżdżają, obsypując mnie żwirem spod kół. Ciągle oddycham, ale jest mokro. Połowa mojej krwi. Tracę czucie w ciele. Próbuję się przekręcić na bok. Myślę, że jak się przekręcę na bok, to krew będzie płynąć w dół, nie będę się dławił. Ale nie mogę. Dostrzegam nad sobą inną sylwetkę. Mrugam energicznie oczami i widzę twarz. Kobieta odgarniająca włosy za uszy, pochylająca się nade mną. Mówi, że jest pielęgniarką i żebym się nie ruszał. Chce mi się śmiać, chętnie powiedziałbym, że w tym problem, nie mogę się ruszać, więc niech się nie martwi, będę leżał grzecznie, bo nic innego nie mogę zrobić. Chciałbym ją poprosić, żeby powiedziała mojej siostrze, co się stało. Obok pojawia się inna sylwetka, mniejsza. To chyba ten chłopiec co wcześniej, prawie jak on, wszystko jest zamazane, więc trudno powiedzieć. Ale głos chłopaka słyszę wyraźnie:

– Kretyn wykorkuje, co?

Przez moment wydaje mi się, że mówi o kimś innym. Nie o mnie. Kobieta odpowiada szeptem, nie słyszę, i nagle czuję na sobie czyjeś ręce. Właściwie nie ręce, tylko nacisk. Ból nie jest największym problemem. Problemem jest to, że nie mogę oddychać. Staram się i nie mogę. Pierś mi się w ogóle nie unosi. Jakby mi ktoś na niej zaparkował samochód. Próbuję im to powiedzieć. Gdyby mogli poprosić, żeby samochód się przesunął, to nie byłoby źle. Nie byłoby mi tak ciężko, oddychałbym i wszystko byłoby w porządku, zaczerpnąłbym powietrza.

Próbuję to wykrzyczeć, cokolwiek. Ale usta się nie poruszają, czuję, że mam wielką skórę, luźną, niebo wisi za nisko, jakby spadło na mnie, na twarz, jak prześcieradło, i mam takie najdziwniejsze wrażenie, że spadło, żeby mnie uratować, że wlewa się we mnie jak ciemny cement, żeby pozaklejać mi dziury, żebym mógł znowu oddychać, i myślę, jak by to było dobrze, gdyby tak było, ale wiem, że tylko umieram, chłopak ma rację, i chyba wiem, że się rozpływam, bo mózgowi brakuje tlenu, wiem to, bo to logiczne, mózg musi mieć pożywkę, żeby pracować, i wiem, że nie jestem częścią nieba, wiem, no bo wiem, no bo

LUPE VERA
AKA LUPE RODRIGUEZ
AKA PAYASA

29 KWIETNIA 1992

20.47

1

Clever uczy się z podręcznika, Apache rysuje sobie komiks przy stole, a Big Fe przy kuchence drewnianą łyżką przekłada chorizo na patelni. Opowiada mi historię o Vikingach, wrzeszcząc z kuchni do pokoju, mówiąc, jak to pewnego wieczoru w Ham Park wybucha strzelanina i wszyscy zaliczają glebę, kule gwiżdżą, człowieku, kule naprawdę potrafią gwizdać, gdy nagle ktoś wali do drzwi, mocno i szybko, bam-bam-bam, jakby ten ktoś po drugiej stronie w ogóle nie bał się o swoją rękę.

Oglądaliśmy w wiadomościach, jak banda *mayates* prasuje cegłówką twarz jakiemuś białemu kierowcy wyciągniętemu z ciężarówki na rogu Florence i Normandie, ale szybko nam się znudziło, więc przerzuciliśmy kanał, żeby zobaczyć coś innego. Jest western, głos przyciszony, ale wszystko jedno. Tylko teraz nie patrzę już na rewolwery ani kapelusze. Patrzę na Fate'a (Big Fe właściwie nazywa się Big Fate, no więc wiadomo), Clevera i Apache'a, a oni patrzą na mnie. Myślimy to samo: to nie psy.

Gliniarze nie pukają. Oni walą taranem. Wpadają z wrzaskiem, ukryci za karabinami i latarkami. Nie obchodzi ich, czy ktoś jest dziewczyną jak ja. Wszystkich wydymają po równo.

Nie ma mowy, żeby to były psy.

Wśród nas to Fate jest wodzu. Pod podkoszulkiem siedzi naturalny muskuł, o którym marzą ci od wrestlingu. Na prawym bicepsie fałdują azteckie tatuaże, gdy Fate podciąga spodnie przy pasku i zdejmuje patelnię znad ognia, a kiełbasa skwierczy.

Kiwam do niego głową, więc nadaje dalej, żeby to brzmiało naturalnie, jeśli ktoś podsłuchuje za drzwiami, i też kiwa głową, nachyla się i bierze broń. Zawsze trzyma jedną sztukę w szufladzie kuchenki.

Trzydziestkaósemka. Małe cacko, ale potrafi zrobić dużą dziurę.

– No i leżę na plecach – mówi Fate, powoli ruszając do drzwi – gapię się w gwiazdy i strzępy liści spadają na mnie, poszatkowane przez kule. Deszcz taki spada.

Osuwam się na podłogę. Zerkam na okna, ale za cholerę nie widzę żadnych cieni za zasłonami. Apache już tam jest, filuje, widzę ten biały grzebień, co go trzyma w tylnej kieszeni spodni. Nie jest dużo wyższy ode mnie, ale to mięśniak, w dodatku nosi luźne ciuchy, żeby nikt nie wiedział, że jest silny. To taki facet, który przydaje się właśnie w takiej sytuacji, w każdej sytuacji. To znaczy oskalpował raz jednego kretyna. Dlatego ma tę ksywkę. Wziął nóż i odkroił, kawałek po kawałku, włosy i wszystko. Jak skończył, wrzucił to do śmietnika. Nie było mnie przy tym, ale słyszałam.

– Znasz mnie – ciągnie Fate – czołgam dupsko do najbliższego drzewa, żeby zerknąć, kto strzela.

Słyszałam tę historię ze dwieście razy. Wszyscy słyszeliśmy. Teraz to już jak hasło i odzew. To nasza historia, nasza wspólna, i gdy ją opowiada, trzeba zadawać właściwe pytania.

Czołgając się do swojego pokoju, wołam:

– Widziałeś twarze czy coś?!

Znowu pukanie. Mocniej i wolniej. Bam. Bam. Bam.

Fate mruga oczami. Siedzę skulona przy drzwiach do pokoju, przesuwam ręką po listwie przypodłogowej w poszukiwaniu karabinu, który mój młodszy brat chowa za szafką. Tak robi. Po jednej sztuce skitranej w każdym pokoju, w łazience dwie.

– To byli Vikingowie. Ukryci za maską tego radiowozu, reflektory zgaszone, pruli gęsto, dziewczyno, kanonada!

To właśnie jest Lynwood. Mamy miejscowy neonazistowski gang policyjny. Prawdę mówię, chociaż wolałabym kłamać. Podobno mają nawet tatuaże. Herby Vikingów z Minnesoty na lewej kostce. Prawo nic dla nich nie znaczy. Ich sposób na załatwianie problemów z gangami to wjazd na dzielnicę, oddanie serii w każdego, kto chociaż minimalnie wygląda na człowieka ulicy, i wyjazd, z nadzieją, że to wywoła wojnę między gangami, w której się wszyscy pozabijamy, bo myślimy, że ktoś inny strzelał, nie szeryfowie. Policja jako przestępcy. Dla nich człowiek czarny albo śniady gówno znaczy. Nie jest nawet człowiekiem. Zabijać nas to jak pozbywać się śmieci. Tak wygląda ich myślenie.

Z lakierem do paznokci w jednej ręce i tym czymś do nakładania w drugiej Lorraine wystawia głowę z mojego pokoju, zdziwiona mina, totalnie głupia mina, a niżej dyndające licealne cycki. Nie ma stanika i na razie tylko trzy paznokcie z dziesięciu pomalowała niebieskim lakierem. Wyraźnie jej przerwano.

Zastyga pod moim spojrzeniem. Poruszam bezgłośnie ustami:

– *Puta*, z powrotem.

Wygląda, jakby się miała wściec, ale posłusznie znika w ciemnym pokoju, a ja chwytam karabin za kolbę i kładę go na kolanach. W dłoniach wydaje się lekki, dwudziestkadwójka. Do tej pory tylko dwa razy z niego strzelałam.

Sprawdzam, czy jest naładowany. Wiadomo, że tak.

Clever szepcze coś do Fate'a, patrząc na ekran monitoringu pokazujący dom ze wszystkich stron.

– Nic nie widać. To ten małolat od Serrato.

– Alberto?

– Nie, najmłodszy. Nie wiem, jak ma na imię.

Znowu pukanie, kurewsko głośne. Aż trudno uwierzyć, że dwunastolatek może tak walić w drzwi. I wtedy aż mi się żołądek wciska w kręgosłup, jakbym jechała na kolejce górskiej w lunaparku. Bo dociera do mnie, że stało się coś złego. Coś, czego nie da się odkręcić.

2

Fate wisi na telefonie, łebski gość, dzwoni naprzeciwko, dwa domy w jedną stronę, dwa w drugą, żeby się upewnić, że na ulicy jest czysto, żadnych samochodów i nikt się nie czai. Nigdy nie wiadomo, co wykombinują, żeby człowiek otworzył drzwi. Przyślą dzieciaka, kogokolwiek. Trzeba mieć oczy dokoła głowy. Fate podaje klamkę Apache'owi. Clever podchodzi z tyłu.

Clever jest chudy jak wykałaczka. Prawdziwy *palillo*. Nie zdejmuje łańcucha z drzwi, tylko naciska klamkę i je uchyla, żeby Apache mógł wysunąć lufę trzydziestkiósemki i oprzeć ją o zewnętrzną kratę antywłamaniową, kilka centymetrów od twarzy chłopaka.

– Chcesz czegoś, młody?

Małolat nie może złapać tchu, pokasłuje, nawet nie patrzy na lufę, nie patrzy do góry.

– Pani Payasa, ja...

Lupe Rodriguez. Tak mam napisane w papierach, jak chcecie wiedzieć. Ale to się nie liczy. To nie jest moje prawdziwe nazwisko. Już dwa razy je zmieniałam. Teraz jestem Payasa, od kiedy weszłam do branży. (To oględne powiedzenie, że się trochę babram w gangsterce). Ale żeby mówić do mnie „pani"? Ha! Jakby mi się żołądek akurat nie wywracał, pomyślałabym nawet, że to ładnie. Nawet w tym momencie, w ferworze nie wiadomo jeszcze czego, szacunek jest wymagany.

W naszej dzielnicy coś takiego to nie uprzejmość. To waluta. Nie wolno o tym zapominać.

Apache się nachyla.

– Wyduś to z siebie, młody.

Chłopak podnosi wzrok na schodach, ma zaciętą twarz.

– Chodzi o pani brata. Jest…

Clever odsuwa łańcuch, potem kratę, a Apache wciąga chłopaka za ramiona do środka, zamyka drzwi stopą, krata trzaska, wreszcie szybko i sprawnie go obszukuje. Chłopak ma za długie czarne włosy i ukruszony ząb. Jest popaprany krwią.

Fate przejmuje stery. Potrząsa małolatem.

– *Adónde?*

Nawet nie umiem skłamać. Widzicie, myślę, że chodzi o Raya, mojego młodszego brata. Znanego jako Lil Mosco. (Mosco znaczy „mucha". Zarobił tę ksywkę, bo ciągle brzęczał nam nad uchem, jak byliśmy mali. A „Lil" zarobił, żeby się odróżniał od innego Mosco, Big Mosco, który zginął w zeszłym roku. Oberwał z przejeżdżającej fury. Niech spoczywa w pokoju).

Dopiero po dłuższej chwili chłopak mówi nam, że ciało leży dwie przecznice dalej, trup sto procent. Wtedy krew szumi mi w uszach, bo to nie ma sensu.

Lil Mosco dostał kurs do Riverside i z powrotem. Jakim cudem, kombinuję, leży…?

O w mordę. Dopiero teraz do mnie dociera, jest jak uderzenie w pysk, aż się dom zakołysał. Chwytam się ściany, żeby nie upaść.

To nie Ray.

– O kurwa – mówię.

Fate puszcza chłopaka. Ma taką strasznie smutną minę, najsmutniejszą, jaką w życiu widziałam. On też już wie. Clever rozdziawia usta, jakby zapomniał, jak się oddycha. Apache trzyma się za głowę.

Ernesto, mój starszy brat. Brzuch to wie, ale umysł zaprzecza, mówi różne rzeczy, że on przecież z nikim nie zadzierał. Był poza branżą. Cywil. Miał zakaz wstępu. Więc niemożliwe. Niemożliwe, kurwa.

Ale potem mi świta, jakby moja głupia dupa rozwiązała zadanie matematyczne. Przecież teraz nie obowiązują żadne zasady. Żadne. Są rozruchy. Aż dygoczę na myśl, że wszyscy gliniarze z miasta są zupełnie gdzie indziej, a to oznacza, że zaczął się okres polowań na każdego kurewskiego głąba, któremu do tej pory coś uszło na sucho, a niech mnie chuj strzeli, jeśli ta dzielnica nie ma dobrej pamięci. Pociągam nosem i przez chwilę smakuję całą złowieszczość tej sytuacji.

No bo ja, Fate i Clever mieliśmy bekę, jak zobaczyliśmy w telewizorze tego faceta załatwionego cegłówką, przed tym, jak przyszedł Apache, i nawet mówiliśmy, że to dobry czas na wyrównanie starych rachunków, gdybyśmy mieli ochotę, a widać, że inne ziomki już się za to zabrały, rewanżują się za dawne sprawy, grasują po mieście.

Gdzieś z tyłu Lorraine wychodzi z mojego pokoju i mówi:

– Nie, skarbie, nie… – jakby chciała mnie pocieszyć czy coś, ale ja nawet nie jestem w tej chwili smutna, a już na pewno nie życzę sobie, żeby mnie dotykała.

Jestem wściekła.

Znaczy, nigdy jeszcze nie byłam tak wściekła w całym swoim życiu. Czerwone błyski przed oczami, wbijam paznokcie w kolbę karabinu.

No bo ile razy mówiłam Ernesto, żeby uważał, jak wraca do domu? Linia graniczna między ich terenem a naszym leży rzut beretem stąd. Rozlazły skurwiel mnie nie posłuchał i dostał to, na co zasłużył!

Przygryzam wargę i uświadamiam sobie, że wstrzymałam oddech.

– Kto wie? – słyszę swój głos.

Brzmi jak w szale.

Chłopak jest zdezorientowany.

– Znaczy, kto wie, kto to zrobił? – pyta.

– Nie. Kto wie, że Ernie oberwał.

Wreszcie zajarzył. Odpowiedź: tylko ludzie z tego zaułka, do którego go zawlekli. „Zawlekli". Chłopak tak mówi, a ja nawet nie wiem, co to, kurwa, znaczy w tej sytuacji. Dla mnie to słowo źle brzmi. Nie rozumiem. W tej chwili nie rozumiem. Bo dom ciągle wiruje, a ja trzymam się ściany. Przełykam mocno ślinę i pytam:

– Ile mamy czasu?

Clever patrzy na mnie, jakbym szwargotała po chińsku, ale Fate rozumie. Nie musiałam nawet pytać.

Patrzy na zegar na ścianie i wzrusza ramionami.

– Pewnie z półtorej godziny.

Po tym czasie Lil Mosco przyfrunie z powrotem i dowie się, co się stało. Nikt nie bierze pagera na rundkę. To eliminuje pokusę, żeby go używać, gdy się załatwia sprawy.

A więc półtorej godziny, może mniej. Tyle czasu mamy, żeby się dowiedzieć, kto to zrobił, znaleźć ich i ożenić z ołowiem, zanim świrnięty Lil Mosco wróci i wystrzela dom po domu wszystkich, którzy mają choćby cień powiązania z tą aferą. To nie mój styl.

Muszę spojrzeć w oczy temu, kto to zrobił. Bo co innego ma zrobić siostra?

Najpierw muszą wiedzieć, że wiem, dopiero potem odstrzał. Musi być sprawiedliwość.

Wszyscy w pokoju widzą, że jestem w szale. Ale gęby trzymają na kłódkę, a ja gaszę telewizor na scenie z organizowaniem pościgu, rozdają gwiazdy bandzie białych kapeluszy. Przez sekundę czuję, jakbyśmy to byli my. Podaję Fate'owi karabin i łapię za telefon, żeby zadzwonić do *mi mamá*. W zeszłym roku przeprowadziliśmy ją z Lynwood w bezpieczne miejsce, nie mogę nawet powiedzieć gdzie. Ale ona i tak wie dużo, poczta pantoflowa sięga pod same jej drzwi.

Udaje mi się dopiero przy piątej próbie. Pewnie linie są dziś przeciążone. Więc i tak mam szczęście. Gdy odbiera, słyszę po jej głosie, że jeszcze nic nie wie, ale po moim tonie domyśla się od razu, że coś się stało. Mówię jej, żeby nie otwierała drzwi, żeby się dobrze pozamykała. Mówię, żeby od tej chwili nie odbierała telefonu, dopóki do niej nie przyjadę, bo mam jej coś ważnego do powiedzenia, ale to musi chwilę zaczekać, a powinna się tego dowiedzieć ode mnie, tylko ode mnie, od nikogo innego.

– *Por favor. Prométeme.*

Obiecuje.

Walę słuchawkę na widełki i mówię małolatowi, żeby nas tam zaprowadził, żeby nas zaprowadził tam, gdzie zajebali mi brata.

3

Jazda w cutlassie Apache'a to najdłuższe dwie minuty w moim życiu. Lewa noga mi drży jak nie wiem co i przestaje dopiero, jak kładę ręce na kolanie. Ale wtedy druga zaczyna, no to chuj, niech drży, i tylko patrzę przez okno na umykające szybko skrzynki na listy, na drzwi wejściowe za kratami. Wszystko pozamykane jak fortece. Trudno mieć pretensję. Nie jest tak ciemno, żeby nie było widać dymu nad dachami, żeby nie wiedzieć, że tam dalej ten cały szajs ciągle się pali.

Upominam się w myśli, żeby oddychać, a Clever parkuje na ulicy obok tego zaułka i wtedy ja, Fate i małolat od Serrato walimy między domy przy Boardwalk i dobiegamy do miejsca z garażami po obu stronach. Tu ciągle jest powietrze, jakby ludzie wstrzymywali oddech, dopóki się nie zjawimy. Gorąco mi, więc rozpinam koszulę, aż za mną powiewa, i tylko podkoszulek mnie osłania.

Normalnie zrobilibyśmy wjazd, zobaczyli to, co jest do zobaczenia, i od razu szybki wyjazd. Ale dziś mamy czas. Jeżeli nawet ktoś zadzwonił po psy, to szybko się nie zjawią. Nie dzisiaj. Dzisiaj ulice są nasze.

Tuż za nami wali Clever z latarką i otwartymi torbami na suwak. Clever to specjalista od takich spraw. W zeszłym roku wysłaliśmy go na kursy kryminalistyczne do L.A. Southwestern College. Miał prawie same piątki.

To znaczy właściwie to nawet nie chcę, żeby zrobił użytek z tego, czego się nauczył. Ale na tym polega to zwariowane życie. Prędzej czy później na każdego przychodzi pora, żeby poczuł ból. I człowiek nienawidzi, jak to się przydarza komuś z jego *clica*, ale jeszcze bardziej, gdy przydarza się jemu samemu. Już dwa razy to czułam, bo załatwili mi krewniaka i *padre*. A teraz to rozpędzone koło znowu mnie stratowało. Moja kolej. Znowu. Potrzebuję więc Clevera i jego wiedzy. I to szybko.

Stukam Fate'a w łokieć. Wie, o co chodzi.

Błyska mi tarczą zegarka w twarz. Ciągle mamy godzinę i kwadrans, zanim Lil Mosco dostanie kurwicy. No, jeżeli nam się pofarci.

Ziomki już odcięły zaułek z obu stron. Ranger, Apache i jego krewniak Oso pilnują od tej strony. Jak żołnierze, wiecie? Nie widzę dokładnie wylotu z drugiej strony, więc nie wiem, kto tam jest, ale ktoś jest, cztery cienie jak sterczące długie noże, a to z powodu oświetlenia na stadionie softballu kilka przecznic dalej, co jest dziwne, bo nie wyobrażam sobie, żeby ktoś grał, jak miasto się pali, ale wszystko jedno. Nie ja płacę za ten prąd.

Zaułek jest taki wąski, że zmieściłyby się może dwa małe samochody, nic więcej. Widoczne po obu stronach plecy drewnianych domów, są kurewsko stare, z lat czterdziestych może, z próchnem przy rynnach. Niektóre garaże stoją osobno, a między nimi materace, stare kanapy i całe to barachło, którego ludzie nie chcą trzymać na trawniku od frontu. Przygnębiające miejsce, aż żaden właściciel nie myśli, że ktokolwiek to zobaczy, więc nikomu się nie chce malować domów od tyłu.

Wszędzie dokoła ulice patrzą.

Puste twarze upchane w cieniach garaży. Przestraszone twarze zgrywające chojractwo. Dwie wyglądają znajomo, odhaczam w myśli. Jedna to pielęgniarka, ma nawet szpitalny fartuch na sobie. Krzywi się lekko, jak na nią patrzę. Obok człapie czarny menel, którego nie znam z dzielnicy. Niski, z laską, podchodzi do zwłok jakby z ciekawością.

Widzi, że na niego łypię, i pyta:

– Ej, a co tu się stało?

Nawet nie zwalniam kroku.

– Niech ktoś zabierze stąd tego ciekawskiego skurwysyna. – Bardziej wypluwam te słowa, niż mówię.

Fate kiwa głową do tyłu i chyba jakiś żołnierz podbiega i zajmuje się gościem, bo słyszę szybkie szuranie, nic wartego uwagi. Jestem skoncentrowana na czym innym.

Bo jak podchodzimy do zwłok mojego dużego brata, to wydają mi się za małe. Ramiona jakby za wąskie, a przecież pamiętam, że były szerokie, bo mnie na nich nosił, udawał, że jest koniem, jak byłam mała *chavalita*. Nawet się nie krzywię na widok jego twarzy. Ale się zatrzymuję. Nagle.

Bo twarz Ernesto ma kurewsko zmasakrowaną. To znaczy, to jego twarz, ale nie jego. Już nie.

Oczy wytrzeszczone, jakby bokser go poobijał, kurewsko metodycznie. Żwir z alejki wciśnięty w podłużne rany na policzkach, w usta. Ziarnka piasku. Kamyki. Jeden z przednich zębów wygięty w drugą stronę. Policzki zapadnięte. Brak jednego ucha.

– To on – mówi małolat, choć przecież nie musi.

W mordę, w końcu to kurewsko oczywiste.

Milczę. Jestem uwięziona we własnej głowie.

Patrzę na mojego dużego brata, który już nie jest taki duży.

Poruszam szczęką i żuchwa aż strzela. Przychodzi mi na myśl, że Ernesto był wyższy. Głupie w takiej sytuacji, wiem, ale nie potrafię powstrzymać tego kretyństwa. Myśli po prostu napływają, to sztampowe gówno kipi mi we łbie, skóra mnie swędzi. Uświadamiam sobie, że się pocę jak świnia.

Ciągle ma na sobie uniform, ten mój duży brat. Oblepiony ciemnością, brudem i krzepnącą krwią. W tym podłym zaułku jest tylko jedno drzewo na tyle wysokie, żeby rzucać cień na Ernesto, i się kołysze, przesuwając tą swoją ciemną sylwetką po jego nodze jak kocem, jakby chciało go otulić albo coś.

Jeszcze gorsze jest to, że ma te kowbojki, co mu kupiłam na Boże Narodzenie dwa lata temu. Czarna skóra, podeszwa i obcas w kolorze ziemistej zieleni. Pierwszorzędna jakość. Nigdy nie nosił ich w pracy, tylko jak kursował do roboty i z powrotem. Z jakiegoś powodu to mnie trzepie najmocniej. Pamiętam ten jego krzywy uśmiech, jak otworzył pudełko, jak wybałuszył gały, i nagle muszę odzipnąć na moment.

Odchodzę na kilka kroków, zaciskając pięści tak mocno, że paznokcie wrzynają się w skórę. Gapię się na stadionowe oświetlenie, aż mi przed oczami migają na niebiesko okoliczne garaże, ale to niezbyt pomaga, jednak zawsze coś. Spoglądam z powrotem na asfalt i podchodzę, uważając, żeby nie zadeptać śladów opon, biegnących od Ernesto jak czarne szyny. Teraz rozumiem, o co chodzi z tym, że go zawlekli.

Najpierw go pobili, a potem włóczyli chyba z piętnaście, osiemnaście metrów po asfalcie.

Pierdolić ten uniform *pinche*. Rozumiem aż za dobrze.

Najpierw go pobili. Pięściami w twarz, pewnie kolbami też, jeśli mieli broń. Zrobili to facetowi, który im nic złego nie zrobił. W ten sposób przekroczyli granicę, a z tego wynika tylko jedno. Chcieli dopaść nas, najpewniej chcieli dobrać się do dupska temu głupkowi Lil Mosco. W ten sposób przekazali nam wiadomość. Nie wiedzieli, że ja pierwsza się tu zjawię.

Jestem taka wściekła, że dygoczę. Zmienia się cały ten gniew, który przed chwilą czułam do Ernesto, tego faceta, który mnie wychował, gdy *mi padre* zginął, i który pilnował, żebym zawsze zjadła swoje *chilaquiles* i miała drugie śniadanie do szkoły.

Czuję przełożenie wajchy. Czuję to gówno głęboko w sobie, jak pstryczek od lampy. Czuję, jak znika ten gniew do brata, że wracał do domu złą drogą, i jak w tej samej chwili dyszę wściekłością na tych kretynów, którzy to zrobili. Muszę wiedzieć, kto to zrobił, muszę to wiedzieć bardziej niż cokolwiek w życiu. Zobaczyć jego twarz w takim stanie – cholera. Jego twarz w takim stanie.

Wiem, że od tej pory będę już kimś innym.

Ci tchórze zrobili ze mnie nowego człowieka, kiedy załatwili mojego dużego brata, mojego Ernesto. Stoję jak nowo narodzona i chuj z tym, to przez nich. W tej chwili jestem jak głód, pragnienie i ogień zmieszane w jedno. Patrzę znowu na jego twarz. Muszę się jak najszybciej dowiedzieć, komu mam zrobić to samo. Muszę wiedzieć, w czyim sercu mam zrobić dziury identyczne jak te, które czuję teraz w swoim. Muszę to wiedzieć na wczoraj.

Na oczach innych, jak w tej chwili, to Fate zawsze dowodzi. Na siłę otwieram zaciśnięte pięści. Zmuszam się, żeby do niego podejść.

Nie ma znaczenia, co czuję. Nie mogę kłapać dziobem, nie wolno podważać roli *machismo*. To tak nie funkcjonuje. Tak naprawdę nie jestem jeszcze nawet żołnierzem na ulicy, tylko krewną jednego. Poza tym kobiety nie mają dużo do gadania. Mogę sobie z tego powodu popłakać albo jakoś sobie z tym radzić. Później zrobię to drugie, kurwa.

Fate i tak wie, czego chcę. Jakby czytał w moich myślach.

– Payasa, idź pogadać z ludźmi, jak dasz radę. A ty, Clever, bierz się. – Kiwa do nas głową, potem odwraca się do małolata. – Coś ty tu, kurwa, robił, młody?

Nie słyszę odpowiedzi i wcale mnie ona nie interesuje. Maszeruję już do tej pielęgniarki, którą widziałam wcześniej. Stoi w zaułku, jakby czekała, że ktoś zada jej parę pytań.

4

Ta pielęgniarka, wzrost może metr sześćdziesiąt, ma na sobie szpitalny fartuch i bielsze od bieli buty na słoninie. Szrama na podbródku, krótkie włosy świecące w blasku latarni jak czarny lakier do paznokci, pomazana krwią z przodu. Myślę, że próbowała go ratować, a krew mojego brata na jej fartuchu wygląda jak fiolet, jakby w ogóle nie była prawdziwa.

– Jesteś siostrą Sleepy'ego? Gloria?

Kiwa głową. Wie, że na myśli mam Sleepy'ego Rubio, nie Sleepy'ego Arguetę. Bo to duża różnica. Plus minus pięćdziesiąt kilo.

– Tak mi przykro – szepcze.

Staram się mówić jak najspokojniej, bo wygląda na roztrzęsioną. Brzmi to kurewsko sztucznie, ale tak trzeba.

– Powiedz, co widziałaś.

Obejmuje się rękami, jakby było jej zimno, potem wskazuje najbliższy garaż, klocek, który w mroku ma granatowy kolor.

– Przyjechałam. Przeglądałam właśnie listy ze skrzynki. Rzadko wyjmuję, więc... – Widzi mój ponaglający wzrok i przyśpiesza: – Taki samochód, trochę jak pikap, z tyłu paka, wszystko stało się bardzo szybko. Zobaczyłam go w lusterku wstecznym, zobaczyłam, że coś ciągnie za sobą, wysiadłam i spojrzałam, a jak zobaczyłam, że to człowiek, no nie mogłam uwierzyć. Nie mogłam uwierzyć. Jak w kinie. Zatrzymali się tak ze cztery domy dalej i wysiadło dwóch facetów.

Liczę w głowie.

– Od strony kierowcy też?

– Nie. Z paki i od strony pasażera.

– Więc kierowca nie wysiadł?

– Raczej nie.

W oczach chyba coś mi zabłysło, bo Gloria cofa się o krok.

– Jak wyglądali ci dwaj?

– Nie wiem. Jeden był średniego wzrostu.

Wzdycham w reakcji na te pierdoły. Wygląda na to, że większość ludzi ma spostrzegawczość betonu. A w naszym zwariowanym świecie trzeba być uważnym. Bo jak nie, to nie zasługujesz, żeby żyć.

– Ale ten drugi był wyższy ode mnie – mówi Gloria. – Tak ponad metr osiemdziesiąt.

– Dobrze – odpowiadam, choć wcale nie jest dobrze, w ogóle. Ale przynajmniej to coś. Próbuję ją zachęcić, bo tak postąpiłby Fate. On jest w tym lepszy niż ja. Kiwam głową. – Widziałaś ich twarze? Jakieś ślady, cechy charakterystyczne?

– Nie, było ciemno. Mieli okulary przeciwsłoneczne. Wydawało mi się to dziwne, no bo jest wieczór.

– Jak byli zbudowani? Jakie mieli ubrania?

– Zbudowani chyba normalnie, ale ten wyższy był umięśniony, jakby dźwigał ciężary. Obaj ubrani na czarno. Czapki i cała reszta. Szczegółów nie widziałam.

Klapuje. Jak będę się chciała odegrać za Ernesto, też ubiorę się na czarno.

– Jakiej marki był samochód?

– Nie wiem, jakiś cadillac albo ford, taki długi kanciasty jak w latach siedemdziesiątych, ale miał pakę, mówiłam już? Taki w rodzaju pikapa.

– Miał coś charakterystycznego? Jakieś nalepki na zderzakach, rozbity reflektor, cokolwiek?

Gloria mruży oczy.

– Nie – odpowiada.

Kręcę głową. Mam dosyć tego gówna.

– Co zrobili, jak wysiedli?

Wzdycha szybko, uciekając spojrzeniem w bok.

– Zaczęli go dźgać. Dużo ciosów. Raz, drugi. Nigdy czegoś takiego nie widziałam. To słychać.

Dygocze, zagryzając wargę. Nie musi mi wyjaśniać.

Wiadomo, że to słychać, i zależy jeszcze od tego, czy się trafia na żebra, czy tamten wstrzymuje oddech, gdy obrywa. O chrząstkach nie ma co mówić. Prawda: niełatwo zadźgać człowieka na śmierć. To wymaga czasu. Potrzeba trochę szczęścia. O wiele łatwiej, jak delikwent nie stawia oporu. Może Ernesto nie stawiał, może był już tak ciężko ranny, że nie mógł.

Gryzę się w policzek od środka, tak mocno, że czuję w ustach krew o smaku przypalonej miedzi. Znowu się trzęsę, zaciskam pięści.

– Ile razy go dźgnęli?

– Nie wiem – odpowiada Gloria.

Kiwam głową i przełykam ślinę, próbując stłumić uczucia, zepchnąć je jak najdalej w głąb, w dół, pod stopy. W ziemię.

– A potem odjechali, tak?

Ja bym tak zrobiła. Wjazd, wyjazd. Żadnych resztek. Czyściutko. Uświadamiam sobie, że znowu zacisnęłam pięści, więc rozprostowuję palce. Wiem, że odpowiedź na to pytanie jest twierdząca.

– Nie – mówi Gloria.

Aż mi w uszach dzwoni, gdy się rzucam na to gówno.

– Jak to nie?

– Ten wyższy wytarł nóż i schował go do kieszeni z przodu bluzy, a potem wyjął gumę, włożył ją do ust i wyrzucił papierek. A może najpierw wyjął gumę…

– Moment! – Włosy na karku stają mi dęba. – Gdzie to było?

W pierwszej chwili jakby nie usłyszała mojego pytania, bo ciągle nawija, oczy wpatrzone gdzieś w dal, we wspomnienia:

– A potem wszyscy wsiedli i od…

– Czekaj! – Kładę jej rękę na ramieniu. Chyba zbyt brutalnie, bo jęczy cicho. Jakbym się tym, kurwa, przejmowała. – Gdzie rzucił papierek?

Patrzy na mnie jak szpak w pizdę.

– Co?

– Papierek od gumy. Gdzie go rzucił?

Wskazuje w głąb zaułka, w prawo od miejsca, w którym stoi Fate z młodym Serrato. Ruszam szybko. Gloria idzie za mną, gada:

– Próbowałam go uratować. Musisz to wiedzieć. Ale już było za późno.

Zerkam przez ramię i widzę, że pokazuje ręką swój zakrwawiony fartuch, ślady. Ślady krwi Ernesto…

Powinnam jej podziękować, ale jakoś nie umiem.

W skupieniu szukam między kępami chwastów, kopię kamyki, aż w końcu znajduję zwinięty w kulkę papierek wdeptany w grudę ziemi. Świeży.

Serce mi wali, kiedy widzę, że jest czysty, tylko trochę mokry od spodu, wyrzucony niedawno. To jest to gówno, którego szukam.

Odwracam się, żeby zawołać Clevera, ale on już stoi tuż za mną, z torebką foliową w ręku. W mordę, zna się na rzeczy. Na domiar wszystkiego. Wrzucam papierek do środka.

Ma długą pęsetę, którą chwyta papierek, po czym palcami przez folię – jakby używał rękawiczki – rozwija go. Od dołu papierek jest niebieski. Oboje się przyglądamy.

Jakieś dziwne napisy, jak kaligrafia albo inne gówno. Podchodzi Fate, wciska głowę między nas.

– To wschodnie pismo? – pytam. – Koreańskie czy jak?

– Skąd, nie koreańskie. – Clever podnosi papierek do światła. – Wygląda na japońskie. Litery mają ostre krawędzie. Koreańskie jest bardziej okrągłe.

Pojęcia nie mam, ale kiwam głową.

– A co to znaczy?

Clever rozwija papierek do końca, a potem stuka pęsetą w obrazek owocu pośrodku. Mruży oczy.

– Nie jestem pewien, ale czy to nie wygląda jak jagoda?

– A kto tu, kurwa, żuje japońską gumę o smaku jagodowym?

– Rozpuść info – warczy Big Fate. Idzie w kierunku żołnierzy. – Musimy się dowiedzieć. Wszyscy gadają ze wszystkimi.

Podchodzę z powrotem do Ernesto i patrzę na torebki, które Clever porozkładał na popękanym chodniku. Sześć. W jednej jest portfel Erniego. Otwieram go, żeby sprawdzić, czy są pieniądze.

Są. A przez to czuję jeszcze większy wkurw. Skoro nawet nie próbowali upozorować rabunku, znaczy, że ta cała akcja to wiadomość dla nas. Nie żeby w ogóle można było coś upozorować, jak się człowieka masakruje, wlecze, dźga nożami z zimną krwią.

O w mordę.

Wyciągam jego kartę i zdjęcia ze mną, Rayem i Erniem, kiedy byliśmy mali, i jeszcze zdjęcie z *Mamá*. Wkładam mu portfel z powrotem do kieszeni, zostawiając pieniądze na miejscu, żeby policja wiedziała, że to nie był napad rabunkowy, i tak to tylko dwadzieścia trzy dolce, ale utrudnię gliniarzom ustalenie tożsamości.

W ten sposób zyskamy na czasie. Na wszelki wypadek.

Do tej pory ktoś już na pewno zadzwonił na policję. Nie wiadomo jednak, kiedy przyjadą, żeby go zabrać. Czuję skurcz w żołądku na myśl o tym, że będzie tu leżał nie wiadomo jak długo. Godzinę? Dwie? Zdejmuję koszulę i zakrywam mu twarz. Unoszę mu odrobinę głowę i wsuwam rękawy pod spód, jak poduszkę. Ręce mam zakrwawione.

Potem Clever zgarnia torebki, a ja stoję obok jak kretynka, zbierając się na odwagę, żeby powiedzieć to, co należy. Nachylam się do Ernesto, na tyle blisko, że mogłabym go dotknąć.

Zamykam oczy i mówię:

– Pochowamy cię jak trzeba, mój duży braciszku. Obiecuję. Ale nie teraz, dobrze? Proszę, wybacz mi to. – Mrugam powiekami i znowu zamykam oczy, ale przedtem chwytam go dwoma palcami za jedyną część uniformu, która jest czysta, za szew na ramieniu, blisko kołnierzyka. – Po prostu potrzebujemy trochę czasu, to wszystko.

5

Wracamy do domu, a tam aż się roi od ziomków, którzy chcą wiedzieć, co, kurwa, zamierzamy zrobić, jak planujemy ich dorwać za to, co zrobili Ernesto. Taka idzie gadka. Żołnierze chcą spluw i samochodów, nawet przyczepy kempingowej. Żądają krwi, ale nie wiedzą czyjej. Dobrze to słyszeć i tak dalej, sęk w tym, że Ernesto nie był ich bratem. Był moim bratem. Jego śmierć spada na mnie.

Fate to jednak kurewski spryciarz. Daje im dokładnie tyle czasu, żeby się zagotowali, a potem odsyła wszystkich do domu – z wyjątkiem Apache'a – żeby czekali na rozkazy. Apache zostaje dlatego, że rozpoznał papierek po gumie, nie może tylko na razie skojarzyć, gdzie coś takiego widział, a myśmy się tego uczepili, bo nic innego nie mamy, bo Clever wykłada swoje gówniane znaleziska i atmosfera jest kurewsko napięta.

Ściany jakby napierały, sufit wisi za nisko. Moja skóra wydaje się za cienka, napięta na kościach. Za każdym razem jak patrzę na zegar w kuchni, boli coraz bardziej, czuję, że jatka, którą urządzi Ray, jest coraz bliżej, a oddala się szansa, żebym to ja wymierzyła sprawiedliwość.

Jeśli żal im Ernesto, nie pokazują tego po sobie. Żadnych płaczów ani nic. Nawet gdyby chcieli, nie mogą, bo to byłby jeden wielki obciach. Słabość.

– Czekaj! – mówi Apache, podnosząc torebkę z papierkiem. Wreszcie dodaje: – Cork'n Bottle! Tam to widziałem.

Zapada grobowa cisza. Musimy mieć pewność, że się nie myli. Stuprocentową pewność.

– Powaga. Oni tam mają mnóstwo takiego dziwnego dziadostwa. Nawet czarną gumę o smaku lukrecji. Paskudne gówno.

Fate robi minę, jakby wierzył w każde słowo, ale chce się dodatkowo upewnić:

– Skąd wiesz?

– Jednego razu poszedłem tam z Lil Creeperem…

Fate macha ręką w reakcji na to nazwisko, jakby to był smród. Ale to znaczy: dobra, rozumiem, więc się ucisz, nie musisz marnować śliny. Wystarczyło, że Apache powiedział „Lil Creeper", więcej nie trzeba. Nazwisko gościa kończy rozmowę. Nie musisz dalej wyjaśniać, wierzymy ci. Nigdy nie zrozumiem, jakim cudem ten facet nie został zabity już ze sto razy albo nie wylądował w puszce z dożywociem. Przez cały czas jest na haju. Zawsze w nieodpowiednim miejscu. Zawsze ma się gwarancję, że zrobi jakieś kretyństwo. A jednak jakimś cudem wywinie się z największego syfu. Skurwiel jest prawdziwą glistą, ale to nasza glista.

Kiedyś, jak byliśmy mali, Rayowi zamarzył się rower, firmy Dyno. Bmx, najbardziej wzięte cholerstwo w okolicy. Było to w czasach, kiedy Creeper zaczynał zażywać. Heroina, koka, cokolwiek, nieważne. Jeśli dawało się zażyć, było zażyte. No więc Ray mówi mu, że chce rower, jakiego koloru i tak dalej.

No i z ćpunami tak to jest. Wcale nie trzeba im mówić, żeby coś zmalowali. Mówimy tylko, czego chcemy, i zamykamy temat. To skutkuje lepiej, niż jakby ich nakierować. Dwa dni później Creeper przychodzi z rowerem, biało-czerwonym, niby dokładnie takim, jakiego chciał Ray, ale jest pewien problem. Ze sklepu JC Penney ukradł nie dyno, tylko rhino – tanią podróbę dla idiotów, z tą durną nazwą napisaną na ramie takim samym liternictwem. Rany, aleśmy wtedy rżeli ze śmiechu, a Ray nie miał wyjścia, musiał zapłacić. Ernesto rechotał głośniej niż wszyscy, trząsł się cały.

Na to wspomnienie aż mnie bolą żebra.

– Ej, Fate – mówię – może trzeba mu puścić coś na pager?

– A po co? – pyta Clever.

Prawą ręką robię pistolet i pokazuję ją lewą. Palec środkowy i wskazujący to lufa.

Niełatwo zdobyć broń. Zwłaszcza taką, która nie naprowadziłaby psy na trop, niezarejestrowaną albo spiłowaną. Z całym szacunkiem dla arsenału Raya, ale trzydziestkaósemka nie nadaje się do tej roboty. Karabin kalibru dwadzieścia dwa też nie. Największą armatą, jaką mamy w domu, jest rewolwer kalibru trzysta pięćdziesiąt siedem, który wymaga wyczyszczenia. Ale to i tak tylko sześć strzałów.

A potrzeba z siedemnaście, jeśli mam zrobić to, co należy.

Fate jak zwykle wyprzedza mnie o kilka ruchów.

– Już puściłem – mówi.

Kiwam głową i idę do swojego pokoju. Zerkam na Lorraine, siedzącą na łóżku. Skończyła z paznokciami u nóg. W półmroku wydają się niebieskie i małe, jak świetliste żelki. Ma szeroko otwarte oczy i widzę, że na usta ciśnie jej się mnóstwo słów, ale milczy jak grób. Czeka, żebym to ja coś powiedziała. I słusznie.

Patrzę na zegar przy łóżku i żołądek mi się ściska w pięść. Została mi godzina. Sześćdziesiąt jebanych minut. Niedobrze. Bo wiem, że z tym Cork'n Bottle, co go zna Apache, jest pewien problem.

Lokal znajduje się po drugiej stronie linii demarkacyjnej.

Oficjalnie to nie nasz teren. A ponieważ lokal nie jest naszą własnością, nie możemy tam wejść, chyba że będziemy kurewsko niewidzialni. Nie mamy czasu, żeby skrzyknąć wszystkich, pojechać tam, zrobić wjazd i wrócić.

Wtedy przychodzi mi do głowy pomysł, bardzo głupi pomysł. Błyskawicznie zrzucam trampki, spodnie, podkoszulek...

Lorraine patrzy z przekrzywioną głową, jakby wiedziała, że zamierzam popełnić jakieś wariactwo, ale jest zbyt przestraszona, żeby spytać, o co chodzi. Wyciągam z szafy jedną z jej sukienek, z komody zgarniam kredkę do oczu i podaję ją Lorraine.

– Szybko i porządnie – mówię.

Zerka na kredkę, na mnie i uśmiecha się łobuzersko. Rach-ciach i już mam kocie oczy, podmalowane brwi, puszyste włosy. W tej błyszczącej złotej sukience wyglądam jak kiepska kopia Lorraine, kurewsko kurewska kopia.

Kiedy Lorraine kończy dzieło, ktoś w pokoju obok wreszcie mówi to, co należy:

– Ej, zaraz, Cork'n Bottle przy Imperial?

– Zgadza się – odpowiada Apache.

– W mordę – wzdycha Clever.

Fate już główkuje. Od dłuższej chwili. Zorientował się, kiedy ja się zorientowałam, że to po drugiej stronie.

– Robimy głęboki wjazd. Bierzemy nagrania. A potem zobaczymy, czy uda się dopasować mordę do tego skurwiela, co to żuje.

– Albo zagramy nietypowo – wcinam się, wychodząc ze swojego pokoju.

Buty na koturnach to dla mnie coś nowego. Jakbym szła na szczudłach.

– O cholera – bąka Apache, rozdziawiając gębę.

Chce to jakoś skomentować, ale Clever go ucisza, trącając łokciem.

– Ja pojadę po te nagrania, dobra? – mówię. – Wjazd i wyjazd. Błyskawicznie jak skurwysyn.

Na końcu dodaję słowo „proszę", żeby Fate wiedział, że to on dowodzi, ale to i tak prawdopodobnie najlepsza szansa, jaką mamy. A przynajmniej jaką ja mam.

– To może być jakaś podpucha – odpowiada.

Wzruszam ramionami. Skoro podpucha, to podpucha. Wiem, że ma rację. Bo Fate ma dwadzieścia pięć lat. Widział już wszystko z każdej możliwej strony. Jak człowiek żyje tak długo, ma dziesięcioletni dorobek, to musi być paranoikiem.

– Jak cię złapią, nie skończy się na łaskotkach – dodaje.

Mówi po swojemu, że jeśli dopisze mi szczęście, oberwę kulkę. Jeśli nie, dostanę kosę między żebra.

Wiem. Wszyscy w pokoju to wiedzą.

Cleverowi też się ten pomysł nie podoba.

– Ja uważam, że powinniśmy wjechać na chama, pięć, sześć fur, zgarnąć nagrania i wyjazd.

Apache'owi oczy błyszczą, więc wiadomo, że się z nim zgadza.

Big Fate gromi ich wzrokiem. Czasem jest dla mnie kimś więcej niż rodziną, niż Ray był kiedykolwiek. Zna mnie na wylot, wie, że nie da się mnie odwieść od tego kretyństwa, bo się nakręciłam. Patrzy na mnie zimno, ale w tych jego oczach coś jest, jakaś jasna plamka, jakby był dumny wbrew sobie, bo wie lepiej od wszystkich, że muszę tam iść. Chce, żebym była ostrożna. Chce, żebym wróciła bezpiecznie. Ale tego nie powie.

6

Nie potrafię normalnie iść ulicą, nie potrafię kołysać biodrami jak zwykle, więc po prostu człapię, najpierw palce, potem pięty. Wystarczy, żeby bez zaliczenia gleby dotrzeć do krawężnika. Czuję na sobie spojrzenia, ale nie odwracam się, żeby popatrzeć na kamery. Może ostatni raz ich widzę? Przychodzi mi taka myśl do głowy, ale nie macham ręką na pożegnanie ani nic. Tylko wsiadam do samochodu.

Lorraine jeździ jakimś japońskim barachłem na trzech dobrych oponach i zapasie. Należało do jej kuzynki. Nie ma zapalniczki, ale za to główką dźwigni do zmiany biegów jest mała piłka baseballowa z logiem Dodgersów. Wsiadam i przekręcam kluczyk. Z radia wali Smokey Robinson, ale go uciszam, bo zauważam, że zegar migoczący na desce rozdzielczej spóźnia się o sześć minut.

Zostało mi pięćdziesiąt. Tylko tyle.

Rozrusznik zaskakuje, wrzucam bieg i startuję, z Najświętszą Marią Panną gapiącą się na mnie z naklejki, jak się wiercę w fotelu, bo sukienka Lorraine przekręciła mi się na biodrach.

Figura. Dwa rozmiary za duża, ale teraz już nic na to nie poradzę. Obciągam to kurewstwo pod znakiem stopu, patrząc w swoje pomalowane na Kleopatrę oczy w lusterku wstecznym. Wciskam gaz.

W takich chwilach cieszę się, że nigdy nie sprawiłam sobie tatuażu. Mając znaczki, człowiek od razu się demaskuje. To Fate wpadł na pomysł, żebym nie robiła sobie dziary. Ale, kurwa, on ma na sobie twórczość tego faceta, o którym wszyscy mówią. Pinta. Tak się nazywa. Fate twierdzi, że pewnego dnia Pint będzie sławnym człowiekiem pochodzącym z Lynwood, jak Kevin Costner albo Weird Al Yankovic, a teraz wszyscy gadają też o Suge'u Knighcie. Tym od Death Row Records.

Zazdroszczę Fate'owi tatuaży. Już dawno temu powiedział, że mam zostać czysta, że w ten sposób bardziej napędzam stracha. Bez tatuaży mogę iść wszędzie, wmieszać się w każde towarzystwo. Mówi, że stanowię element zaskoczenia, i ja to rozumiem, ale zarazem wie, że mam prawo do dwóch wytatuowanych łez. I nagle ta myśl jak cios kijem baseballowym.

W mordę. Teraz już do trzech łez. Trzeba wliczyć Ernesto.

Oddech mi się plącze w płucach. Prawie się do tego przyzwyczajam, jakbym odtąd miała tylko połowę przestrzeni do oddychania, nie całą.

Właściwie to nie mam prawka, ale Ernesto nauczył mnie dobrze jeździć, jeździć ostrożnie. I wiecie, to zabawne, kiedy o tym myślę, bo właśnie jakaś paniusia, która widzi tylko na długość swoich wałków do włosów, wjeżdża połową furgonetki na mój pas, trąbię więc na chama, robię unik przed tym gównem, dodaję gazu, odbijam płynnie w bok. Klnę, bo, kurwa, ludzie jeżdżą, jakby byli w Culiacán, nie zwracają uwagi na linie między pasami, nie używają kierunkowskazów. Nieruchomieję na chwilę, gdy to pomyślałam, bo tak właśnie ciągle mówił Ernie.

Ani słowem się nie poskarżył, jak rok temu musiał sprzedać swojego pikapa, żeby zapłacić kaucję za Raya, kiedy ten durny skurwiel dał się złapać za napaść z bronią w ręku. Nawet sam to zaproponował. Wiedział, że nie możemy zanieść do sądu forsy z narkotyków, bo wtedy wzięliby nas pod lupę, sprawdzili dochody czy co tam, kurwa, robią.

Oprócz domu ten jego pikap był jedynym naszym rodzinnym majątkiem. I Ernesto go sprzedał. Bez mrugnięcia okiem. A potem chodził do pracy na piechotę. Wyrabiał nadgodziny. Nie wziął od Raya pieniędzy na nową furę. Tylko chodził do pracy na piechotę i oszczędzał na nowy samochód.

Między nim a Rayem nigdy się nie układało. To znaczy kochali się, ale w dzieciństwie darli ze sobą koty. Ernie zawsze wygrywał, przynajmniej ja nigdy nie widziałam, żeby było inaczej, a przez to Ray zrobił się zawzięty i ambitny, wredny jak skurwysyn. Dlatego zawsze chciał być w branży, zawsze chętny, żeby szaleć, jak dwa tygodnie temu, kiedy urządził strzelaninę w klubie.

Typowa historia. Pewnie słyszeliście o czymś podobnym z milion razy. Ale to nie znaczy, że jest nieprawdziwa, po prostu kretyństwo, że ludzie powielają takie gówno. No więc Ray nawala się do nieprzytomności, idzie do klubu, a gdy jeden *cholo* robi znak swoich, Ray biegnie do samochodu, bierze klamkę i postanawia, że na dzielnicy mają huczeć plotki o złym Lil Mosco, więc bum-bum-ziuut: strzały i pisk opon, i w długą w pizdu.

Trafił człowieka w oko – dziewczynę z przedziałkiem pośrodku i szerokimi ramionami. Wiemy, bo powiedzieli w telewizji. To znaczy nie mówili, że miała przedziałek i szerokie ramiona. To moje spostrzeżenie.

W wiadomościach rodzice trzymali jej zdjęcie, błagali *en español* o więcej informacji na temat jej śmierci. Jakiś biały kolo na Fox 11 przetłumaczył ich słowa, z emocjonalnością godną listy zakupów, nie płakał jak tamtych dwoje. Ray palił, kiedy to zobaczył, i zaczął się śmiać z rodziców tej dziewczyny, sztachnął się i znowu zaśmiał.

W wiadomościach jednak nie podali, a jej rodzice może nawet nie wiedzieli, że dziewczyna była z branży, nie była cywilem. Nie znaczy to jeszcze, że zasłużyła na ołów, ale kiedy jest się w branży, trzeba się z tym liczyć. Można być w branży i znaleźć się w nieodpowiednim miejscu w nieodpowiednim czasie i oberwać. Żadne gangsterskie powiązania nie stanowią stuprocentowej ochrony. Paka to nie kamizelka kuloodporna – pamiętam, że Fate tak wtedy powiedział – to tylko rodzina.

Myśląc o tym, znowu jestem wściekła na Raya, że od tamtego czasu tak się przyczaił, że tylko biega u Fate'a na posyłki, żeby mu zrekompensować to, że jest głupi jak skurwysyn. Wszyscy wiedzą, co zrobił, ale mordy trzymają na kłódkę, czekają tylko, żeby wystawił łeb, to mu się zrewanżują.

Ale nie wystawił. A tamtym chyba znudziło się czekanie. Uznali, że może być inny w zastępstwie, co z tego, że cywil. Brat za brata. Bez różnicy, zgadza się? Tylko tak można to sensownie wytłumaczyć.

Oczy mam mokre, szczypią mnie, opuszczam więc szybę, żeby poczuć na twarzy trochę suchego nocnego wiatru, bo nie chcę zepsuć makijażu Lorraine. Czuję dym, jakby wszyscy w okolicy nagle sprawili sobie piece na drewno i palili teraz oponami, śmieciami, czymkolwiek.

Dziewczyna w lusterku wstecznym to nie ja. Wmawiam sobie tę ściemę. To szpieg. Niebezpieczny szpieg. W torebce pożyczonej od koleżanki trzyma trzydziestkęósemkę.

Za oknem miasto jest pochłonięte wydawaniem nocnych odgłosów. Kiedy wjeżdżam w Atlantic, z tyłu cichnie *banda* dobiegająca z jakiegoś podwórka, włączam się w ruch, samochody z rozregulowanymi gaźnikami, z pedałami gazu naciskanymi, zanim zapali się zielone. Wystukują rytmy. Rywalizują. Nawet teraz. Nawet teraz, kiedy parę metrów dalej są rozruchy i ludzie się zabijają.

Obłęd. Ale takie chyba są priorytety.

Łamiąc ograniczenie prędkości o parę kilometrów, walę bez problemu przez kilka przecznic. Daję w lewo w Imperial. Jak tylko skręcam, czuję na sobie czyjeś oczy, a wiadomo, że na światłach nie rozglądam się na boki. Patrzę dupskiem prosto przed siebie.

Tylko tego brakowało, żeby jakiś ziomek wsadził mi głowę w okno i spytał, skąd jestem.

Krew mi buzuje w żyłach, kiedy w oddali pojawia się Cork'n Bottle, kierownicę ściskam mocniej niż trzeba, walę za jakimś dodge'em i daję w prawo na żółtym świetle. Patrzę na zegar na tablicy rozdzielczej. Podjeżdżam od tyłu i parkuję w zaułku, z którego korzysta też sklep z oponami. Pusto.

Czterdzieści trzy minuty. Tyle mi zostało.

7

Wbijam od zaplecza, tak płynnie, jak tylko mogę na tych koturnach, a w środku jaśniej niż w dzień, lustruję otoczenie, widzę tylko sprzedawcę. Wyłysiały, w niepozapinanej koszuli na guziki, niewetkniętej w spodnie. Podkoszulek i czarna broda, a do kompletu podkrążone oczy i ćpunowy przechył ramion.

To nie Meksyk ani nawet Salwi. Wygląda na coś innego, Afgańczyk czy jakaś inna cholera. Z rękami skrzyżowanymi na piersi obserwuje wchodzących i wychodzących ludzi, otwierających lodówki, zgarniających piwo albo colę, gdy pozostali upychają ukradkiem słodycze do kieszeni. Jest ich trzech, czterech. Jak linia montażowa w przemyśle rabunkowym. Albo raczej demontażowa. Cokolwiek, wszystko jedno, sprzedawca ma to gdzieś. Nie zamierza dać się zabić z powodu puszki napoju. Łebski gość, uznaję, warto z takim pogadać.

Gumy do żucia są z przodu. Szybkie oględziny wszystkich rodzajów i znajduję tę, której szukam, niebieskie toto i połyskliwe, leży wprost przed moim nosem.

– Mówisz po angielsku? – pytam.

Jasne, odpowiada sprzedawca, ale ma zdziwioną minę, że ktoś w ogóle go zaczepił, więc biorę paczkę tej jagodowej i wymachuję mu nią przed nosem, żeby nie było nieporozumień.

– Wiesz, kto to kupuje?

Zerkam za niego, na kamerę, która obejmuje moją stronę lady. Pod idealnym kątem. Bez względu na to, kiedy zabójca Erniego kupił gumę, na pewno widać go na nagraniu. Sprzedawca patrzy, jak wracam spojrzeniem, i wtedy wzrusza ramionami.

– Guma to guma – mówi. – Bez różnicy.

Wysuwam stopy z butów na koturnach i uśmiecham się w reakcji na to gówno. Mogłabym przeskoczyć przez ladę, odcinając go od guzika alarmu, pchnąć go na tę gablotę z papierosami i wyciągnąć trzydziestkęósemkę, a wszystko tak szybko, że w ogóle by się nie zorientował. Mogłabym mu podstawić klamkę pod podbródek, w to miękkie miejsce tuż pod językiem. Mogłabym patrzeć, jak wybałusza gały. Mogłabym go przytrzymać, gdyby próbował się wyrwać, mogłabym go przekonać, że mam dużo siły.

Mogłabym, ale nie.

Mówię tylko:

– Słuchaj, facet, wiemy, że to Julius jest właścicielem tego sklepu, a nie ty, więc dawaj kasety, a wszystko będzie dobrze.

Wskazuję głową najpierw kamerę, a potem drzwi obok lodówek, prowadzące do magazynu, gdzie trzymają magnetowidy. Nie pierwszy raz wpada ktoś z żądaniem wydania nagrań.

Właściciele tych sklepów nie mieszkają w okolicy, ale pracownicy owszem. Wiemy, gdzie mieszkają ich *mamás*, ich dziewczyny, ich dzieci. Kiedy więc prosimy, kiedy ktokolwiek prosi, kablują aż miło. Tak to jest.

Wyrywam kilka torebek foliowych z podajnika przy ladzie. Sprzedawca mruga powiekami, ale ja to już nie ja. Jestem niebezpieczna.

Widzi to w moich oczach, dociera do niego. Idziemy we dwoje do magazynu. Pełno tam monitorów, skrzynek z piwem, papieru toaletowego i czipsów, wszędzie, sterty pod ścianami. Opanowany jak skurwysyn, wciska eject-eject-eject w trzech magnetowidach i wrzuca kasety do jednej z siatek.

Wskazuję półkę nad magnetowidami.

– Dawaj całe to kurewstwo.

Wsuwa pozostałe kasety do toreb, jakby pakował zakupy, układa starannie. W obu jest pewnie ze dwadzieścia kaset.

– Chyba powinieneś iść do domu – mówię. – Po co tu sterczysz, jak ci wszystko zabierają?

Patrzy na taśmy, potem na mnie.

– Aha, i nie było tu żadnej dziewczyny, która wzięła nagrania – dodaję.

Wzrusza ramionami, a ja uznaję, że większej reakcji się nie doczekam, więc wychodzę z magazynu i mijam starszego faceta nachylonego do lodówki, walczącego ze skrzynką piwa, kieszenie pełne suszonej wędliny, zaraz spieprzy z tym wszystkim. Rany. Ale to gówno to nie moja sprawa.

Jestem zajęta wygrzebywaniem spod lady koturnów Lorraine, wpycham stopy do środka i walę przez tylne drzwi prosto w noc, tą samą drogą, co przyszłam, z krwią buzującą wariacko w żyłach. Nie robię nawet czterech kroków, gdy nagle słyszę męski głos za plecami:

– Ej, niunia – spokojny jak chuj – skąd jesteś?

8

Odwracam się, a dwa palce wślizgują się do torebki i dotykają kolby pistoletu. Nie próbuję chować siatek za plecami ani nic. Takie kretyńskie zachowanie wzbudziłoby podejrzenia. Modlę się tylko, że jest na tyle ciemno, że ten ktoś nie widzi kaset i nie zacznie się zastanawiać, po co mi ich aż tyle i skąd je mam, i w ogóle co to za gówno.

Serce mi zamiera, bo teraz dostrzegam, do kogo należy głos. Góruje nade mną o głowę, szerokie bary, łysy *cholo*. Stoi kilka kroków od drzwi.

O kurwa.

Mojemu żołądkowi to się nie podoba. Naparza mnie pod żebrami, jakby chciał mi to wyraźnie powiedzieć.

Poza tym kolo sprawia wrażenie gangsta: spodnie wyprasowane, czarne tatuaże wyglądające spod podkoszulka bielszego niż wyszczerz w reklamach pasty do zębów – i tak dalej. Co gorsza, łypie na mnie z uśmiechem. Nie potrafię się zorientować, co ten uśmiech oznacza ani jakiej reakcji facet ode mnie oczekuje.

Za jego plecami dwaj ziomale podpierają framugę drzwi z obu stron, ostre pozerstwo. Wiecie, jak to niektórym się wydaje, że zawsze grają w filmie, jakby kamera była włączona i ciągle w nich wycelowana? No właśnie.

Robi krok w moją stronę, a ja wstrzymuję oddech. W moich żyłach krew zapierdala jak po torze wyścigowym.

Facet marszczy czoło, a mnie w gardle staje worek cementu.

– Nie zrozum mnie źle. – Oblizuje wargi. – Ale wychodziłaś, jakbyś coś ukradła.

– Bo ukradłam – odpowiadam bez mrugnięcia okiem.

Wreszcie oddycham. O w mordę, oddycham. Ten kretyn myśli, że jestem dupa do zerżnięcia, a nie konkurencja. Z ulgi aż drżą mi kolana, ale wytrzymuję. Wysuwam palce z torebki.

– Od razu zajarzyłem – mówi. – Wyglądasz na taką.

– Jestem największą złodziejką, jaką spotkałeś.

Grozi mi jajcarsko palcem.

– Gdzieś cię chyba widziałem. – Odwraca się do swoich przydupasów. – A wy?

Ani drgną. Za bardzo są zajęci zgrywaniem twardzieli na zbliżeniu kamery. Albo może tak samo jak ja uważają, że tamten ma gównianą gadkę.

Gęba mu się zmienia, robi groźną minę.

– Powaga, skąd się tu wzięłaś?

W takiej chwili sprzymierzeńcem jest zaskoczenie. Trzeba je wykorzystać, żeby zbić gościa z tropu, skierować jego myślenie w inną stronę, żebym wiedziała, jakie będą następne pytania. Wciągnąć go na inną ścieżkę, no wiadomo. Szpiedzy tak robią.

Uśmiecham się najlepszym uśmiechem Lorraine.

– Z Valley.

Aż się wyprostowuje.

– Ale jak to, z Encino czy gdzie? Z całym szacunkiem, nie wyglądasz na dziewczynę z Valley.

To ma być komplement.

Szturcham go w ramię. Mięśnie zdecydowanie nienamalowane.

– Bardziej z Simi Valley – dodaję.

Minę ma, jakby się tego w ogóle nie spodziewał. Bosko.

– To co nie mówisz od razu, tylko kręcisz.

– Bo Simi wszyscy mieli w dupie, dopóki nie przenieśli tam procesu Rodneya Kinga, a jeszcze mniej ludzi wie, jak tam dojechać. Przekonajmy się. Wiesz, gdzie to jest?

Uśmiecha się speszony.

– Jasne.

– No pewnie – chichoczę jak Lorraine. – No to gdzie?

– Na północ się jedzie, nie?

– No tak – odpowiadam, jak by odpowiedziała Lorraine. – Brawo. Na północ. Sorry, ale toczyłam już takie rozmowy tysiąc razy. Zaraz zapytasz, gdzie naprawdę jest Simi, a ja będę musiała ci wyjaśnić, jak tam dojechać i czy to duża okolica, takie tam zasrane uprzejmości, a jakoś nie jestem w nastroju. Więc poprzestańmy na Valley, a ty myśl sobie, co chcesz.

Rozumie, o co mi chodzi, widzę ten błysk w jego oku, a potem odfajkowuje sprawę w myśli. Nie jest głupi. Ale mimo to zadaje pytanie, do którego go podpuściłam. Zastawione przeze mnie pułapki widzi dopiero wtedy, gdy w nie wejdzie.

– To co tu robisz?

Autentycznie chce wiedzieć, po kiego wała przyjechałam tutaj aż z Białoludzikowa. Sprawdza mnie, zastanawia się, czy jestem głupia, czy się szlajam, szukam guza, czy wszystko razem.

– Moja kuzynka tu mieszka. Maria Escalero. Znasz ją?

Maria nie jest moją kuzynką. Ale powoływanie się na nią niczym nie grozi. Podkochiwałam się w niej w szkole średniej, ona w ostatniej klasie, ja siusiumajtka w pierwszej. Biegałam za nią po sali gimnastycznej. Tyłek taki, że trudno uwierzyć. Mieszkała wtedy przy Lugo Park. Studiowała potem na jakimś college'u w Kolorado. Szkoda, cholera.

– Nie, raczej nie.

– Trudno – odpowiadam. – Bo wyglądasz na takiego, co zna ludzi.

Wybałusza trochę gały, jakby się nie spodziewał takiej gadki. To ładne w pewien smutny sposób, jakby nie był taki oblatany, jak mu się wydawało, nie taki wyrobiony. I wtedy wali wreszcie prosto z mostu, mówi, dlaczego mnie zaczepił.

– Ej, chciałabyś pójść na bibkę wieczorem? Świętujemy, a ty… – urywa i zatrzymuje wzrok na moim biuście – masz odpowiednie warunki.

Uszy od torby nieźle mi się już wrzynają w dłoń. Palce mi drętwieją.

– Jeszcze mnie nie widziałeś z profilu.

Odwracam się bokiem, chowając siatki za sobą.

– Nieźle.

– Och, wiadomo, że nieźle – odpowiadam w najlepszym stylu Lorraine.

Traci pewność siebie i jara buraka.

– No to powinnaś przyjść, serio.

Teraz moja kolej, żeby go zlustrować, zmrozić wzrokiem.

– Jestem zajęta. Obiecałam Marii, że zaliczymy dzisiaj parę klubów. Chyba że miasto się sfajczy.

– Nie sfajczy. Więc mogłybyście potem wpaść.

– Nie, dzięki. Ale miły jesteś. Baw się dobrze.

Ruszam, a on nie odrywa wzroku od mojego tyłka, i całe szczęście, bo teraz trzymam torby przed sobą, otwieram drzwi i wsiadam do auta, wciskam torby za fotel kierowcy, przekręcam kluczyk w stacyjce, zanim on się orientuje, co jest grane.

Zegar wskazuje, że zostało trzydzieści pięć minut. Tyka mi przed samym nosem. Już tylko trzydzieści cztery.

Żołądek wciska mi się w fotel. Boję się, że nie ma szans, żebyśmy zdążyli przejrzeć te wszystkie taśmy, że to…

Coś wali w szybę od strony pasażera i aż podskakuję ze strachu.

To on. Grzmoci pięścią w okno.

Uśmiecham się i sięgam po trzydziestkęósemkę, ale on otwiera dłoń i przyciska świstek papieru do szyby. I uśmiecha się na drugim planie.

Puszczam pistolet. Odkręcam szybę.

– Masz tu adres, gdybyś zmieniła zdanie, no wiesz – mówi. – I mój numer. O tutaj. – Pokazuje palcem, jakbym nie potrafiła rozpoznać numeru telefonu. Potem pyta: – Ile masz lat?

– Szesnaście.

– Dziewiętnaście – odpowiada, wskazując na siebie. Chyba się domyślił, że jestem niegrzeczną dziewczynką, bo mówi: – Nazywam się Joker.

– Ej, to nie jest imię. Jak masz na imię?

– Tak właśnie mam na imię.

Gdybym chciała naciskać, spytałabym, skąd wytrzasnął to pseudo. Ale nie chcę. Znałam kiedyś jednego Jokera. Dostał taką ksywkę, bo jak komuś wbijał kosę, to się zawsze śmiał. Nieważne, czy był zdenerwowany, naćpany czy co. Po prostu się śmiał. Na tym świecie dzieje się czasem kompletny syf i nikt tego nie rozumie, nawet ci, którzy są za to odpowiedzialni. Tak właśnie było w tym przypadku.

– *Mamá* na pewno dała ci jakieś porządne imię – odpowiadam. – Ja mam swoje imię, więc jak? Coś za coś?

Wtedy w klatce piersiowej wzbiera mi zimne, twarde uczucie. Prawda jest taka: gdyby ten skurwiel wiedział, że ma przed sobą Payasę, siostrę Lil Mosco, pewnie strzeliłby mi między oczy. Nie zawahałby się. Siedzący we mnie szpieg uśmiecha się w poczuciu mocy fałszywej tożsamości. Kretyn myśli, że ten uśmiech jest dla niego. To dobrze. To użyteczne.

– Jestem Ramiro – mówi w końcu.

– Lorraine. Przez dwa „r".

– Aha, no dobra. – Kiwa głową. – Widzimy się później, Lorraine przez dwa „r".

9

Gdy mnie nie było, Clever uwijał się jak w ukropie. Zna już rozstaw kół, a więc zna też szerokość podwozia i rodzaj opon, przybliżoną prędkość i takie tam. Stwierdza, że szukamy forda ranchero, rocznik chyba sześćdziesiąt dziewięć, ale stuprocentowej pewności nie ma. Odpowiadam, że to się zgadza z tym, co mówiła pielęgniarka, no bo przecież mówiła, że to był wóz z paką. Clever kiwa głową, ślady na ciele Ernesto wskazują, że związali mu nogi drutem, no i dodaje, że potem podpięli go do haka holowniczego i zaczęli wlec. Ten sam hak holowniczy prawdopodobnie rozwalił mojemu bratu policzek, kiedy zahamowali, a on z rozpędu walnął w tył samochodu.

Kiwam głową na to wszystko, trochę otępiała, i nagle dopada mnie panika, bo wysypuję kasety na stół w kuchni i nie wiem, które z nich są świeżo wyjęte z tamtych trzech magnetowidów. Flaki mi się wywracają, ból, jakby ktoś walił mnie pięścią w brzuch. Clever, Fate, Lorraine i Apache pochylają się nad stołem, żeby spojrzeć.

– Niech cię cholera, dziewczyno – mówi Apache. – Świetny połów!

Może i świetny, ale trochę za obfity. Tak to bywa – jak się nie ma pojęcia, co jest co, bierze się wszystko. Lepiej mieć za dużo niż za mało, nie?

Lorraine szturcha mnie lekko, jakby chciała zadać głupie pytanie, na przykład: ile jest tych kaset. Gaszę ją spojrzeniem i natychmiast się ogarnia. Przeszła przeszkolenie.

– Trzy z tych są najnowsze – mówię do Clevera. – Ale nie wiem które.

– Spoko – odpowiada. Kładzie wszystkie na płask jedna przy drugiej. – Widzisz, że żadna nie jest przewinięta?

Ma rację. W okienku każdej po lewej stronie widać tylko białą szpulkę. Za to po prawej stronie aż grubo od czarnej taśmy.

– Żadna nie jest opisana, kurwa mać – dodaję. – Co za syf.

Apache czasem gada, jakby miał gówno zamiast mózgu. Na przykład tym razem:

– Nawet im się nie chce tego oglądać? Wyjmują kasetę, jak się skończy, i wkładają nową? Dlaczego?

– A po chuja mają oglądać? – odpowiada Fate. – To dodatkowa robota. Jak się nic nie stało, to nie ma sensu na to patrzeć. A jak coś, to oddają to gówno policji i oni się tym zajmują, nie?

Clever kiwa głową i dokłada dwie kolejne kasety, potem trzy. Pomagam mu. Wyjmujemy wszystkie, do ostatniej, aż stół jest pokryty warstwą czarnego plastiku, okienkami do góry.

– Te najnowsze, wyciągnięte z magnetowidów, są niedograne – mówi Clever.

Zgarniamy razem trzy, które nie pasują do reszty, i idziemy do telewizora. Wkłada jedną do środka i w dużym pokoju mamy zaraz Cork'n Bottle. Przestrzeń dokoła lady. I wtedy przychodzi mi do głowy, że pozostałe dwie kasety mają ujęcia z innych kamer. Dotykam palcem ekranu i lekko mnie trzepie.

– Widzisz to gówno z jagodą?

– Zobaczymy, jak coś się poruszy.

Pukanie do drzwi, więc Apache się gramoli. Na zewnątrz pilnują ziomale, dlatego nie musimy zachowywać normalnych środków ostrożności.

Otwiera szeroko i włazi Lil Creeper, cały ubrany na czarno: czarny kaptur, czarne dżinsy, czarne buty. Pociąga kinolem i ma dygot, zaczynający się od lewej nogi, idący w górę aż do ramienia i z powrotem. W ręce trzyma brązową torebkę.

Zerka na mnie siedzącą na kanapie i zaczyna rżeć.

– Halloween mamy, kurna, czy co? – Brak reakcji, więc próbuje skaptować Apache'a: – Czego ona się tak wystroiła?

Nie ma sensu kłapać dziobem, robić groźnej miny ani nic. Lil Creeper ma nierówno pod kopułą. Nie przeszedł przeszkolenia. Wszyscy zdajemy sobie z tego sprawę, zwłaszcza Fate, który mówi:

– Dawaj tę pierdoloną torbę.

Creeper robi krok do tyłu.

– Dobra, ale układ jest taki, że mam tylko glocka i trzynaście pestek.

– To chyba cena się zmieni, nie?

– Niby by mogła. – Creeper przez chwilę przekłada torbę z ręki do ręki. – No bo dobra, przyznaję, kurna, ale zasługuję chyba na jakąś premię za uczciwość, nie? No bo w sumie to mogłem dać torbę, wziąć kasę i się ulotnić, tak? Ale tego nie zrobiłem. Po męsku mówię, jak jest, zanim sami się zorientowaliście. To chyba coś warte, nie?

Fate tylko wyciąga dłoń.

– Co nie? – dyszy Creeper.

Ręka ani drgnie. Fate chce, żeby Creeper oddał torbę, więc w końcu ją dostaje. Rozrywa papier, wyjmuje klamkę, widzi, że kolba jest owinięta białym plastrem elastycznym, a to dziwne, ale żaden problem, byleby działało. Wzrusza ramionami i sprawdza, czy bezpiecznik jest nastawiony, wysuwa magazynek, obmacuje naboje opuszkiem kciuka, przegląda komorę i iglicę, wreszcie odlicza banknoty z pliku i zwija resztę.

– Nic więcej nie było w tym sejfie, Fate – mówi Creeper.

– Jakim sejfie?

Oblizuje usta i wzrusza ramionami.

– No jakiegoś jebanego facia. Kogo to obchodzi?

– Na pewno nic więcej nie było?

– No nie. – Creeper podskakuje nerwowo. – Nie.

Big Fate wysuwa rękę z pieniędzmi.

– Masz.

W glocku 17Ls mieści się siedemnaście nabojów, szesnaście w magazynku, jeden w komorze. Creeper przyniósł o cztery za mało. Jak wyląduję w tłoku, to będę miała mniejsze szanse, żeby się uratować.

Clever i ja ślepimy się na nagranie na szybkim przewijaniu, więc nie widzę, co się dzieje, ale mimo to wiem. Creeper bierze jebane pieniądze, ulatnia się i idzie się gdzieś naćpać. Jak zawsze.

W Cork'n Bottle nikt nie zbliża się do gumy. Marnujemy dwadzieścia minut rzeczywistego czasu, a nikt, kurwa, nie podchodzi do gumy nawet na milimetr. Tylko piwo i fajki i stoją dokoła. Nic.

– A może – odzywa się Apache – ten, co strzelał, kupił gumę z tydzień temu, tylko dopiero teraz ją żuł?

Skutecznie zabija energię w pokoju. Zerkam na Clevera, Clever zerka na mnie. Oboje zerkamy na Fate'a. Patrzy krzywo na glocka leżącego na stole. Lorraine jest zajęta wygrzebywaniem dziury w dywanie swoimi wymalowanymi stopami.

Apache się nakręca:

– Albo w ogóle nie kupił jej dla siebie? To znaczy ktoś kupił gumę dla tego, co strzelał.

Nikt nic nie mówi.

Za to dociera do nas, że to całe pierdololo może być bezsensowne.

– Nic innego nie mamy – odpowiadam ostrzej, niż zamierzałam. – Nic.

Z wierzchu jestem wkurzona, ale w duchu powoli kapituluję.

Beznadziejne gówno.

Kończy nam się czas. Wszyscy to wiemy.

Mamy trzynaście minut, potem Ray wróci do domu i wywoła trzecią wojnę światową. Trzynaście minut to nic. Mniej niż nic.

Wielka dziura chce mnie połknąć.

W ogóle już nie patrzę na ekran. Walę się otwartą dłonią w czoło, gdy nagle ktoś znowu puka do drzwi, szybko, puk-puk-puk.

Wiem, że to koniec. Po herbacie.

No bo wiem, że to Ray. To na pewno on. Będę musiała mu powiedzieć o Erniem. To go rozwścieczy jak nic nigdy. Ale gdy Fate rusza do drzwi, coś innego przychodzi mi do głowy.

Że Joker mógł mnie śledzić przez całą drogę aż do domu.

10

Żołądek mi się wywraca, gdy otwierają się drzwi. Zerkam na glocka na stole, upewniając się, że leży w zasięgu ręki. Z tyłu słychać szum magnetowidu, a do domu wchodzi dwoje ludzi, małolat z rodziny Serrato i *hina*, którą znam ze szkoły podstawowej imienia Willa Rogersa, Elena Sanchez.

Trochę mi ulżyło.

To znaczy odbiło mi chyba, że myślałam, że to Joker. Gdyby to był on, toby nie pukał, usłyszelibyśmy, jak nadchodzą. To chyba moje poczucie winy się odzywa, bo nie powiedziałam Fate'owi, co się wydarzyło pod Cork'n Bottle. Zabrakło czasu.

Elena łypie oczami po domu. Z siedem lat temu miała jasne włosy, kiepsko wybielone. Teraz ma naturalnie szatynowe, ładne i dość jasne, faliste jak trzeba. Coś jeszcze się zmieniło. Zero dziecięcego tłuszczyku w tych czarnych dżinsach z mankietami i T-shircie z koronkowym karczkiem. Wygląda jak lala. Sto procent. Lorraine widzi moją minę i aż się spina z wściekłości.

Fate zwraca się do małolata:

– Potrzebujesz czegoś, ziom?

– Popytałem o tą gumę, tak jak chcieliście – odpowiada młody Serrato. – Popytałem wszystkich i ona coś wie.

– Znam dobrze tego skurwiela, co go szukacie, który żuje jagodową gumę – mówi Elena.

Myślałabym, że moim włosom na karku już się znudzi stawanie, ale jestem w błędzie. Mam wrażenie, że dosięgają sufitu.

Obok mnie Clever gramoli się na nogi. Apache robi krok do przodu.

Wszyscy zamieniamy się w słuch. Gadaj.

Natychmiast, kurwa.

– Parę miesięcy temu chodziłam z tym kolesiem, co żuje to gówno. Poznałam go na bibce, wydawał się super. Szeroki uśmiech, okrągła gadka. Umie się całować. Całować go to jak ssać cukierka. Przysięgam, ten facet to największy łasuch na słodycze...

Fate rzuca jej spojrzenie, które znaczy: Streszczaj się, do kurwy nędzy. Już.

– No to się spotykaliśmy, a on zawsze taki słodziak, „kochanie, ty i ja", „miłość mojego życia" i tak dalej. Rozmawialiśmy nawet o małżeństwie. Ciągle gadaliśmy o takich bzdetach. Ale potem się dowiedziałam, że zrobił bachora Elvii, mojej najlepszej przyjaciółce! Jak mu skoczyłam o to do gardła, to powiedział, że przecież nie chciał, że był pijany i ona go wrobiła, ale jak próbowałam...

Lorraine to zazdrosna suka, więc pyta:

– Przyszło ci kiedyś do głowy, że może na to zasłużyłaś?

Elena dostaje szału. Groźny krok w kierunku Lorraine.

– A ty, kurwa, to kto, dziwko jedna?

Chwytam Lorraine za nadgarstek i wykręcam jej rękę. Skowyczy.

Elena uśmiecha się zadowolona.

Apache kiwa głową.

– Ten facet jakoś się nazywa? – pyta.

– Ramiro. Chce być znany na dzielnicy, ale tak naprawdę to dupiasty *leva*. Na odstrzał.

Ramiro. Policzki palą mnie żywym ogniem.

Nigdy wcześniej nie czułam się tak głupio. Gdy teraz sobie przypominam, jak tam stał, jak bardzo się bałam, jak pachniał, to tylko jedna myśl wdziera mi się do głowy: był na wyciągnięcie ręki.

No właśnie. Najwyżej metr.

Miałam przy sobie trzydziestkęósemkę. Mogłam ją wyszarpnąć i kropnąć chuja na miejscu.

Pomścić Ernesto.

– Joker – szepczę, a to słowo aż boli.

Elena patrzy na mnie, jakby była zazdrosna. Na pewno chce wiedzieć, skąd wiem.

Mruży oczy i wreszcie mówi:

– Tak, to ten.

Kurwa mać.

Fate też chce wiedzieć, skąd znam ksywkę tego kola.

– Powiesz coś o tych, z którymi łazi? – pytam. – Dwaj tacy.

Mówi, że robią paskudny syf, ale nie, nie zna ich nazwisk.

– Im się wydaje, że są jakimiś bonzami albo kimś. Zawsze noszą ciemne okulary po nocy jak dwaj *idiotas*.

– Ta – wzdycham, myśląc, że to się zgadza z tym, co mówiła Gloria, ale w Cork'n Bottle nie mieli okularów. – To oni.

Fate zerka na mnie z boku, żeby się zorientować, czy już skończyłam z Eleną.

Gdy kiwam głową, mówi:

– Dzięki, że przyszłaś.

– Mówiłam już, facet jest do odstrzału – powtarza Elena. – Ale przedtem powiedzcie skurwielowi, że to ja go wskazałam. Powiedzcie mu, że to ja. Elena. Chcę, żeby pomyślał moje imię, jak mu przestrzelicie ten zasrany mózg.

W podstawówce była taka cichutka. Nosiła okulary. Lubiła czytać. Nie pyskowała nauczycielom. Nikomu nie pyskowała.

– Cholera. – Apache rzuca spojrzenie Cleverowi. – Zdradzona kobieta i tak dalej?

W oczach Eleny błyskają ogniki nieprzejednanej nienawiści.

– Ehe.

Wychodzi z małolatem, a ja mówię Fate'owi, skąd wiem to, co wiem.

Opowiadam też o Cork'n Bottle. Podaję mu świstek z adresem i numerem telefonu.

Pierwszy wznieca się Apache:

– Zaraz, że co? Jakie jest prawdopodobieństwo czegoś takiego? Rany, z ciebie największa farciara…

– Primo, małe miasto – przerywa mu Fate.

Mówi tak, bo zwraca się do Apache'a.

Ale patrzy na mnie.

– Gotowa na przejażdżkę?

11

Clever prowadzi cutlassa Apache'a, Big Fate z przodu, Apache obok mnie z tyłu. Obgadujemy to po drodze. Rozkminiamy pomysł, żebym zadzwoniła do Jokera, głos jak z sekstelefonu, i umówiła się z nim gdzieś na mieście, ale Clever mówi, że wtedy on może przyjść sam i stracimy szansę, żeby dorwać pozostałych dwóch, co załatwili Ernesto. A to nie do przyjęcia. Dla nikogo.

Ktoś z nas sugeruje, że lepiej się tam po prostu zjawić i wykorzystać element zaskoczenia. I wtedy Clever mówi to, co nie daje mi spokoju przez cały wieczór: że jestem jak szpieg na terenie wroga. To ciągle prawda.

Przebrałam się i tak dalej. Lorraine się snuła, gdy już przeszła jej wściekłość na mnie z powodu Eleny, a potem tylko strasznie pociągała nosem, jak wciskała mnie w szyfonową kieckę, w której się czuję, jakbym nosiła obwisłą parasolkę na biodrach. Wygrałam tylko bitwę o buty. Włożyłam białe trampki. Płaskie podeszwy, żeby można było biec. W każdej innej sprawie ona postawiła na swoim.

Na przykład mam na sobie perły. Mam małe białe rękawiczki obszyte koronką przy nadgarstkach jak jakaś księżniczka siusiumajtka, która chce być Kopciuszkiem. Co za gówno. Ale rękawiczki są ważne. Zero odcisków palców.

Fate ma opory, żeby wysłać mnie samą. Widzę to, bo siedzi cicho. Chce zaatakować wszystkimi siłami. Wszyscy naraz. Bzdet rodem ze służb specjalnych.

Ale ja mówię:

– To niebezpieczne. Jak wpadnę, to tylko ja oberwę. A nie wszyscy.

Nie muszę dodawać, że Ernesto nie był graczem, nie miał renomy. Że to do mnie należy go pomścić. I oczywiście nie mówię, że mój wjazd to lepsze rozwiązanie niż Ray kołujący AK-47 od jakichś bonzów i szatkujący czyjś dom, a potem drugi i trzeci.

Więc robimy burzę mózgów.

Fate mówi:

– Wchodzisz. Wyłuskujesz ich. Dajesz na wstrzymanie, jeśli nie siedzą razem. Mieszasz się w tłum. Orientujesz się, czy możesz ich dorwać w grupie albo się do nich zbliżyć. Z bliska ciężko chybić. I łatwiej prędko się uwinąć.

Podjeżdżamy do domu, którego nigdy nie widziałam. Z werandy szybkim krokiem drałuje do nas jakiś kolo. Apache wystawia rękę przez okno, a tamten kładzie mu coś na dłoni i się zawija.

Cztery naboje dziewięć milimetrów.

Widzę, jak błyszczą, potem Clever rusza i już nas nie ma, walimy pod ten adres, co dał mi Joker, adres, gdzie ma się bawić.

Apache podaje Fate'owi naboje, a ja patrzę, jak Fate załadowuje glocka do pełna, po czym mi go wtyka. Zaciskam palce, dziwne uczucie, ta owinięta plastrem kolba, chwytliwa jakby taka. Fate pokazuje mi, gdzie jest bezpiecznik i jak go odblokować kciukiem, więc próbuję.

Cały zbiór zasad, jak to zrobić. Można by prawie spisać listę.

Jak zacznę, będę liczyła strzały.

– Dzięki temu nie tracisz głowy – mówi Fate. – Nie naciskasz bez sensu raz za razem, a potem się dziwisz, że magazynek jest pusty.

Żadnych kowbojskich bzdetów. Najlepiej z bliska.

Nie celuj w głowę. Najpierw w tułów. Jest większy.

Seria w serce. I na koniec w głowę, jak jest czas. Jak stoisz blisko.

Kiedy skończę – kiedy to się skończy – wyrzucę broń. Żadnych wymówek.

Apache będzie mnie ubezpieczał, potem biegniemy, potem Fate nas ubezpiecza, jak ogniwa łańcucha, potem do fury.

Taki jest plan, bo Fate tak postanowił.

Patrzę na broń. To najcięższy pistolet, jaki kiedykolwiek trzymałam w ręku, cały czarny i połyskliwy u góry, biały od plastra na kolbie. I nagle myślę, że zrobią nalot na dom jakiegoś biednego skurwiela dziś wieczorem albo jutro, albo kiedy tam wreszcie skończą się te jebane zamieszki na ulicach i policja będzie miała czas, żeby ustalić, że w strzelaninie użyto jego broni. W każdym razie niedługo: Vikingowie zawsze przychodzą.

Jeśli zrobię tak, jak mi kazano, i wyrzucę ten szajs w trawę czy gdzieś, a policja go znajdzie i na podstawie numeru seryjnego ustali, że jakiś kolo ma go legalnie, to wpadną do jego domu o czwartej rano, z taranem do wyważania drzwi, obudzą go karabinem przystawionym do głowy, obudzą mu dzieci, żonę, skują go kajdankami na dywanie w salonie na oczach rodziny, jak mordercę, ale nie mam wyrzutów sumienia. Ani trochę, cholera. Pierdolić tego gościa i jego legalną broń.

I tak go oczyszczą z zarzutów. Niedługo potem wróci do domu. Będzie wdzięczny, szczęśliwy i wolny.

Nie tak jak Ernesto.

Może go nawet jeszcze nie włożyli do worka. Może nawet jeszcze nie leży w kostnicy. Może ciągle leży w zaułku, z moją koszulą na twarzy. Ta myśl boli najbardziej.

Clever nastawia radio na KRLA i leci *I Wish It Would Rain*. Jebani Temptations. To nie fair, takie gówno.

Apache szturcha mnie i otwiera dłonie. W jednej ma fiolkę z płynem, w drugiej papierosa.

– Chcesz się trochę podjarać, Payasita?

Nie patrzy na mnie. Wyjmuje korek, moczy koniec papierosa i zamyka fiolkę z powrotem.

Mówi, że dzięki temu jest łatwiej.

Światło kłuje przez szybę, gdy mkniemy obok latarni ulicznych. Patrzę na papierosa, na koniec, który zrobił się brudny i ciemny.

– Co łatwiej? – pytam.

Nawet na mnie nie spojrzy.

Wzrusza ramionami i mówi:

– Wszystko.

12

Jest tak ciemno, a biba tak głośna, że nikt nie zauważa, jak zajmujemy pozycje na ulicy: że Clever zaparkował trochę dalej, że Apache wysiadł, przeszedł przez jezdnię i stanął przy skrzynce na listy, że naprzeciwko w połowie odległości przyczaił się Fate.

Gdy wysiadam z auta, jest mi gorąco, jakbym siedziała w środku ogniska, ale, cholera, mały wietrzyk wali mnie w twarz, a to dobre uczucie. Wierzchem rękawiczki ocieram czoło i orientuję się, że jestem spocona. Rany. Nie wiem dlaczego, ale nagle wydaje mi się to strasznie śmieszne.

Szybko przestaje być śmiesznie, bo okazuje się, że Clever miał rację. W niecałą minutę odnajdujemy forda ranchero, tego z hakiem holowniczym. W zderzaku jest wgniecenie.

Patrzę na to, zastanawiając się, czy to ślad po głowie mojego brata i co czuję w związku z tym, ale w zasadzie nie czuję nic. Apache powiedział, że tak właśnie działa PCP. Że kompletnie znieczula.

Odwracam się twarzą do domu i myślę, że jest tak późno, że ci, co mieli przyjść na bibę, pewnie już przyszli. Na ulicy jest cicho. Oprócz muzyki. I głosów.

Słyszę ludzi na tyłach, więc nie wchodzę do środka, tylko okrążam dom, żeby sprawdzić, czy drogę zagradza płot.

Nie ma płotu.

Beton od podjazdu prowadzi do ogrodu za domem. Do porządnego ogrodu. W połowie trawa, w połowie taras. Mały daszek z czerwonego drewna ciągnący się nad patio. Pod nim, blisko ściany, stoi Joker.

Trzyma w ręku piwo. Tuż za nim jeden z jego przydupasów.

Drugi stoi oparty na końcu patio, przy ogrodzeniu, z pięć metrów dalej. Skręca coś w łapach.

Idę po trawie do Jokera, ignorując spojrzenia ludzi.

Rany, to obłęd, jestem taka spokojna, gdy myślę, że zabiję tych dwóch, a potem podejdę do trzeciego. Wszystko jedno. Małe miki.

Nie mam ochoty czekać. Mam ochotę strzelać. Za Ernesto.

Joker dostrzega mnie i dębieje. Przylepia szeroki uśmiech do twarzy, że niby jest taki zachwycony, że przyszłam, że kurewsko się cieszy.

Podoba mi się, bo to o wiele lepiej, że ten skurwiel nie ma pojęcia, że jestem aniołem śmierci.

– Ej, myślałem, że nie przyjdziesz – mówi wniebowzięty. – A gdzie twoja kuzynka? Jest tu?

Sięgam do torebki.

I wyjmuję błyszczyk Lorraine.

Poprawiam wargi, seksbomba, nie odrywając od niego oczu. To za Elenę.

Wkładam błyszczyk i chwytam glocka, zaciskam palce na kolbie.

Uśmiecham się, najsłodziej jak potrafię, uśmiech z rodzaju, że cały czas o tobie myślałam, Joker.

I mówię:

– Za Ernesto.

Wyszarpuję pistolet z torebki, ale zaczepiam muszką o suwak. Tylko na moment. Niecałą sekundę.

I wtedy czas wyhamowuje. To nie żaden bałach.

Tak się dzieje.

Joker robi minę, na jego czole pojawiają się fałdy, rozdziawia gębę, jakby był zszokowany, i przechyla głowę.

Odwraca się, patrzy w bok, w kierunku domu.

Częstuję go w ucho. Tuż pod.

Przechodzi czysto przez czaszkę, obryzguje parę osób stojących z tyłu.

I dobrze. Podoba mi się to.

To ma sens, bo Ernesto też stracił ucho, kiedy go załatwili. Sprawiedliwości staje się zadość.

Bliżej stojący przydupas Jokera robi unik i sięga do marynarki. Rękę ma dopiero w połowie, gdy walę w niego.

Glock w mojej dłoni huczy jak armata, wstrząsa całym moim ciałem.

Tamtemu klatka piersiowa się otwiera. Kolo się chwieje i dostaje drugi raz, w czerep, już jestem blisko, takie *blau*.

Tak to brzmi. Jakby niemieckie słowo. Wydaje mi się, że tak to słychać.

Nie widzę ludzi. Właściwie nie. Widzę popłoch.

Widzę rozfalowane ubrania, marszczące się i fałdujące. Jakbym była Mojżeszem. Jakby jebane Morze Czerwone się przede mną rozstępowało.

Odwracam się do ogrodzenia, a tam drugi przydupas Jokera próbuje dać kitę.

Strzelam, ale niecelnie.

Strzelam i trafiam dziewczynę.

Strzelam i trafiam go w nogę. Wali się na płot. Ja się śmieję.

Sześć, myślę. Na pewno sześć?

Dodaję w myśli, szybka arytmetyka.

Tak, sześć wystrzelonych.

On chyba krzyczy, ale nic nie słyszę. W uszach mi dzwoni jak skurwysyn.

Staję nad nim i mówię:

– Za Ernesto.

Zaczyna pytać: za kogo?, ale walę w niego.

Pudłuję. Niecałe półtora metra, a ja pudłuję. Poprawka jest już lepsza.

Dostaje w oko, na wylot, aż wywala dziurę w ogrodzeniu, wielkości piłeczki golfowej, tylko że czerwoną. Czerwono czerwoną.

To też jakby śmieszne.

Ale mi gorąco, cholera. Płonę. Wody.

Nie czuję nawet spustu pod palcem, ale znowu strzelam, w obojczyk. Tak mi się przynajmniej wydaje.

Klatka piersiowa mu się nie rozpada ani nic, tylko robi się dziura, zaraz czerwona.

Dziewięć albo dziesięć.

Prawie wszyscy już uciekli z ogrodu do domu. Wbiegają z hukiem na szklane drzwi, a dalej widzę facetów próbujących się wydostać na zewnątrz.

Facetów chcących mnie dopaść.

Rzuć broń, myślę. I uciekaj.

Tak robię.

Stopa się ślizga i ląduję w kałuży czyjejś krwi. Nie wiem czyjej. To też śmieszne.

Zrywam się szybko, tylko że jest kiepsko, bo na dwór wypada kolo z brodą i wielką spluwą, celując we mnie.

Nie czuję nóg, ale nimi przebieram. Pocę się, jakbym biegała od wielu godzin.

Znikąd pojawia się Apache, idzie do mnie, czary-mary. Ma trzystapięćdziesiątkęsiódemkę i zaczyna walić w tamtego. Chyba trafia, bo już nikt nas nie ściga, a Apache ciągnie mnie, szarpie, ratując mi życie.

Zerkam przez ramię i widzę jeszcze jedne zwłoki na trawie i dwóch nowych facetów wybiegających z domu.

Skręcamy za róg, uciekamy podjazdem, dalej chodnik.

Jak ziomki Jokera wypadają zza rogu, Fate zaczyna walić ze strzelby. To kurewstwo jest tak głośne, jakby rozbił się samolot. A ja się śmieję.

I tak to idzie, zgodnie z planem, bo już siedzimy w aucie i jedziemy. Ale nie wiem, co jest co.

Czuję się zwiewna jak bibułka. Znowu mam ochotę się śmiać. Chciałabym im wszystko zrelacjonować, jak to wyglądało i co czułam.

A potem nagle chce mi się rzygać.

– Dorwałaś skurwysynów? – pyta Fate.

Chcę odpowiedzieć, ale nie mogę. Staram się, ale usta się nie poruszają.

Nigdy wcześniej nie zabiłam człowieka.

To znaczy strzelałam dużo. Do tarcz, ptaków i tak dalej.

Ale nikogo nigdy nie zabiłam.

To co innego.

– Musisz się doprowadzić do porządku – mówi Fate, nachylając lusterko, żeby mnie widzieć.

Patrzy na mnie twardo. Nikt nie dyskutuje z tą twarzą. Nigdy.

Mam poczucie, jakby samochód jechał szybciej niż szybko, ale wiem, że Clever uważa na ograniczenia prędkości.

To też część planu.

Kiwam głową.

Wiem, że muszę.

Ale ręce nie chcą się poruszyć. Nie chcą wykonać polecenia. Ani Fate'a, ani mojego.

Apache podnosi mi ramiona i wciska bluzę z kapturem na moją sukienkę.

Ściera mi szmatką makijaż z twarzy, wyjmuje kolczyki z uszu, wciska baseballówkę na głowę i stawia kaptur.

Szukają dziewczyny, która strzelała.

O ile szukają. Jeśli nawet, to nie ma znaczenia. Wyglądam już inaczej. Przynajmniej z zewnątrz.

E tam, cholera, policja mnie nie szuka. Cała policja jest w telewizji. Z tego też się śmieję.

Śmieję się z tego, jak się uwijają we Florence, Watts, gaszą te jebane pożary w Los Angeles. Myślicie, że się przejmują, że ktoś się zajmie branżową rozwałką w Lynwood? Skąd. Pewnie się cieszą. Cieszą, że nie muszą prowadzić dochodzenia. Zamiast tego wkładają rynsztunek bojowy i idą w tłum.

Biorę pagera z podłogi. Trzymam w ręku. W głowie jedna myśl: *mi mamá*. Widzę tylko jej zmartwioną twarz.

I czuję, że smutek spada na mnie jak koc, aż nie mogę oddychać.

– Fate – odzywam się, ale głos mam tyci.

Patrzy na drogę.

– Co?

– Jak ja jej powiem, co się stało?

W pierwszej chwili nie rozumie. Zerka na Apache'a, ale ten gapi się przez okno, więc z powrotem patrzy na mnie.

Dopiero wtedy do niego dociera, ale widzę, że nie wie, co odpowiedzieć, bo tylko rozdziawia usta w lusterku i tak mu zostaje.

Walimy już Imperial, przejeżdżając obok pchlego targu, kiedy wreszcie mówi:

– Powiesz *tu madre*, że wymierzyłaś sprawiedliwość. Tak jej, kurwa, powiesz.

RAY VERA
AKA LIL MOSCO

29 KWIETNIA 1992

19.12

1

Nie mam, kurwa, pojęcia, jaki problem ma Fate. Zrobiłem to, co on zrobiłby na moim miejscu. W przeszłości zasłynął, bo robił tak samo, a nawet gorzej. Teraz się na mnie odgrywa, bo ostrzelałem ten klub, robi ze mnie chłopca na posyłki, próbuje mi założyć wędzidło.

Od roku albo i dłużej pilnuję dystrybucji. A już miałem to gówno za sobą. Powaga, odbiorem zajmują się teraz tacy nowi skurwiele jak Oso. Tak naprawdę on to robił, ale potem Big Fate zrzucił to na mnie. Dziś zobaczył rozruchy w telewizji i nagle wysłał mnie na rundkę. Jasne, powiedział co trzeba, że mnie wysyłają, bo gliniarze są gdzie indziej, ale przecież dobrze mnie zna. Widział w moich oczach, jak strasznie mnie pili, żeby skroić jakieś gówno. No bo komu nie przydałby się nowy telewizor, co?

Jedna zaleta, właściwie jedyna, to że na ten wyjazd dał mi swoją furę, tego wielkiego chevroleta z lat siedemdziesiątych. Bóg świadkiem, silnik w tym cacku pożera autostradę. Fruniemy dziesiątką na wschód. Najpierw Monterey Park, potem El Monte, potem West Covina, a ledwo wcisnąłem pedał gazu.

Ale wiecie co? Teraz muszę przestrzegać różnych zasad. Bo Fate tak mówi, kurwa. Zasada numer jeden to odstawić giety. Ta, dobra. Numer dwa to przestrzegać ograniczeń prędkości. Jeśli o to chodzi, to ze mną ciężko, spróbuj mnie zmusić, skurwielu. Numer trzy to nikogo nie zabierać ze sobą na rundkę, bo lepiej się spiszę samemu, pełna odpowiedzialność.

Ale skąd Fate będzie wiedział, co robię, pod warunkiem że sprawę załatwi się jak trzeba? Poza tym nie jestem kretynem, żeby narobić jakiegoś syfu, jak już odbiorę towar. No dobra, złamię ten zakaz zabierania kogoś, ale to przecież nic wielkiego. Fate zna mojego ziomka, Baseballa, więc chyba się nie wkurzy, nawet gdyby się dowiedział. A przecież się nie dowie. Znaczy, ja trzymam gębę na kłódkę. Baseball tak samo.

Wiadomo, skąd ma tę ksywkę. Jego łeb wygląda dokładnie jak piłka do baseballu, nawet te szwy i tak dalej, bo jak był mały, to tata miał okropny wypadek samochodowy i dzieciak wyleciał przez przednią szybę. Trzeba mu było przyszyć z powrotem połowę skóry na głowie i włosy mu teraz dziwnie rosną dokoła blizn. Jest przewrażliwiony na tym punkcie. Nosi mocno naciśniętą czapkę Los Doyers, nigdy jej nie zdejmuje.

Baseball to pies na sensacje. Ciągle chce, żeby znowu opowiadać o klubie, chce usłyszeć nowe szczegóły albo się zastanawia, jak się czułem, kiedy to robiłem, takie tam pierdolenie.

– Czy tamten koleś naprawdę nazwał twoją siorę *manflora*? – pyta.

Mam już dosyć gadania o tym gównie i daję mu to do zrozumienia, wciskając się głębiej w fotel i bujając nadgarstkami na kierownicy. Nawet na niego nie patrzę, żeby mu pokazać, że dla mnie temat skończony.

Poza tym słyszał już tysiąc razy, jak tamten koleś powiedział, że zgwałci moją siostrę Payasę, że wbije jej kosę w cipę, a potem, jak wyrecytował mój adres, mój aktualny adres, nawet kod pocztowy, wszystko, no to mnie kurwica wzięła. Wróciłem do auta, zaczekałem, aż on wyjdzie ze swoją dziewczyną, i wygarnąłem. Ona oberwała. On nie.

O rany. Nie zawsze jest pełny sukces. Nie ma co mieć pretensji w tym zwariowanym życiu. Ale wiem, że mogą chcieć mnie dorwać.

Potem zacząłem kitrać broń w domu. W każdym kącie, człowieku. To gówno trzeba potraktować poważnie, nie ma rady. Dwie sztuki trzymam nawet w łazience. Jedną w apteczce, jedną pod umywalką. Jak coś się stanie Lu, to zrobię jatkę jak Rambo. Wszyscy wiedzą, że mnie na to stać. Zrób kuku komuś z mojej rodziny i już po tobie. Sprzątnę cię w kościele. Zastrzelę ci matkę we śnie. Chuj mnie obchodzi. Na ulicy o tym wiedzą. Nie zadzierasz z Lil Mosco. A jak myślisz, skąd ten szacunek do mnie? Nikt o tobie nie usłyszy, jak siedzisz cały dzień w domu i grasz na konsoli.

Baseball znowu próbuje rozkręcić rozmowę.

– Ej, wiesz, że ważniacy wystawili zlecenie na Manny'ego Sancheza za to, co się wydarzyło w Norwalk?

– Tego Manny'ego? Brata Eleny? Słyszałem o nim, ale go nie znam. Kurwa, chodziłem z nią do podstawówki. Jaką on ma teraz ksywkę?

– Lil Man.

Nie kojarzę. Przysięgam na Boga, Baseballowi się ryj nie zamyka, ciągle nadaje o ważniakach. Dla niego to idole. Jak to się mówi? Nie widzi lasu zza drzew czy coś. To cały on. Nie ma pojęcia o szerszej perspektywie.

No więc mówię coś na kształt, że w tych ich gadkach o zawarciu pokoju chodzi o kasiorę.

– Chodzi o *raza*, człowieku – odpowiada. – O jedność. O to, żeby mieć kurewską armię.

Zdejmuję rękę z kierownicy i przez dwie sekundy prowadzę kolanem. Dzięki temu mogę go wyrżnąć w tył tej jego piłki baseballowej udającej głowę.

W oczach ma wkurw, a ja śmieję mu się w twarz.

– Ty zdajesz sobie sprawę, że pieprzysz jak potłuczony? Prawdziwi gangsterzy w dupie mają *raza*. Im chodzi tylko o forsę. Kurwa, sam bym tak zrobił, jakbym tam był. Ty też. Gadają co trzeba, żeby osiągnąć cel. I tyle. Gadają tak, żeby koleś skupił się na czymś w przyszłości, a wtedy sięgają do kieszeni po spluwę. To genialne, *vato*.

– Może i tak. – Baseball masuje potylicę. – Ale zielone światło na ciebie to kurewski fakt, bracie. Czasem potrafią postawić całe *varrios* na nogi.

– Może mi powiesz, co było z Mannym? Kurwa. Gadasz jak nakręcony, a zero konkretów.

– No dobra, walnął z rozpędzonego wózka, przez przypadek zabił jakąś babcię na ganku. Kurwa, nie słyszałeś o tym?

Uciszam go wzrokiem.

– A jakim pieprzonym cudem ty o tym wiesz? Nie jesteś jeszcze nawet w branży, a nawijasz więcej historii niż *veterano*.

– Bo mam uszy. – Jakby się nadął i takie tam. – Wszyscy o tym słyszeli.

Wreszcie zamyka dziób, nic nie mówi, aż wparowujemy na przedmieścia Riverside. Wtedy się odzywa:

– Nie boisz się, że wydadzą twardy wyrok na ciebie za tę dziewczynę?

– Nie grozi, kretynie. – Ale zaczynam się zastanawiać. Bo może jednak wystawią? – Nawet nie użyłem fury. Podszedłem.

– *Raza* to *raza*, człowieku. Nieważne, czy była w branży. Była swojakiem.

Ja na to, że nie była żadnym swojakiem, kurwa, i żeby nie był idiotą.

Ale zaczynam myśleć, że może jednak? Nie mam ochoty na gadki, więc włączam radio, żeby uciąć tę paplaninę, ale jesteśmy tak daleko, że Art Laboe tylko szumi. Szkoda. Muzyczne starocia są idealne na taki wypad, ale trudno, wkładam nowego Kida Frosta do kaseciaka. To gówno wyszło dopiero tydzień temu, więc nie wiem, czy nie będzie jak *Hispanic Causing Panic*, ale na razie dobre. Od kiedy się ukazało, non stop słucham *Mi vida loca* ze strony B.

Człowieku, nigdy tego nikomu nie mówiłem, ale uwielbiam pustynię w nocy. Opuszczam szybę, żeby widzieć gwiazdy i poczuć wiatr, ale mija nas wielki tir, więc muszę zamknąć okno. Dwa zjazdy później odbijam z autostrady i walimy zygzakiem na wzgórze, przecinamy wielkie osiedle domków, wszystkie na stromiźnie. Wszystkie piętrowe albo dwupiętrowe. To domy z poddaszami, w takich samych kolorach, jakby piasek, drewno czy coś, ale nic innego. Sto procent amerykański sen, gdyby nie to, że trzeba godzinę dojeżdżać codziennie w obie strony.

– Pracujesz w L.A. – mówię – a mieszkasz na zadupiu.

– *La neta* – przyznaje Baseball, bo wie, że taka jest prawda, no i bach, znowu jesteśmy kumple.

I tak to z nami jest, gdy walimy od frontu, obok sztucznych roślin, do salonu. Po sąsiedzku jest kuchnia, oddzielona małą ścianą z przystawionymi stołkami. Moja dostawczyni tam stoi, miesza sobie drinka, kurewsko seksowna i tak dalej.

Pod cienkim jedwabnym szlafrokiem widzę zielono-niebieskie bikini w kwiaty. Biała, około czterdziestki, opalona i wystrojona w czerwony kwiatek we włosach, dobre ciało. Dobre uda. Dobry tyłek. Cycki w sam raz do tego. Jest co wziąć w łapę.

Jak mi to powiedziała, to nie uwierzyłem, ale naprawdę jest pracownicą społeczną. Bez kitu, taką ma robotę. Chyba dzięki temu styka się z właściwymi ludźmi. Jej stary siedzi w Centralnym Zakładzie Karnym dla Mężczyzn w L.A., a ona robi dla niego interesy na zewnątrz. Nie wiem, jak naprawdę ma na imię. Za jej plecami ludzie zawsze nazywają ją Scarlet. Na pewno wie i nie ma z tym problemu.

Telewizor nadaje głośno, a przed nim siedzi jej syn, nachylony mocno do ekranu. Przez chwilę jest koszykówka, potem wiadomości, mrugam oczami, żeby się zorientować, która część miasta się teraz pali, ale znowu koszykówka. Chłopak w moim wieku, może starszy. Trudno powiedzieć. Jest biały jak T-shirty i pranie, jakby w ogóle nie wychodził na dwór. Skóra pod oczami niebieska od żyłek.

– Cześć – mówię do niego.

– Cześć – odpowiada, nie odrywając wzroku od telewizora.

Odwracam się do Scarlet.

– To mój kumpel Baseball.

Upija łyka i kiwa głową.

– Dlaczego cię tak nazywają? – pyta.

Odpowiadam za niego:

– Bo ma *huevos* większe od piłek do baseballu.

Rzuca mi spojrzenie mówiące: nie pierdol, ale ja tylko wzruszam ramionami, więc robi się ciekawa. Scarlet rżnęłaby się ze słoniem. Nie jest wybredna. Właśnie dlatego przywiozłem ze sobą Baseballa.

Wiszę mu trochę kasy, a on jeszcze nigdy nie zaliczył kobiety, więc uznałem, że to będzie prosta transakcja. Bo wiecie, ja już ją zaliczyłem. Było w porządku. Mogło być lepiej, gdyby tak ciągle nie jarała. Ostre gówno. Od tego cipę miała kwaśną w smaku, jak chcecie znać prawdę.

Wychodzi z torbami z komórki przy kuchni i dokonujemy zakupu, błyskawicznie, bośmy już to przerabiali kilka razy wcześniej.

Szybko się uwijamy. Daję jej kopertę. Ona mi daje dwie duże szare torby na zakupy zapakowane ekstratowarem. Nie wiem dokładnie, co jest w środku. Na pewno PCP, koka i heroina. Ale nie wiadomo, co jeszcze. Może metaamfa. Wszystko, co zamówił Fate. Ja tylko odbieram.

Widzę, że Scarlet zerka na Baseballa, więc nawet jej nie dziękuję. Wiem, co się kroi. Jej syn chyba też. Szczeniak coś się kuli na czerwonej kanapie. Ona rzuca mu spojrzenie i otwiera usta.

– Mówiłeś, że wyrzucisz śmiecie…

Nawet nie daje rady dokończyć, bo on pali buraka z wściekłości i wrzeszczy:

– Zamknij się, matka, kurwa mać! Boże, mówisz mi to trzydziesty trzeci raz, a głuchy nie jestem!

Nawet na nią nie patrzy, wzrok przylepiony do telepudła. A ja? We mnie aż się gotuje, ludzie. Jestem w chuj wstrząśnięty. Nigdy w życiu bym się tak nie odezwał do swojej matki! Ja pierdolę, ci biali to pojeby, przysięgam na Boga.

– Nie pokazałam ci jeszcze domu – zwraca się Scarlet do Baseballa, ale patrzy na synalka, cała wpieniona. Szlafrok się jej rozsunął. Ramiączko od bikini opadło. Wyciąga papierosa, odwraca się i prowadzi Baseballa na schody.

Jej jęki słychać dopiero po minucie czy dwóch, ale i tak się oboje uwijają. Ona chyba ma takie tempo.

W telewizji znowu koszykówka. Lakersi kontra Portland, tak przynajmniej wygląda. Synalek podkręca głośność. Nie dziwię się. Gdyby moja matka tak się kurwiła, nie wyrobiłbym nawet w tym samym mieście, a co dopiero w tym samym domu. Kurwa mać. Taka prawda.

Żal mi go. Powaga. Ale kiedy wstaje z kanapy, idzie po cichu do drzwi, za którymi jest garaż, wciska guzik i drzwi się podnoszą, to myślę, co się, kurwa, dzieje, wpuści tu burka podwórzowego czy co?

Ciągle się zastanawiam, dlaczego ktoś miałby odstawić taki numer, gdy nagle pod tymi drzwiami do środka wślizguje się trzech gliniarzy. Wielkie chłopy. Chłopy z długą bronią. Mają kamizelki z dużym napisem LAPD z przodu.

Cholera.

Ludzie, gówno mogę zrobić w takiej sytuacji! Już mnie dopadli, wciskają mi ryj w dywan, skuwają ręce na chama i podciągają na kolana. I wtedy przychodzi mi do głowy pytanie: Dlaczego oni się nie wylegitymowali jako gliniarze? Dlaczego nie wrzeszczeli?

Za to w telewizji kibice wrzeszczą. Zegar tyka.

Dzieciak tej Scarlet idzie do komórki i pokazuje gliniarzom, gdzie jest towar. Pokazuje im też moje torby. Nie zapomina o akcji na piętrze. Wyprostowuje dwa palce. Wtedy do mnie dociera.

To pierdolony włam, a nie żadna policja.

Ktoś z tyłu mówi:

– Jesteś na liście, Little Fly.

Płuca mi się zatykają. Zaraz! Że co?

Kiedy jeden z tych kolesi zachodzi mnie z przodu, dostrzegam tatuaże na karku i za uszami. Łysy, z wąsami, styl Bronsona. Żołądek mi się wywraca, bo już wiem, że to nie gliniarze.

Nie gliniarze.

I czuję się jak ostatni kretyn, bo jesteśmy w Riverside, a dałem się nabrać na kamizelki z napisem LAPD. Ludzie, to przecież nie ich teren!

– Zapłacimy wam – mówię. – Ile chcecie. Dogadamy się.

Mają z tego bekę, łapy na ustach, żeby nie narobić hałasu.

Nad naszymi głowami Scarlet jęczy wniebogłosy.

– No dobra, kto to skroił? – pytam. Próbuję zwilżyć wargi, ale mam sucho w ustach, zero śliny. – Kto mnie wystawił? Błagam cię, człowieku, powiedz!

Wygląda na to, że to nie Scarlet, nie ma też mowy, kurwa, żeby to jej synalek wpadł na taki pomysł. Pozostaje więc tylko dwóch kandydatów, a jednym z nich jest Fate. Kurwa mać. Ale boli. Albo może to stary tej Scarlet?, główkuję. To miałoby sens. Może znudziło mu się, że żonka się puszcza z każdym, może puściła też jego kasę. Nie mam bladego pojęcia, jakie on ma znajomości, jakie wpływy, ale coś mi się widzi, że to akcja w rodzaju dwie pieczenie przy jednym ogniu.

W telewizji ktoś rzuca do kosza. Pudło, ale obok kumpel zgarnia odbitą piłkę. Widownia dostaje zajoba, kiedy piłka trafia w środek. Zaraz potem gwizdek, bo drugi zespół prosi o czas.

– Samżeś się wystawił, *pequeña mosca*. Do siebie miej pretensję. Jak chciałeś kogoś zastrzelić, trzeba było pruć do *mayates*.

Scarlet już dochodzi, bo wrzeszczy, jakby jej cipę rozrywało na strzępy. Kątem oka widzę, że jeden ze strzelbą skrada się po schodach. Cholera. Załatwieni na miękko. Ona nawet się nie zorientuje.

Ja to przynajmniej wiem, że nadchodzi koniec. Że czas na ostatnie słowa. Chociaż tyle szacunku się należy.

– Powiedzcie mojej siostrze, że ją kocham. Bratu też. I mamie. Powiedzcie im.

– Jasne – odpowiada głos za moimi plecami. – Masz to załatwione.

Na górze wali strzelba. Bum. Hałas, jakby rakieta jebnęła w dom. Baseball wrzeszczy i woła mnie. Zaraz potem drugie bum i cisza.

Trwa to sekundę, może dwie, nagle przeszywa mnie odgłos gwizdka po skończonej przerwie na parkiecie i aż podskakuję, bo kibice zrywają się na nogi, skandują wszyscy z nadzieją. Znowu słychać gwizdek i piłka jest w grze, i jakiś facet, o którym w życiu nie słyszałem, rzuca za trzy punkty sporo zza linii 6,75, i nawet komentatorom zapiera dech w piersi.

Czuję pocałunek lufy na karku, wielkiej, okrągłej, zimnej. Próbuję się modlić. Mówię: Ojcze nasz, któryś jest w niebie i tak dalej, próbuję, święć się imię twoje, ale słowa mi więzną w gardle, umykają, więc tylko robię wydech, wypuszczam z siebie całe powietrze, zamykam oczy.

DZIEŃ 2
CZWARTEK

TAK, STRASZNIE DUŻO MYŚLĄ O TYM,
CO SIĘ PRZYDARZYŁO RODNEYOWI KINGOWI.

ZNACZY, TO INTERESUJE ICH AKURAT NAJMNIEJ.

PO PROSTU...

TAM TRWA IMPREZA.

TO ROCK AND ROLL W L.A.

JOE MCMAHAN, *7 LIVE EYEWITNESS NEWS*

JOSÉ LAREDO
AKA BIG FATE
AKA BIG FE

30 KWIETNIA 1992

8.14

1

Kanapa Payasy pamięta lata siedemdziesiąte, jest kurewsko zapadnięta, oka nie zmrużyłem, leżąc tam przez całą noc, ściskając w ręku broń i wsłuchując się w warkot każdego nadjeżdżającego samochodu, pewien, że wali do nas ekipa Jokera – ale okazywało się, że nie, fura śmigała dalej, więc czekałem na następną.

Palce prawej ręki kompletnie mi zdrętwiały, no to przebieram nimi, patrząc spod powiek na żółte światło wpadające przez okno ze starymi zasłonami w paski. Jest już rano. Wiem.

Przeleżałem tylko kilka godzin, bo wcześniej musiałem pojechać z Payasą do jej matki, żeby jej powiedziała o Ernesto i o tym, jak wymierzyła sprawiedliwość kolesiom, którzy to zrobili, no i rozpętało się piekło. Godne *Egzorcysty*. Lament, płacz, wrzaski. Wzywanie świętych. Pretensje do Payasity, ale jeszcze większe do Lil Mosco. Wyszliśmy dopiero, jak przyszła ciotka – ta, co nie może mówić, bo sobie język odgryzła, jak była mała, jeszcze w Meksyku, kiedy ją koń kopnął – i zaczęła robić *pozole* nie wiem już o której nad ranem.

W drodze powrotnej przejechaliśmy obok Ernesto, żeby zobaczyć, czy koroner już go zabrał, no i nie zabrał. Miasto chyba za bardzo zajęte jest pożarami, bo jego zwłoki ciągle leżały w tym zaułku, z biało-czarną flanelową koszulą siostry na twarzy jak ta smutna flaga, co ją składają na trumnach żołnierzy. Jeśli taki widok nie wyrwie ci dziury w sercu, to już nic nie wyrwie.

Słyszę otwierane i zamykane drzwi lodówki, Clever szura kapciami po kuchni, bo nie chce mu się podnosić nóg. Jest głodny, ale sam nigdy nic sobie nie skombinuje poza sokiem. Czeka, aż ja coś ugotuję, sam się nie obsłuży. Może jajka, chociaż mamy tylko cztery. *Papas*. Bekon się skończył. Pomidorów też nie ma. Zostało trochę chorizo, ale jest zimne. Nie zjedliśmy go przez to, co się stało wieczorem.

Drzwi do pokoju Payasy są zamknięte. Siedzi tam z Lorraine. Cicho przez całą noc. Cicho jak w grobie, tak mówię. Chciałbym wiedzieć, czy z nią wszystko w porządku, ale nie uśmiecha mi się, żeby się dowiedziała, jakiego syfu narobiłem, syfu, który tak nie daje mi spokoju, że się we mnie kotłuje.

Zżera mnie to, więc nie chcę teraz o tym myśleć, skoro nie muszę; podchodzę do telewizora, pstryk, ściszam głośność, wracam na kanapę, spodziewając się tego samego co każdy półgłówek z branży w L.A., wiecie? Scen ukazujących twarde prawo i porządek.

Czyli gliniarzy w pełnej gotowości, w kamizelkach, ogarniających to kurewstwo. Szeryfów zakuwających przygłupów w kajdanki, zatrzaskujących ich w sukach, żeby im w kołowrocie procedur dupska zmielić na sieczkę. Zeznania, odciski. Puszka. No wiecie, gangi skurwysyńskich bandytów w mundurach przeczesujące gęsto ulice, żeby wygarnąć *idiotas*, tych pijanych i naćpanych kretynów – tych, którzy za długo zamarudzili na imprezie i teraz zapłacą za to, co nawyrabiała reszta.

Ale jak tak ekran mruczy, cichną szumy i trzaski, to ze stłoczonych kolorowych plam wyłania się obraz. Formuje się obraz, kształty się wyostrzają. Ulice miasta. Biegnący ludzie. Ludzie rozpierdalający miasto. I już nie wiem, co myśleć. Nawet z grubsza. Bo widzę, kurwa, coś zupełnie odwrotnego, niż się spodziewałem.

Mrugam oczami, żeby się upewnić, że to naprawdę się dzieje na ulicach Compton. Totalna rozpierducha. Jak po trąbie powietrznej. Ubrania, sraluks, strzaskane telewizory, puszki po napojach, jakieś gówno fruwające jak wata cukrowa, ale przecież to nie może być wata. Nie ma mowy. Wszędzie rozbite szkło, na chodnikach, krawężnikach, na jezdni, wygląda jak błyszczące konfetti, którego nikt nie chciałby dotknąć.

I pożary. Kurwa. Ogień w śmietnikach. Ogień w minimarketach. Kurwa, ludzie, ogień na jebanych stacjach benzynowych! Pożar na pożarze, wije się do nieba, jakby je podpierał. Nogi stołowe, tak to nazywam. Tak wygląda dym.

W wiadomościach przeskok na kamerę w śmigłowcu i na niebo – już nie jest niebieskie ani nawet szarawe, jak to bywa w te najgorsze smogowe dni. Przypomina mokry cement. Takie ciemnoszare, że prawie czarne. I wygląda na kurewsko ciężkie.

I wtedy do mnie dociera. Patrzę na strefę wojny. W South Central.

Jakby ktoś spakował całe to gówno, które przez lata oglądałem w Libanie, włożył do pudła, przywiózł i otworzył tutaj, wypuszczając ten chaos tuż obok mojego domu. To jak syf w Strefie Gazy. *La neta*, ludzie.

Ta scena mówi mi dokładnie to samo co każdemu tumanowi w tym mieście, którego korci do złego: Człowieku, dzisiaj jest twój dzień, kurwa mać. *Felicidades*, wygrałeś na loterii!

Idź na miasto i się wyżyj, mówi telewizor. Idź, bierz tyle, ile dasz radę. Jeśli masz w sobie dość siły i zła, to chodź i bierz, co chcesz. Diabelska noc w biały dzień, tak to nazywam.

Świat, w którym żyjemy, właśnie się wywrócił. Do góry nogami. Głową w dół. Zło jest kurewsko dobre. A odznaki gówno znaczą. Bo dziś to nie gliniarze rządzą w tym mieście. Tylko my.

Czuję, jakby mnie przeszył prąd, i błyskawicznie łapię za telefon. Pageruję do pięciu, sześciu ziomali, przebierając sztywnymi palcami po przyciskach, żeby zjawili się jak najprędzej. Wybieram numery z pamięci, przy dwunastym daję spokój, bo wiem, że chłopaki puszczą to dalej jak należy. Potrzebujemy kółek. Będzie ostra jazda. W tej chwili wygląda na to, że zostaliśmy mocno w tyle.

Po pierwsze, trzeba zrobić rozpierduchę w Lynwood. Wiecie, wywołać zamęt tak samo, jak to się rozkręciło w Compton, bo wtedy gliniarze będą się musieli rozproszyć, rozsmarować na cienko. Planuję na gorąco. Miejsca, gdzie uderzymy. Fanty, które zgarniemy. Kryjówki, w których to skitramy. Znowu biorę telefon i wysyłam tekst na pager Lil Creepera.

Jeśli kiedykolwiek Bóg wyznaczył dzień dla tego *cucaracha*, to ten dzień wypada właśnie dzisiaj. Creeper urodził się na tym świecie tylko po to, żeby się włamać, uciec i nafaszerować narkotykami, po nic więcej. Nawet wykończony, nawet półśpiący, potrafi rozkminiać zamki jak nikt. Wystarczy mu folia aluminiowa w łapach. Tylko spojrzy na kratę z żelaza i w ciągu dwóch sekund wykombinuje, jak ją wyłamać albo otworzyć.

Telefon pika, żebym wprowadził numer, więc wprowadzam. Na końcu dołączam swój kod, żeby Creeper wiedział, że ma się szybko skontaktować, bo sprawa jest poważna, a jak tego nie zrobi, to dopiero sobie nagrabi. Ziomal dostaje rozkaz, że ma ruszyć dupsko.

Wtedy do pokoju wciska się Clever, popija sok w jednym z tych kubków Dicka Tracy'ego, które się dostaje za jedzenie w McDonaldzie. Spogląda na ekran i zastyga, a ja odkładam słuchawkę na widełki.

Obaj patrzymy, jak rozpierdalają aptekę przy Vermont, a jakiś facio z telewizji mówi na rogu ulicy, że to gówno nie ma nic wspólnego z Rodneyem Kingiem ani wyrokiem sądowym, że to biedota bez zasad moralnych dostrzegła okazję, żeby się odegrać, i jakie to niewiarygodne, że z niej korzysta. A ja na to: o, poważnie?

Facet marudzi dalej, że to nie jego Ameryka, nie ta, którą zna, kocha i w którą wierzy. Nie mogę się opanować, rechoczę z tego ciemniaka, który od-tak-dawna-mieszka-na-przedmieściach-że-chuj-wie-o-prawdziwym-życiu, a wtedy Clever nie wytrzymuje i mówi to, co chodzi mi po głowie od dłuższego czasu:

– Witamy w mojej Ameryce, *cabrón.*

2

Fate to nie jest pospolita ksywka, przynajmniej nie w hiszpańskim. Nigdy nie słyszałem o nikim z taką ksywką. Czasem ktoś pyta, skąd się wzięła, jakim cudem tak mnie nazwali, ale nigdy nie mówię, że gdy miałem dwadzieścia lat, oberwałem ołowiem, wam też nie powiem, kto strzelał ani z jakiej klamki, policji też nie powiedziałem, kiedy pytali. W każdym razie kaliber był kurewsko duży, ale chyba pocisk czy łuska miały jakiś feler, bo cholerstwo wystrzelone z sześciu metrów nie przewierciło mnie na wylot. Utkwiło.

Wlazło tylko na głębokość kilku centymetrów, jednak to wystarczyło, żebym wykrwawił się na ścieżce przed domem sąsiada tak bardzo, że byście nie uwierzyli. Oprócz jazdy karetką z kurewsko nieporadnym sanitariuszem, który za chuja pana nie mógł znaleźć u mnie żyły, pamiętam tylko *abuela*, totalnie spokojną, siedzącą obok mnie po turecku, rozpostarła swoją niebieską sukienkę na kolanach i położyła na niej moją dłoń, na koronkowym materiale, i mówiła, jaki to mam *una fate grande*, bo wyżyję. Myślałem, że mówi, że takie moje fatum, że nie umrę, ale potem to powtórzyła i usłyszałem dobrze. *Una fe grande.* Nie mówiła o żadnym losie, tylko o wielkiej wierze.

Ale było już za późno, mój umysł uczepił się słowa *fate*, polubił jego brzmienie, i wtedy poprzysiągłem sobie, że jeśli naprawdę przeżyję, to taką właśnie będę miał ksywkę.

Nigdy nie powiedziałem o tym Payasie, ale właściwie nie mam pojęcia, co mnie powstrzymywało. Wie o kuli, to jasne, wie, że była przy mnie *abuela*, ale nie wie, że to babcia nadała mi tę ksywkę, choć niechcący. Chyba jak człowiek spędzi z ludźmi sporo czasu, to już nie zadaje pytań, ani skąd się wzięli, ani skąd mają swoje ksywki, ani nic. Jest, jak jest. Przyjmujemy to. Ale teraz nabrałem ochoty, żeby jej powiedzieć.

Dawno temu Payasa spytała mnie, czy czasami nie jest mi przykro z powodu tego, co robiłem. Wtedy odpowiedziałem, że nie; ale jest. Jest przykro. Jednak nie żałuję niczego. Bo jestem żołnierz. Zawsze szedłem tam gdzie trzeba i zawsze byłem brzytwa. Zawsze. Nawet jako małolat, kiedy ekipy robiły ustawki w tym ślepym zaułku przy parku, starsi ziomale zawsze przepuszczali mnie przodem, bo wiedzieli, że jestem brzytwa. Nikt nie musiał mnie wzywać. Nigdy. Ani razu.

„Wyluzowany jesteś – mówili. Albo: – Ten jebany ziomek ma wyjebane w kosmos", a potem wskazywali mnie innym kolesiom jako przykład, że takim trzeba być. Zawsze dobrze się wtedy czułem.

W tej chwili w dużym pokoju są ludzie, którym muszę powiedzieć, co mają robić. Z naszych stu szesnastu jest piętnastka – nie wliczam ziomków pilnujących na zewnątrz, starających się zarobić belki na pagony. Patrzę na nich, na te wszystkie twarze w pokoju, i myślę, że właśnie dlatego robię to, co robię. Dla nich. *La Clica. Mi Familia.* Dla nich wszystko. To dla nich musiałem wystawić Lil Mosco.

Owszem, kurwa, to prawda. Wystawiłem go. Payasa nigdy się tego ode mnie nie dowie, bo co tu gadać? Ale prawda to prawda. I trochę mi przykro, ale tego kurewstwa też nie żałuję.

W tej chwili chciałbym jednak, żeby Payasa wskoczyła mi do głowy i odczytała myśli, zajrzała w głąb oczu i zrozumiała od razu, że musiałem podjąć taką decyzję, bo przyszli ważniacy, usiedli ze mną i powiedzieli, że nazwisko Lil Mosco wypłynęło w bardasze. Zapalono zielone światło, powiedzieli, i muszę wybrać: albo jeden ćwok, który ciągle bruździ, albo cała załoga. Tak to było. Z nimi nie da się dyskutować, nie wytłumaczysz im, że nie mają racji. Musiał odpaść. Bierzesz takie gówno na klatę, jak bokser, który wie, że nie da rady zrobić pierdolonego uniku.

Gdybym nie wysłał Lil Mosco do Riverside, zacząłby się sezon polowań na nas. Na wszystkich. Wszędzie. Bez przerwy. Takie są jebane fakty. A gdy ostatnio sprawdzałem, nie było nas więcej niż stu szesnastu, a właściwie mniej. Nawet ja potrafię to policzyć, chociaż wyleciałem ze szkoły w ósmej klasie.

Ale żeby tego samego dnia Ernesto został dorwany przez Jokera i jego ludzi? To kurewstwo rozdarło mi serce.

Gorszego momentu nie było, a jak ten małolat Serrato zapukał do drzwi, o mało się nie wysypałem przed Payasą, bo myślałem, że dzieciak mówi o Lil Mosco, i kombinowałem, jakim cudem, i dopiero po kilku sekundach dotarło do mnie, że to niemożliwe! Jebnęło mnie jak cios w brzuch, świadomość, że to Ernie tam leży, i to za nic. I wtedy zrozumiałem, że powinienem wcześniej wystawić Mosco, i aż mnie zapiekło żywym ogniem w środku. Wiedziałem też, że muszę zrobić wszystko, żeby Payasa mogła zrobić to, co musiała. Pozwoliłem jej przekroczyć pewne granice, których nie pozwoliłbym przekroczyć żadnej *chola*, bo chodziło o pierdoloną zemstę, i tak należało.

A Lil Mosco? Kurwa. Musiałem go wystawić. Payasa wie najlepiej, że miał kompletnie nasrane we łbie. Zresztą dlatego wprowadziłem tyle zasad. Numer jeden: żadnych jebanych dragów. Numer dwa: respektuj ograniczenia prędkości na trasie, kretynie. Trzecie i najważniejsze: nie bierz nikogo ze sobą. Chciałem mieć pewność, że nikt z nim nie zostanie skasowany. Dałem mu nawet własną furę, żeby tam pojechał.

Lil Mosco sam się wpuścił w bardachę. Takie są fakty. Musiałem się starać, żeby nie pociągnął nas za sobą. Bo nie chodziło tylko o nas. Chodziło o nasze rodziny. Ważniacy mogli nas wszystkich mocno skrzywdzić, gdyby chcieli. Nieraz już tak bywało. Nie ma sensu się stawiać. Nie miałem wyboru. Proste jak drut. Wystarczyło pomyśleć, co by było, gdyby jeden z ważniaków zjawił się u matki Payasy, zadzwonił do drzwi jej nowego domu i przystawił lufę do judasza w chwili, gdy światło przesłoniłaby jej głowa. Kurwa. Od samego myślenia o tym robi mi się niedobrze.

I jeszcze jedna zasada, którą się kieruję: nikt nie jest wart wszystkich. Żeby nie wiem co.

Gdyby Payasa wcześniej wyszła ze swojego pokoju, może wziąłbym ją na bok, zanim przyszli ziomale, i ukazał jej sens tego wszystkiego.

Ale Ernesto? Skasowany. Tego kurewstwa już nie potrafię wytłumaczyć. Nikt się tego nie spodziewał, tylko że na tym właśnie polega to porąbane życie. Kurewstwo dopada nas, jak i kiedy chce, bez względu na to, czy jesteśmy gotowi, i czasem cena jest za wysoka. Czasem. Można liczyć tylko na to „czasem". Że nie zawsze.

Drzwi do jej pokoju ciągle są zamknięte. Pukam, ale ona nie raczy nawet pierdnąć, więc patrzę na wszystkie giwery, sterta broni na stoliku przed kanapą. Dwadzieścia sztuk. Za mało, jak chcemy się obronić przed tym, co przyszykują w rewanżu wielcy bracia Jokera.

Więc kombinuję i przychodzi mi do głowy, że mogliśmy zrobić wjazd do Western Auto, bo tam trzymają broń na zapleczu. *Pistolas*. Magazynki. I tak dalej. Dlaczego w sklepie z artykułami motoryzacyjnymi? Nigdy wcześniej się nad tym nie zastanawiałem. Chyba dlatego, że na tym można więcej zarobić niż na amortyzatorach i klockach hamulcowych. Tak wygląda gospodarka getta. Gdy o tym myślę, dzwoni telefon. Odbieram, spodziewając się, że to Lil Creeper. Ale nie.

To Sunny ze sklepu z bronią przy Long Beach. Na dźwięk jego głosu od razu wiem, że zasady wylądowały w kiblu. Mówi, że na zmianie ma tylko dwóch gostków i że pogasili światła. Mają pilnować broni, ale za odpowiednią cenę zostawi drzwi otwarte i możemy zrobić wjazd.

– Ile? – pytam.

– Ech – wzdycha i przerywa na moment, żeby wyciągnąć jakąś sumę z dupy. – Trzy tysiące.

– Nie ma sprawy – mówię.

Skurwiel zobaczy tę kasę jak swoje ucho.

– Gotówką.

– Kurwa, a jak inaczej według ciebie zapłacę? Czekiem? Dopilnuj, żeby drzwi były otwarte, głąbie.

Avaro, tak to nazywam. Chciwość na forsę.

Sunny chce się odkuć. Właśnie sprzedał swoje miejsce pracy, sprzedał ludzi, z którymi pracuje. Nie mam szacunku dla takiego kurewstwa. Sunny nie wie, że może się targować każdego innego dnia, ale nie dzisiaj. Wszystko się wywróciło do góry nogami, więc gówno ode mnie dostanie. Co ważniejsze, dorwę go za to, że jest *culero* i spał z moją starszą siostrą po balu maturalnym w osiemdziesiątym szóstym, że sprzedał jej trypra. Pierdolę, z kim się skumał. Dziś za to oberwie.

Oczywiście nie mówię mu tego. Odkładam słuchawkę i odbezpieczam broń. To jeden z tych coltów na wyposażeniu wojska. Na lufie napisane „Calibre 45". Napisane też „rimless smokeless". Należał chyba do czyjegoś dziadka, ale to nie ma znaczenia. Teraz jest mój. Od prawie roku.

Patrzę na zegar. Za piętnaście dziesiąta, a Creepera ciągle nie ma.

Hijo de su chingada madre, myślę. Pewnie się zadekował w jakimś motelu, bo już wydał pieniądze. Zapłaciłem mu za tę giwerę i niepełny magazynek. Pewnie od razu się naszprycował. Na sto procent.

Zastanawiam się, czy dać mu jeszcze minutę, gdy nagle Payasa wyłazi ze swojego pokoju, pyta Clevera pakującego sprzęt, co się dzieje, łapie Apache'a za rękę, szepcze mu jakieś pierdoły do ucha i wyciąga go na zewnątrz, blisko ziomków stojących w kręgu na trawniku.

Nie podoba mi się to, ale nic jej nie będę mówił. Przez okno widzę, że jarają z Apache'em jednego papierosa. Znowu się upalą. Na sto procent.

Każdy sztach tym syfem bierze się z autentycznego bólu. Rozumiem to, zwłaszcza rozumiem z powodu Ernesto, ale nie polecam. Z doświadczenia wiem, że robotę najlepiej odwalić na trzeźwo, potem zresztą też. W ten sposób można spojrzeć w oczy temu gównu, które się narobiło, przyznać się do niego. W ten sposób wyraźniej widać, że skurwysyny dostały to, na co zasłużyły. Jak Payasa mnie kiedykolwiek spyta, to jej powiem. Ale tylko wtedy.

Z jednej minuty robią się dwie, a Creepera ani śladu. W taki dzień jak dziś nie stać mnie na to, żeby wysłać ziomków na poszukiwania.

– Pierdolić to – mówię i wychodzę na dwór.

3

Idziemy całym stadem do samochodów. Gówniarze wcale nie są wyluzowani. Są nakręceni jak szczeniaki na imprezie urodzinowej. Powarkują. Szaleją. Do cutlassa wsiadamy tylko Clever, ja, Payasa i Apache. Przez to jeszcze bardziej tęsknię za moją furą. Pewnie ciągle stoi w Riverside. Bezczynnie. Podejrzewam, że będę musiał odzyskać ją z zarekwirowania, jeśli w ogóle kiedykolwiek jeszcze ją zobaczę. Najpierw jednak muszę zgłosić, że mi ją ukradli. Żeby jej nie powiązali z Lil Mosco. Mogę to zrobić dopiero, jak odezwą się ważniacy. Jasne, Mosco nie wrócił wieczorem, ale to jeszcze nie znaczy, że sprawa na pewno została załatwiona. Więc muszę wziąć na wstrzymanie, łazić z tym poczuciem winy zżerającym mnie od środka.

Wydaje mi się, że to największy mój problem w danej chwili, ale gdy ładujemy się z żołnierzami do samochodów, żeby plądrować i tak dalej, nagle podjeżdża mój ojciec w tym swoim poobijanym datsunie. Zardzewiały szary rzęch, farba łuszczy się przy reflektorach. Brakuje znaczka na masce, jedna lampa nie działa. To... żałosne, wiecie?

Ojciec ma go od samego początku, jeszcze zanim matka umarła w styczniu osiemdziesiątego piątego, zanim siostra przeprowadziła się do ciotki dwa lata później. Miał go, gdy zadał się z inną kobietą, z którą darłem koty, i chyba to przeważyło. Znalazłem sobie inny kąt, bo *la clica* nie dała mi zginąć i tak właśnie skumałem się z Tokerem i Speedym, to najpierw, a potem z Payasą i Ernesto, później jeszcze z Lil Mosco. To wszystko nie znaczy, że ojciec przestał mnie kochać, że przestał mnie sprawdzać. Bez przerwy się martwił, ciągle pytał, czy nie zadzieram z prawem i takie tam pierdolenie. Nigdy go nie okłamywałem, ale prawdy właściwie też nie mówiłem.

W tej chwili za popękaną szybą dostrzegam jego zmartwioną twarz, jakby nie wierzył w to, co widzi. Jakby się bał, czy ze mną wszystko okej, więc wsiadł do samochodu i przydrałował aż z Florence, żeby sprawdzić, czy żyję, tylko że jak podjeżdża, ja akurat ładuję się do fur z ziomalami i żaden nawet nie próbuje schować broni.

Mój stary nie jest głupi. Od razu kojarzy. Ja, jego syn, to nie koleś, o którego trzeba się bać. To koleś, którego trzeba się bać.

W reakcji na to jego twarz jakby się rozpuszcza, policzki się zapadają, jakby przez całe kilometry wstrzymywał oddech i teraz wypuścił powietrze z ust, i wbija we mnie wzrok, marszcząc mocno czoło, i kręci głową, jakby był bardzo, ale to bardzo zawiedziony, a potem wrzuca wsteczny, cofa rzęcha kilka metrów i robi ostrą zawrotkę, po czym odjeżdża. Szybko. Znika za rogiem, błyskając jednym dobrym światłem stopu i jednym rozwalonym. Czepia się to mnie, ten widok. Schrzanione światło stopu, świecące na biało dokoła czerwonych zębów.

I już go nie ma.

Najpierw wymieniam spojrzenie z Cleverem. Krótkie kiwnięcie głową, ale z lekkim podtekstem. Bo on wie o moim starym, a ja wiem o jego starym, który się spulił, zanim mały Clever nauczył się chodzić. Widzę, że rozumie moją sytuację, jednocześnie dałby wszystko, żeby jego ojcu tak na nim zależało, że aż przyjechałby go skontrolować. Widzę, co myśli: że rozczarowanie jest lepsze od zniknięcia, więc odwracam wzrok, bo nic na to nie mogę poradzić.

Starsze ziomki wiedzą, że to nie ich sprawa. Ale ci młodsi, jeszcze zieloni, zadają kurewskie pytania w stylu:

– Kto to był ten *viejo*?

– Nikt – odpowiadam i właściwie tak myślę.

To zadowala małolatów, więc ładują się dalej do fur, siadają po bożemu i w bagażnikach, z nogami dyndającymi z tyłu otwartego hatchbacka, kiedy nagle jeden z nich, podjarany na maksa, wydaje z siebie piskliwy *grito*, ija-ija-ija, a brzmi to, jakby dosiadał konia i dźgał go piętą do jebanego patataj.

4

Nie wierzyłem, dopóki nie zobaczyłem na własne oczy. Telewizja to telewizja, nigdy nie można wierzyć w to gówno. Z wyjątkiem dzisiejszego dnia. Dzieje się na Atlantic, przesiewa na drugą stronę przez niewielki ruch samochodowy, zero gliniarzy w zasięgu wzroku, no i ta gorączka zaraz nas dopada. Wszystkich. To lepkie, palące uczucie, że możemy-zrobić-co-nam-się-kurwa-podoba. Jakby się człowiek opił kawy. Jakby...

Siedzę obok kierowcy, odkręcam szybę, kładę rękę na dachu auta. Walę pięścią w blachę, coś jak bam-bum, bam-bum, bam--bum. Jakbym wybijał rytm, z jaką prędkością mamy grzać. Siedemdziesiąt pięć. Osiemdziesiąt. Dziewięćdziesiąt.

Ten skurkojad Apache ma ciężkie kopyto. Normalnie tobym mu kazał zwolnić, ale nie dzisiaj.

Dziś nie obowiązują ograniczenia prędkości. Nie obowiązują żadne ograniczenia.

– Ej – odzywa się w reakcji na o jedno bam-bum za dużo. – To mój dach. Przepraszam – dodaje szybko, bo posyłam mu spojrzenie znaczące zamknij-kurwa-ryja.

Zaglądam mu w twarz i potrząsam nim.

– Jedziemy razem, kurwa mać.

Prztykam radio i biegam po skali. Wszędzie tylko wiadomości i wiadomości. Doniesienia. Ludzie się żalą, że to nie jest najlepszy dzień w historii, gadają, jakby to była katastrofa czy coś. Przerzucam na AM. Nie ma starych kawałków, ale coś jest. Prawdziwa muzyka. Tak jakby.

Jakiś jebany tandetny rock. Taki, co to *gabachos* nazywają klasyką. Gitary elektryczne i klaskanie. Ba-ba-bada-ba-da, tak brzmi refren. Piosenka nazywa się *More Than My Feeling* czy jakieś takie gówno.

Apache poznaje.

– Człowieku, pierdolić Boston – mówi, krzywiąc się jak chuj i wyciągając rękę, żeby wyłączyć radio, ale kręcę głową.

– Niech leci to badziewie – mówię i nawet robię głośniej, żeby go wkurwić.

Jeśli komuś udało się wyrwać z mojej dzielnicy, to tylko dlatego, że nie chodził się bawić na miasto. Takim ludziom nawet nie da się wyjaśnić, co się czuje, jaką moc, gdy jest się z braćmi i można robić, co się chce, a taki dzień jak dziś to coś lepszego, niż kiedykolwiek się marzyło, dzień, kiedy można robić dosłownie wszystko, ale to wymysły, bo takie kurewstwo nigdy się nie zdarza – aż do dnia, kiedy się zdarzy...

Jebane gitary rzężą, a ja wyciągam rękę jak najwyżej i próbuję chwycić suche powietrze. Co za uczucie, jak bucha w moją dłoń; próbuję odcisnąć to gówno w pamięci, jak ręka robi mi się zimna. Chcę to zapamiętać na zawsze.

Kiedy wjeżdżamy w Gage, chowam rękę, uczucie trochę słabnie, bo wystarczy popatrzeć dokoła, żeby widzieć, że to syf rodem z *Mad Maxa*. Trochę złodziejstwa, ale inaczej niż w TV, ludzie biegają jak zwariowani, jak szczury przeciskają się przez dziury w witrynach. Tutaj nie ma tego gówna wyglądającego jak wata cukrowa, nie ma pożarów. Czuć jednak dym, jakby drewno, ale też ten żrący swąd, gdy pali się plastik.

Walimy do Western Auto kawalkadą czterech samochodów, żeby ich skroić, ale na dachu są skurczysyny z karabinami. Podejmuję więc decyzję. Jebać to.

Apache szarpie kierownicą i znowu dodajemy gazu, skręcamy z ulicy na jakiś taki ogromny tor, co to się widuje na pierdolonej olimpiadzie. W Albertville czy gdzie tam to, kurwa, ostatnio było. To my. Tylko że walimy razem w cztery sztuki, prześlizgujemy się między samochodami, każemy się jebać czerwonym światłom, oczy dokoła głowy, żeby widzieć, czy jakiś inny gang wystawił łeb na miasto, czy robią to samo co my.

Mijając Mel and Bill's Market, widzimy jakichś białych kolesi, których nigdy wcześniej nie widzieliśmy, podpierdalają ze sklepu kartony piwa w puszkach, ładują towar do pikapa, więc Apache wali prosto na nich, ostro, wciskając hamulec w ostatniej sekundzie, smażąc gumę na jezdni, i z piskiem opon stajemy centymetry od tych fagasów. Zamurowało ich jak chuj. A potem jak dwa chuje, bo wyjmuję klamkę, Apache robi to samo.

– To nie wasza dzielnica – mówię, uśmiechając się lodowato. – Wypierdalać, dopóki jeszcze możecie.

Robią co trzeba. Rzucają piwo, ale chwila, każę im podnieść i przeładować wszystko do naszej furgonetki. Są grzeczni. Potem my do fur i odjazd. Radary już mamy nastawione na następny cel.

5

Grzejemy do *carnicería* dla zwykłej kurewskiej zgrywy i ktoś z nas wywala z obrzyna drzwi przy zawiasach, aż skrzypią, a ze ściany tryska pył i kawałki tynku jak z rany. Ludzie instalują drzwi antywłamaniowe, ale nie myślą, jak słaba jest przeciętna ściana tynkowa. Nie myślą, że wystarczy ją rozwalić, a metalowe drzwi wyrwie się już bez problemu. Potem wybijamy szybę w drzwiach i wpadamy do środka, wyjąc jak Indianie na wojennej ścieżce, jakbyśmy grali w jakimś westernie.

W środku jest ciemno, a w japę wali woń mięsa, które już tam trochę leży, bo prąd wyłączyli zeszłej nocy albo dziś wcześnie rano.

– Torby – mówię, wskazując na kasy. – Bierzcie wszystkie kurwy.

Młode ziomki łapią reklamówki, a ja i starsi przeskakujemy przez ladę i otwieramy przezroczyste plastikowe pudełka, trak-trak-trak. Tak słychać odpalające zatrzaski, a ten dźwięk odbija się od lodówek ze szklanymi drzwiami przy przeciwległej ścianie i wraca, i przez chwilę myślę sobie, jakie to wszystko dziwne. Nikogo nie ma. Nie ma nikogo, kto mógłby nas powstrzymać. Próbuję to przyswoić, no wiecie.

W życiu miałem sporo takich dni, kiedy zastanawiałem się, skąd wytrzasnę następny posiłek, więc teraz to dla mnie Boże Narodzenie, Święto Dziękczynienia, sylwester i urodziny razem. I nie tylko dla mnie. Wygarniamy kilogramy zmielonej wołowiny, ziomki wrzeszczą i wyją. Ze śmiechem zrywamy żeberka z haków. Rzucamy nad ladą golenie baranie, ziomki łapią. Gdy jedna upada na podłogę, a małolat wyraźnie nie ma ochoty jej podnieść, wołam:

– Ej, to dobre jedzenie! Umyjemy. Bierz mi to gówno!

Podnosi i w pięciu wpychamy wszystko co się da do tych plastikowych toreb: osiem całych kurczaków, kiełbasy ciągle połączone w pęta tak długie, że można je sobie owinąć wokół głowy jak sznur, cztery grube ozory wołowe i tak dalej, i tak dalej. Zapierdalamy w tę i z powrotem, nosząc, upychając towar w bagażniku cutlassa, aż pęka od mięcha. Dociskamy nogami, ugniatamy, żeby się zmieściło. Apache najpierw się stawia, bo widzi, że torby pękają. Widzi, że krew przecieka, że zostają czerwone ślady na brudnej zapasowej oponie, wsiąkają w granatową tapicerkę, którą wyłożono bagażnik. Mówię mu, że później to wyczyścimy. Małolaty umyją szlauchem, mydłem i gąbkami, mówię, a my urządzimy sobie grilla jak skurwysyn. Nie jest szczęśliwy, ale siedzi cicho.

Zatrzaskuję bagażnik i już myślę o smażeniu, jak to będzie super, jak nakarmimy wszystkich ziomków, aż nie będą mogli ruszyć nogą, a ta myśl tak mnie uszczęśliwia jak dawno żadna – aż do momentu, gdy zerkam na Payasę.

Ma minę, której nie mogę rozszyfrować. Jakby koksowe spojrzenie, wiadomo, bo zasnute PCP, ale jest coś jeszcze. Nie zwracam na to większej uwagi, ale to łzy. I to duże.

Płacze i chyba nawet nie wie dlaczego, bo ociera oczy, potem patrzy na ręce i znowu ociera, jakby nie mogła uwierzyć. Jak walisz anielski pył, to dzieją się zaskakujące rzeczy. Tak, tak. Człowiek może się rozpłakać i nie wie dlaczego. Może wrzeszczeć albo znieczulić się na kilka godzin. Ale jak każdy inny narkotyk PCP może podkręcić to, co człowiek i tak już ma w środku. Widok Payasy przypomina mi, jak wyglądały zwłoki Ernesto, nieruchome w tamtym zaułku.

I przypominam sobie, że nawet nie dała rady spojrzeć, że zakryła twarz rękami, kiedy przejeżdżaliśmy obok, więc musiałem skłamać, powiedziałem jej, że już go zgarnęli. Że już tam nie leży. Chociaż leżał. Chyba mi nie uwierzyła, bo spytała Clevera, a on potwierdził. Powiedział, żeby się nie martwiła, że już go zabrali i wszystko jest okej, tak okej, jak tylko może być. A potem nikt już nie powiedział ani jednego zasranego słowa w drodze do domu.

Nie robię widowiska z Payasy, tylko mówię wszystkim, żeby wsiadali do aut, a kiedy jesteśmy w połowie drogi do sklepu z bronią i już mi się wydaje, że sytuacja jest pod kontrolą, ona wychyla się przez okno i wali pięć razy z gnata w kombi, które wygląda, jakby w środku siedziało kilku Bloodsów. Rechocze, jak tamta fura odbija w bok przez krawężnik i wali prosto na parking przed centrum handlowym.

– Mosco by się rajcował tym gównem – mówi. – A w ogóle to gdzie on jest? Robi gdzieś przypał na mieście czy co?

„Czy co?" wali mnie jak cios w bebechy. Ale Payasa nie oczekuje reakcji.

– Ta – rzuca, sama sobie odpowiadając, i patrzy dalej przez okno.

Zerkam na Clevera, a Clever zerka na mnie.

Nie wie o Lil Mosco, ale wie. Ma łeb na karku. Domyśla się, że skoro Mosco nie wrócił rano, to pewnie został skasowany.

Mordy trzymamy na kłódkę, dopóki nie zaparkujemy obok budynku z czerwonej cegły, na którym wisi szyld z wielkimi niebieskimi literami BROŃ PALNA, i zakradamy się za winkiel długim rzędem, z wyciągniętymi spluwami, i modlę się w duchu, żeby Sunny naprawdę okazał się gnojem i zostawił drzwi otwarte, żebyśmy nie musieli ich odstrzeliwać.

6

Drzwi są otwarte, na milimetr. W pierwszej chwili wyglądało inaczej, ale Apache pchnął i się uchyliły. Nie wiem, czego się spodziewać, więc wchodzę pierwszy, włazimy przyczajeni. Na środku wielki kwadratowy dywan. Na jego trzech rogach, po lewej, prawej i na wprost, szklane lady. Za nimi gabloty z szybami, w środku pozamykana jebana bajerancka broń. Palą się tylko światła w tych gablotach, jasne białe jarzeniówki u góry, odbija się toto od wypolerowanych metalowych powierzchni.

– Nareszcie, *raza* – śmieje się Sunny. – Pilnuję ich co najmniej pół godziny. Macie moją forsę, koledzy?

Odprężam się i opuszczam broń, ruszam w kierunku sylwetki w głębi, przyzwyczajając oczy. Ziomale tuż za moimi plecami, ciągle czujni.

Sunny to żadna moja *raza*. Owszem, urodził się i wychował w Lynwood, żeby nie było nieporozumień, ale to biały, żaden chicano. Chociaż zawsze chciał taki być.

W głębi wreszcie widzę, o czym on pieprzy. Że niby pilnuje. Za dużą gablotą pełną krótkolufowej broni wszelkiej wielkości i koloru, o różnie zdobionych kolbach, dostrzegam dwóch kolesi siedzących na podłodze. Jeden biały, jeden czarny. Sunny trzyma ich na muszce.

Ci dwaj nie wyglądają na bardzo zmartwionych. Czytają razem czasopismo. Stary numer „People". Na okładce ten skurkojad z *Beverly Hills, 90210*, marszczący czoło pod dużą czupryną, jakby miał trudności z rozkminieniem prawdziwego życia. Aż nie mogę się powstrzymać od drwiącego prychnięcia.

Bo to lipne L.A., na sprzedaż i do kupna. To nie moje miasto. Założę się, że każdy oglądający teraz telewizję widzi różnicę.

Ale nigdy, kurwa, nie zrozumiem, po co trzymają to gówno w sklepie z bronią. Może robi się strasznie nudno, jak człowiek cały dzień sprzedaje po jednej kuli. Jebane darmozjady.

Podwijam wargę i gwiżdżę na nich. Wreszcie zwracają na mnie uwagę.

Czarny zamyka powoli gazetę i obaj prostują plecy, a to dobrze, bo chcę, żeby obejrzeli teraz moje pierdolone przedstawienie.

– Nie jesteś żadna moja *raza* – zwracam się do Sunny'ego, celując mu w twarz i odbezpieczając colta, zanim przyjdzie mu do głowy, żeby wywalić do mnie ze swojej klamki. Odczekując tylko tyle, żeby do niego dotarło, że właśnie tak się dzieje, jak się drzwi zostawia otwarte i zaprasza wilka do środka.

Bo prędzej czy później wilk cię pożre.

Puk! Tak to słychać, gdy pocisk z czterdziestkipiątki wali w nos, czaszkę, mózg i wbija się w drewnianą szafkę. Sunny najpierw umiera, dopiero potem upada, a robi to bardzo dziwnie. Ląduje na wygiętych plecach i się nie prostuje. Sterczy na tym dywanie jak połamany namiot.

– O kurwa jego mać – mówi biały, gdy robię krok do przodu, żeby powiedzieć Sunny'emu coś jeszcze, chociaż mnie nie słyszy, no i dobrze.

Bo nie chodzi o niego. Chodzi o mnie. I o jeszcze kogoś.

– To za moją siostrę. Ta dzielnia ma dobrą pamięć, *chavala* – mówię i odwracam się do zakładników Sunny'ego. Byłych zakładników. – Teraz uważajcie – mówię do dwóch kurewsko przestraszonych ryjów. – Dawać portfele.

Czarny szybko reaguje. Zna ten dryl. Nie zamierza oberwać ołowiem za frajerstwo. Biały się waha. *Cabrón.*

Na coś takiego nie można pozwolić, wiadomo. Podchodzę do niego, a on wycofuje się rakiem, prosto na gablotę z tyłu. Wali mocno potylicą i aż krzywi mordę. Małolaty rechoczą chóralnie na ten widok, ale Apache szybko interweniuje.

– *Puto*, to jest pan Fate, największy i najwredniejszy skurczysyn w Lynwood, *y qué*? – warczy. – Gdyby chciał cię skroić, najpierw kazałby jej ciebie rozwalić.

Wskazuje na Payasitę. Ona jak na komendę przekrzywia głowę i chichocze, aż ciarki przechodzą po plecach do samych łydek. Oczy ma martwe i każdy z odrobiną oleju w głowie widziałby, że nie udaje. Mina, aż mrozi krew w żyłach.

Biały koleś wreszcie kapuje, bo robi się dwa razy bielszy i zaczyna grzebać w kieszeni na dupie, i wreszcie skurwysyn wyjmuje grube cholerstwo z miękkiej skóry. Tak mówią biali, nie? Przeciągając. Skuurwyysyyn. Co za tandeta godna Kurta Russella. *Hijo de su chingada madre* o wiele lepiej spływa z języka. Można jednocześnie splunąć, to jeszcze podbija treść.

Apache podaje mi portfele, a ja odsuwam forsę i wyjmuję prawa jazdy, po czym rzucam to gówno na podłogę – prosto w kałuże krwi z Sunny'ego. Słyszę, jak czarny jęczy. Ma łeb na karku. Wie, co się kroi.

– Zatrzymam to. Powiększę moją kolekcję. – Kiwam głową na białasa. – Teraz wiemy, gdzie mieszkasz. Gary. – Kiwam głową do czarnego. – I ty też, Lawrence. – Uginam nogi, żeby się znaleźć na tej samej wysokości. – Normalnie to nie zostawiamy żywych świadków – mówię. Kiwam głową beznamiętnie w kierunku Sunny'ego, nie odrywając oczu od tych dwóch. Kapują. Sprawdzam ich prawka. Oba kalifornijskie. Jeden mieszka w Gardena, drugi w Wilmington. – Wiemy, gdzie mieszkacie. A gliniarze są mocno zajęci, więc może potraktujcie to jako uśmiech fortuny, że przydarzyło się kuku facetowi, który groził wam bronią.

Zło to dobro, myślę.

Odwracam głowę, żeby ostatni raz spojrzeć na Sunny'ego. Oczy ma otwarte. No, przynajmniej to jedno, które widzę. Mnóstwo krwi leje się z miejsca, w którym do niedawna miał nos, skapuje do oka, cieknie po czole na podłogę jak łzy płynące w odwrotnym kierunku.

Przetrząsam portfel Lawrence'a i widzę dwa dzieciaki wyglądające tak samo jak on. Dwie dziewczynki w ślicznych fioletowych sukienkach.

– No więc jakby cię korciło, żeby opowiedzieć, jak ci się dzisiaj upiekło, to pomyśl, że ktoś może złożyć wizytę w szkole twoich córek. – Patrzę na Lawrence'a, ale on ma spuszczony wzrok i skrzywioną minę. Zauważam obrączkę u Gary'ego, więc zaglądam mu w twarz. – Albo się spotkać z twoją żoną na parkingu przed spożywczym czy coś.

Marszczy czoło w reakcji, więc odczekuję, żeby dotarło to do niego z całą mocą. Żeby wszystko dotarło.

– To nie będziemy my – dodaję. – Ale ktoś.

Na przykład Lil Creeper skoksowany do nieprzytomności, mówię w myśli. Odczekuję, żeby zamknęli oczy i przyswoili sobie nową sytuację.

Kiedy już wiem, że groźba wżarła się do głów tak głęboko, że nigdy jej nie zapomną, każę im spierdalać, a oni patrzą na siebie przez sekundę, a potem gramolą się z podłogi i w długą. Małolaty mają bekę z tego gówna, naśladują ich – miny, drałowanie w zwolnionym tempie – ale gdy słychać trzask drzwi na tyłach i najpierw głośny, a potem cichnący warkot silników, wtedy kiwam na wszystkich, żeby się rozproszyli.

Rozwalamy gabloty w całym sklepie. Zgarniamy tyle broni, że jeszcze nigdy w życiu czegoś takiego nie widziałem. Pompki. Desert eagle. Dwa półautomatyczne kałachy. Karabiny wyborowe też, kurewstwo idealne dla snajperów. Towar jak z filmów.

Bonanza, tak to nazywam. Ale nie chodzi o ten lipny serial westernowy. To prawdziwa bonanza.

Biorę kałasznikowa i ważę go w dłoniach. Każę Cleverowi wyrwać jedną z tych jarzeniówek i urządzić niezły pożar elektryczny, żeby spaliły się zwłoki Sunny'ego. Ale powoli, bo, widzicie, kretyni często demaskują podpalenie, jak jara się za szybko, Clever tak zawsze mówi, bo wtedy wiadomo, że coś zostało użyte, żeby przyśpieszyć cały proces, benzyna z zapalniczki albo koktajl Mołotowa.

Przyspieszacz, tak to nazywa.

Patrzę, jak Clever wciąga kurewsko grube rękawiczki i włazi na gablotę, żeby pokombinować z przewodami sufitowymi, i myślę tylko o Lil Creeperze, o tym, jak skurwiel będzie żałował, że przegapił taki epokowy włam.

ANTONIO DELGADO

AKA LIL CREEPER
AKA DEVIL'S BUSINESS

30 KWIETNIA 1992

10.12

1

Stoję na parkingu przy motelu, próbując zdecydować, którą furę skroić, no i jestem rozczarowany, myślę sobie, że dobra, może ze mnie ćpun, ale przecież mam gust, *esé*. Może i, kurwa, jestem gówno wart Meksykanin, ale mam gust. Już dawno minęły czasy, jak podprowadzałem złe rowery w JC Penney. Spytajcie jakiegokolwiek skurwiela. Wiem, co dobre.

Zaraz potem dociera do mnie, że nawet nie wiem, jak się tu znalazłem.

No bo byłem w pokoju wynajętym za forsę, którą dostałem od Fate'a za klamkę. Obudziłem się sam w łóżku, zegar pokazywał pięć po dziesiątej. Telewizor grał, więc chyba go nie wyłączyłem, tyle pamiętam. Pamiętam też, że czułem się jak zużyty kondom. Bez picu.

Jak wszyscy byłem pewny, że gliniarze rozjadą jebanych *mayates* po tym, co się stało wczoraj. No wiecie, wprowadzą państwo policyjne przeciwko tym kretynom z Florence i Normandie czy skąd. Ale potem ci *culeros* w telewizji (czarni, śniadzi, nawet biali, nawet dzieciaki!) grabią tę jebaną drogerię z piwa i popcornu, a moją pierwszą myślą jest: Zidiociałe skurwysyny, myślicie za wąsko. Sporo za wąsko.

Tak kumam. Człowiek jest biedny, gówno zawsze miał, więc czuje się super, jak może coś wziąć w łapy. Ale ile ten syf przetrwa? Tydzień? Nawet tyle nie. Normalnie to strata czasu. Obudźcie się. Jak chcecie narobić siary, to róbcie. A nie się branzlujecie.

Tak samo wtedy, jak moglibyście zrobić wszystko, czego dusza zapragnie, to co byście zrobili?

Przestaję patrzeć na fury i przez chwilę się nad tym zastanawiam.

No bo ja tobym zerżnął Payasę i jeszcze jedną dziewczynę jednocześnie. Ale wiem, że takiej jazdy nie będzie, więc chyba mogę mieć drugie marzenie.

Cholera, wyglądała zajebiście wczoraj wieczorem, jak normalna dziewczyna! Kto by myślał, że będzie tak wyglądała w sukience i szpilkach? Apache nic nie mówił, ale wiedział. Wiedzieli wszyscy kolesie, którzy tam byli, zachowywali sobie ten widok na później.

Więc jeśli chodzi o inne marzenie, to drugie marzenie, no to jest tylko jedna odpowiedź. Skroić Momo po mistrzowsku. Zapierdolić mu wszystko.

Każdego innego dnia byłoby to raczej chujowe marzenie, bo ten skurwysyn mocno się zadaje z tą paką, która załatwiła Ernesto. To znaczy nie jest członkiem, jest jakby wyżej. Prawie między nimi a ważniakami. W sam raz na salwadorskiego *cerote*, o którym ludzie się dowiedzieli, że jest Salwi, dopiero jak urósł i przybyło mu lat, bo jak był młody, to się nie chwalił, skąd pochodzi jego rodzina. Taki cwany skurwiel.

To nie żaden ważniak ani nic, ale pomaga tamtej pace. Broń. Narkotyki. Czegoś potrzebują, on dostarcza. I wie, że ja się zadaję z Fate'em i pozostałymi. To zawsze było trochę… Jakiego słowa mi brakuje?

Śliskie.

Tak, między nami dwoma sprawy zawsze były śliskie. Sprawa z zawarciem pokoju i narkotykami wygląda tak, że ludzie chodzą tam, gdzie jest najlepsze gówno na sprzedaż, a więc przeważnie do Momo. Do kurewsko durnego Momo z gustem wsiocha.

Ale potem zabili Ernesto i pokój chuj strzelił. Teraz jest wojna.

Więc równie dobrze mogę spalić tego skurwysyna. Gwałcić i plądrować jak wiking. Ale nie chodzi o tych szeryfów z Lynwood. O takich prawdziwych. Z historii.

Mam swoje powody, a dwa najważniejsze to:

1) nie wiem, ile dni mi zostało, i 2) mało który chuj zasługuje na taki wpierdol jak Momo.

Ale chwila, moment. Na czym to stanęliśmy. Cofnę się trochę.

No bo jest różnica między *cocaína* z Salwadoru a dobrym towarem z Kolumbii. Jedna mnie podkręca. Od drugiej robię się gładki jak nóż. Jak człowiek ma gust, to wie takie rzeczy. Gust to po prostu umiejętności odróżnienia śmieci od skarbów, nic więcej.

Chyba łyknąłem dziś rano trochę salwadorskiego towaru kupionego z jakiegoś cadillaca, bo na pewno dlatego czuję się teraz, jakby pikawa miała mi wysiąść.

Albo to jest powodem, albo Big Fate.

Trzy strony tekstu od tego przerażającego skurczykota na moim pagerze, jak się obudziłem na mieście, które dostało pierdolca, totalnie *loco*. I powiem wam, że tam teraz nie jest normalnie. Ludzie, jedna strona tekstu od Fate'a wystarczy, żeby się posrać. Poprzestawia człowiekowi cały dzień. Nawet od jednej oddech mi się zmienia.

Trzech stron jeszcze nigdy nie przysłał.

Trzy! Jak zobaczyłem, odwróciłem się od telewizora, wziąłem pager, jego numer przypięty był do pierwszego tekstu, no i pomyślałem, że okej. Ale druga strona, wysłana za sześć dziewiąta? Aż mi się żołądek wywrócił jak skurwysyn. Trzecia dwanaście po dziewiątej? Ja jebię! Zrzygałem się do umywalki, jak to zobaczyłem.

No bo najpierw pomyślałem, że pierdolę, już nie żyję. Ale potem napiłem się porządnie wody z kranu, wypłukałem usta, wyplułem i pomyślałem, że jak taki koleś jak Fate chce mnie załatwić, to koniec.

Nie wysyła żadnych tekstów. Żadnych ostrzeżeń.

Obrywa człowiek ołowiem. We śnie. Pod prysznicem. Jakkolwiek.

I wtedy zacząłem główkować, że może on wie, skąd wziąłem tego glocka owiniętego jak mumia białą taśmą, że mu się nie podoba, że go wziąłem od Momo, bo to komplikuje sprawy. Albo że wie, że skłamałem, jak powiedziałem, że to była jedyna klamka w sejfie. Bo było coś jeszcze. Wkładam rękę do kieszeni, żeby pomacać, a wtedy muszę też popatrzeć.

Wyciągam więc ten gładki jebany rewolwer, cały srebrny z kolbą wyłożoną masą perłową, błyszczy się między biało a niebiesko, kiedy nim poruszam w słońcu.

Kurwa. Fate na pewno wie o tym wszystkim.

No bo jak wytłumaczyć, że chce mnie mieć pod ręką?

Więc reaguję, nie reagując, wiadomo. Reaguję tak, że zabieram dupsko z parkingu na ulicę, bo nic nie przyciąga mojej uwagi. Same hondy i poobijane pikapy, żaden się nie nadaje. Do tego gówna potrzebuję wyjątkowej fury.

No bo jeśli naprawdę mam zostać odstrzelony, jeśli Fate chce wywabić moje dupsko na otwarty teren, no to, główkuję, muszę się zachowywać, jakby to był ostatni dzień mojego życia.

Bo może tak jest.

Co za kurewsko głupi plan. Ale to moja specjalność. Może jak wycyckam Momo, Fate mi odpuści, że go okłamałem. Ale nawet jak wycyckam Momo, Payasa i tak nie zrzuci dla mnie *chonies* jak dla bohatera.

W dupie to mam. Może to będzie najbardziej zwariowana przejażdżka Pana Żaby, to była najlepsza frajda w Disneylandzie, jaką kiedykolwiek przeżyłem, tyle że tym razem to będzie rzeczywiściejsze, tym razem to pan Creeper będzie jechał. Zapiąć pasy i jazda.

Bo to najlepszy pomysł, jaki przychodzi mi do głowy.

Taa, myślę.

Taa.

Wciągam kaptur i wchodzę na asfalt, prosto między samochody śmigające na Imperial.

Zero strachu, gdy wielki jebany taurus odbija w bok, żeby mnie ominąć. Tak samo kombi z lipnymi drewnianymi listwami na drzwiach. Kto trzeci?

W trzeciego celuję z połyskliwego rewolweru.

Tej drugiej klamki, którą ukradłem z domu Momo.

2

Trzeci to duży czarny chevrolet astro z pukniętym zderzakiem. Z daleka ten podstarzały koleś za kółkiem wygląda jak mój dawny proboszcz i trener bokserski, ksiądz Garza, aż mi żołądek podskakuje do gardła w reakcji na taki syf, a furgonetka hamuje ostro tuż przede mną i słyszę pisk opon, zaraz potem podbiegam z boku do drzwi kierowcy i o kurwa!

Pierdolony Garza we własnej osobie.

Mała mieścina, myślę sobie. Człowiek zawsze się natknie na idiotów.

Uśmiecham się na to gówno.

Garza jest zszokowany i przestraszony, aż nagle mnie pozna je. Ściągnąłem nawet kaptur i czekam.

Dociera do niego, a ja uśmiecham się i modlę do nieba.

Do wszystkich pierdolonych świętych, jacy kiedykolwiek byli i będą.

Bo jak go widzę przed sobą, tego kolesia, który gadał, że w ringu o wszystkim decyduje balans ciałem, który gadał, że brakuje mi dyscypliny, że nigdy nie przejdę na zawodowstwo, bo nie słucham, co się do mnie mówi, tego kolesia, który mnie trenował od dziesiątego do siedemnastego roku życia i co tydzień powtarzał, że muszę robić dokładnie to, co mi każe, a będę cwanym bokserem, chociaż robił ze mną to obrzydliwe skurwysyństwo niemające nic wspólnego z boksem, skurwysyństwo, które było czystym złem, zwłaszcza w przypadku takiego dzieciaka, to jak go teraz widzę, dociera do mnie, że to jest moje marzenie.

No więc mówię do tej kupy gówna, która nie zasługuje na to, żeby żyć:

– *Qué pasa*, obesrany skurwysynu?

Gdyby to był ktokolwiek inny, upiekłoby mu się. Ale to Garza.

Więc wiadomo, co się stanie.

Nie zrozumcie mnie źle. Nie jestem zwierzęciem.

Nie zastrzelę go w furgonetce, bo potrzebuję tego cholerstwa.

Najpierw wyciągam go na jezdnię.

Kopię go w szczękę tak mocno, że słyszę trzask dolnych zębów rozbijających się o górne. Odczekuję, żeby wypluł krew i spróbował błagać, a dopiero potem walę mu kulkę w jebane usta.

Dobrze się czuję, pociągając za spust, prawie jakbym całe życie na to czekał. A potem wzdycham, jak jeszcze nigdy nie wzdychałem. Spokój jakby. Pełnia. Później jeszcze strzelam mu w pierś.

Na dokładkę.

Ruch już wcześniej stanął, a teraz kolesie wrzucają wsteczny i wypierdalają.

Luz. Patrzę na zwłoki i się zastanawiam. Garza naprawdę miał takie znamię na szyi? Hm. Nie pamiętam czegoś takiego.

A potem główkuję: był aż taki wysoki?

Chuj z tym, trudno, wsiadam i ruszam, dziękując *Christo* za to, że z tyłu nie ma żadnych okien, ale potem przychodzi mi do głowy, że to klapuje, bo przecież właścicielem fury jest ten molestujący dzieci kawał gówna.

Korekta. Był właścicielem. No bo to na pewno Garza.

Sto procent, mówię do siebie w myśli. Wyluzuj, skurwiel zasłużył na to.

Ruszam moją nowiutką furgonetką do Momo, wcierając resztkę kolumbijskiego syfu w dziąsła, bo tylko skończony kretyn wciągałby nosem, siedząc za kółkiem. Wystarczy byle dziura w jezdni i towar ląduje na podłodze.

Raz tak zrobiłem. Musiałem odkurzyć kinolem połowę wykładziny, jakżeśmy w końcu stanęli. Więc teraz jestem mądrzejszy.

No, może wcale nie jestem. Przynajmniej nie w każdej sprawie.

Bo ci, którzy są mądrzy, nie wracają na miejsce przestępstwa. Tak mówią w telewizji.

Dlatego to kurewska głupota, że wracam do Momo, bo przecież włamałem mu się do sejfu i ukradłem dwa kopyta.

Glocka, którego Fate pewnie dał Payasie, żeby załatwiła sprawę.

I to krótkolufowe gówienko, które trzymam w kieszeni.

Pierdolić to. Oto moje dzisiejsze motto. Pierdolić to.

Wracam. Czemu nie?

Dociskam pedał.

Rura, kurwa.

3

Czasami odpływam. No bo na przykład pamiętam, że wyświadczyłem wielką przysługę miastu Los Angeles, żeniąc Garzę z *bala*. Zawsze będę dumny, że wyciąłem ten numer.

Pamiętam tylko, że wsiadłem do furgonetki.

Pamiętam jeszcze, że sprawdziłem, że benzyny jest ponad połowa baku, i docisnąłem gaz, jakbym robił jakąś akcję w *Miami Vice* z tym Johnem Donsonem.

I pamiętam, że w furgonetce śmierdziało starymi czipsami kukurydzianymi, a pod sufitem jakby się zebrał dym z miliona paczek mentolowych.

I jeszcze pamiętam, że pomyślałem, że palenie to najgorszy możliwy nawyk, a potem to już nic.

Łamię sobie głowę. Zadaję pytania.

Co potem?

Nie pamiętam.

Nie pamiętam, jak zaparkowałem na krawężniku przed domem Momo, zatrzymując się tuż przed jego pierdoloną skrzynką na listy, na której namalował sobie małego kanarka, no kurwa, co to za pomysł? W ogóle nie wygląda jak dom dilera, o to chyba chodzi. Kamuflaż.

4

Łeb mnie napierdala nad uszami. Ale to dobry ból. Bo świadczy, że jestem przytomny. Że żyję. Że jestem gotowy wyciąć pierdolony numer. No to wciskam gaz, furgonetka bryka do przodu. Jest moc, bo skrzynka się wygina do tyłu, ale nie pęka ani nic. Cholerstwo po prostu wyłazi z ziemi, jakby jakiś golfista wyrwał chorągiewkę z kawałkiem trawy.

Kurwa, no pewnie, że oglądam golfa w telewizji! I co z tego? Przy tym najlepiej się naćpać. Cisza, spokój, zielono i chuj. Szczyt pełni.

No to cofam furę i znowu taranuję skrzynkę, i znowu, aż słyszę, jak metal zgrzyta pod kołami. Tak jest, kurwa!

Dla spokoju sumienia jeszcze raz przejeżdżam po skrzynce, zatrzymuję samochód i wysiadam.

Życie jest o wiele lepsze, jak ludzie biorą cię za *estúpido*. Takie są fakty.

Tysiąc razy łatwiej dopaść skurwysynów, jak myślą, że człowiek nie odróżnia prawej strony od lewej.

Chcę, żeby ludzie myśleli, że jestem śmieciem. Do wyrzucenia. Niewidzialnym. Bo jak tak im zabełtam w głowie, to potrafię wyciąć każdy numer i wyjść z tego bez szwanku.

Ale się, kurwa, rozgadałem. Na czym skończyłem?

Aha, stoję przed domem Momo, wysoka trawa łaskocze mnie w kostki i wtedy dociera do mnie, że nie włożyłem skarpetek przed wyjściem. Gołe stopy w czarnych vansach, ludzie! Przebieram trochę palcami i, rany, ale dziwnie.

Czemu, kurwa, nie włożyłem skarpetek?

Przeważnie tak się nie zachowuję, jak buzuje we mnie *cocaína*.

Przeważnie to moja najlepsza przyjaciółka. Moja trampolina. Moja zwrotnica, która kieruje mnie na inne tory, wtedy to ja, z gładką gadką, ostrą jazdą, nieokiełznany Creeper. Latający. Nie jak jakaś jebana świrnięta *mosco*, nie jak Ray, ale jak ptaki. Jak startująca rakieta. Jakby całe moje ciało było bombą, a *cocaína* odpala lont. Tak trochę. Nie tak, żebym zapłonął za bardzo. Tak w sam raz.

Taa, myślę, jestem pierdoloną bombą.

Z tą myślą w głowie idę po trawniku, wchodzę na ganek i dzwonię do drzwi jak jakaś pierdolona cipa. Naciskam dzwonek i nie puszczam. Słychać jeden gong i cisza. Spodziewam się następnego, ale gówno, nic, pewnie dopiero jak cofnę rękę, a zrobię to, jak ktoś otworzy.

Wtedy uświadamiam sobie, że w drzwiach jest judasz, więc przesuwam się w bok, no bo chodzi o to, żeby ktoś otworzył i wyjrzał, żeby zobaczyć, co się dzieje.

Pierdoły jak z *Czerwonego Kapturka*.

To mnie śmieszy, ale powstrzymuję się od chichotu. Kapturka nie ma, ale kaptur jak najbardziej.

Przykładam ucho do drzwi. Słyszę telewizor. Słyszę ciche szuranie nogami i przeczuwam – nie, wiem – że Momo nie ma. Siedzi w melinie, tak samo jak wczoraj. Pilnuje towaru. I wtedy wiem, że dobrze zagrałem, wracając.

Małe stopy zatrzymują się przed drzwiami. Zastanawiają się.

Zastanawiają się, czy powinny coś powiedzieć, ale może po drugiej stronie stoi ktoś z obrzynem?

Słyszę głos.

– Musisz przyjść później, bo Momo jest na mieście, a ja nikomu nie otwieram.

Cecilia, ta gruba kurwa. Cudownie.

Idealny układ!

Ta sama suka, która wpuściła mnie wczoraj, chociaż nie powinna. Ta sama suka, która mi zemdlała z wrażenia, jak jej powiedziałem, że zażyła spida, a to były starte pigułki nasenne. Ta sama suka, która pojęcia nie ma, że to ja obrobiłem sejf Momo, bo go zamknąłem ładnie i wszystko wygląda tak samo jak, kurwa, przedtem. Wczoraj udało mi się wleźć do środka, bo się podpiąłem pod jej głód – Momo nie był taki głupi, żeby jej zostawić dużo, tylko trochę, ale jak wyszedł, zeżarła wszystko i była już łakoma, jak się zjawiłem. Ćpuny są kurewsko przewidywalne. I widzicie, właśnie dlatego wiem, że nie mogę jej dwa razy wstawić tego samego kitu, boby się zrobiła... Jak to się mówi?

Kurewsko podejrzliwa.

No właśnie.

Więc ściemniam. Łatwizna, bo czasem wyłazi ze mnie zajebisty aktor. Czysta improwizacja. Człowiek w sekundę wymyśla ściemę i sprzedaje ją na całego. W zasadzie to flow.

– Cecilita, to ja. Antonio.

Ona mnie nie zna jako Creepera. Dla niej jestem Antonio.

– Toño? – pyta, jakby nie uwierzyła.

Może i gruby z niej kurwiszon, ale *estúpida* nie jest.

Odkaszluję. No i odstawiam gadkę godną Oscara, życiowa rola, panie i panowie. Mówię do drzwi:

– Wszystko w porządku, *mi angelita*? Nic ci nie grozi?

Czyli „mój aniołku". Niunie uwielbiają słuchać takiego gówna. Zwłaszcza grube kaszaloty, bo nikt ich nie kocha. Nikt im nie okazuje czułości. Wykorzystuję to. Nie znaczy to, że szanuję takie kobiety. Kurwa, no bez przesady. Ale czasem trzeba się zdobyć na czułość. Trzeba zagrać tą kartą, a ja gram jak cwany skurwysyn – rzucam na stół i wiem, że odnosi skutek, bo Cecilia mówi:

– Dlaczego pytasz?

Głos ma cichy i taki niepewny, jakby mi nie wierzyła.

Wiem, że filuje przez judasza. Wiem, że chce mnie zobaczyć, a ja muszę wykorzystać tę chwilę, więc grzebię w kieszeniach i łaska boska, w lewej znajduję brzytwę. Wyciągając ją na wierzch, zacinam się w paznokieć małego palca.

Dorastałem na dzielnicy z jednym dzieciakiem, co jego ojciec był *luchador*, no wiecie, jednym z tych zapaśników w maskach, w Sonorze czy na innym zadupiu. Mantis Religiosa. Tak się nazywał. Modliszka czyli. Na masce miał takie dziwne wytrzeszczone gały. (Nienawidziłem tego gówna w dzieciństwie. Srałem po nogach ze strachu. Jeszcze teraz czasem mi się śni, ale nikomu o tym nie mówię. Niedobrze, jakby głąby z dzielnicy znały nasze słabe strony. To nigdy nie jest dobrze). W każdym razie ten chłopak mi powiedział, że ojciec mu mówił, że najbardziej krew leci z czoła. Wtedy widownia myśli, że rana jest bardzo poważna. Krwawa łaźnia się robi, kurwa, wygląda przekonująco.

No więc chlastam się szybko przy linii włosów i jak ciągnę, wyłazi mi w palcach czarny kosmyk. O ja pierdolę, nie o to chodziło. Przez chwilę patrzę na te kłaki, potem rzucam je na klomb kwiatów przy drzwiach, taki bez ani jednego kurewskiego kwiatka, sama ziemia. Chyba dobrze, że jestem spocony, bo krew już mi płynie do oczu, aż piecze.

Wiem, że ona cały czas filuje, więc odczekuję jeszcze sekundę i staję przed drzwiami, żeby mnie zobaczyła. Zwieszam głowę. Potem ją podnoszę, wzrok zbitego psa, najżałośniejszy widok na świecie.

Odstawiam klasyczną szopkę, sukces gwarantowany. Sto procent. Tak powiedziałby Fate. Sto procent gwarancji. Ale idę krok dalej. Zdejmuję wreszcie palec z dzwonka, żeby postawić wykrzyknik.

Gong!

Gdy dźwięk cichnie, otwieram usta i mówię:

– No bo tak się martwiłem, że…

Nie muszę kończyć, słychać szczęk przekręcanych zamków – jeden, drugi, trzeci, zgrzyt i huk odciąganej sztaby, walącej się na niebieskie kafelki na podłodze, co to ją pamiętam aż za dobrze – a potem drzwi otwierają się tak kurewsko szybko, że przeciąg szarpie mi ubranie.

Jakby w Fort Knox otworzyli bramy przede mną. Albo nie, wiem, raczej jak w tej historyjce z kondomów z obrazkami. Jak to się nazywa?

Troja. Tak. Z tym drewnianym koniem.

Prawdziwy Creeper siedzi w środku lipnego Antonio. Czuję, jak się uchylają drzwi od salonu. Wali stęchłe powietrze i widzę tę znajomą starą zieloną kanapę, włączony telewizor w kącie, na podłodze warują gotowe dania dla telemaniaków. Wszystkie okna pozamykane, zero klimatyzacji, ale nie czuć ognia, inaczej niż na dworze, to dobrze.

Trzymam głowę wysoko i wtaczam się przez drzwi do środka. Cecilia piszczy i wyciąga do mnie ręce.

Och, Momo, znowu wlazłem do twojego skarbca. Tylko o tym myślę. Ty głupi skurwielu, ochujałeś? Postawiłeś tego grubasa na straży i wydaje ci się, że ona upilnuje ci towar? *Nada* ci upilnuje.

Jestem w środku, kurwa.

5

Wpuszcza mnie i pyta, co się stało. Cholera, nie pyta, tylko rozkazuje:

– Gadaj, co się, kurwa, dzieje, Toño!

Ej, nie myślcie, że to moja dziewczyna czy coś. Po prostu niunia, którą rżnie mój diler. Którą czasem rżnę i ja. Taka, co to nikt nie wie, skąd się wzięła, po prostu pojawia się jednego dnia i już jest, porąbana, no to czemu nie?

Obejmuje mnie, wciskając mi twarz w klatkę piersiową, a to miłe uczucie. Ma czarne włosy jak Betty Boop, krótkie, jak kitka na końcu pejcza. Loczki ostrej dupy. Wiszą tuż nad jasnozielonymi oczami. Od widoku tych oczu dostaję pierdolca.

Jasne, ma brzuszek, okrągły jak połowa arbuza, fajnie; ale spierdalajcie, ludzie, do tego dwoje dzieci! Ma też bary robola z budowy, co znaczy, że potrafi obejmować i tak dalej – poza tym i tak mogę myśleć tylko o tych oczach. Są zielone jak gatorade.

Osuwam się w jej ramiona, cały czas trzymając się roli, choć mam ochotę na co innego.

Mam ochotę powiedzieć: Suko, nic się nie stało. Zamknij, kurwa, jadaczkę. Korci mnie, żeby tak powiedzieć, bo chcę zobaczyć jej minę, kiedy skapuje, że dała się wydymać, kiedy pomyśli, że Momo ją potnie za to, co zrobiła, i chybabym nie mógł powstrzymać się od śmiechu, bo znam Momo, więc wiem, że by ją pociął. Ten skurwysyn uwielbia noże, zwłaszcza umazane krwią. Potrzebne mu to do życia jak powietrze. Ale się nie wychylam.

Nie mówię tego. Nic nie mówię. Na razie.

Ona się odkleja i biegnie do kuchni. Patrzę na jej tyłek w ruchu. Widzę, jak się napina i rozciąga w granatowych spodniach od dresu, i robi mi się prawie smutno, gdy Cecilia wraca z serwetką z fast foodu, przyciska mi ją do czoła, słodziutko jak mamusia, bo ten tyłek wyparowuje mi z głowy. Gdyby na olimpiadzie dawali medal za najładniejszy tyłek, awansowałaby do finałów. Nie mówię, że zdobyłaby medal (brązowy jest do chrzanu), ale rywalizowałaby i awansowała. Przeszłaby ćwierć- i półfinały. Zdecydowanie.

Ale nie będę się chełpił.

Bo obchodzi mnie jedno, tylko jedno.

Całuję ją mocno i już gmeram z tyłu przy staniku, niezdarne pstryk pod T-shirtem, żeby rozpiąć to kurewstwo, ale ona się cofa, wymachuje rękami, żeby mnie powstrzymać (ale nie próbuje zapiąć stanika z powrotem, a to dużo mówiący szczegół), i pyta:

– Co jest, kurwa? Myślałam, że oberwałeś, Toño?

Patrzę na nią przez długą chwilę. Już nie mam wzroku zbitego psa.

Inne oczy. Oczy mówiące: Owszem, oberwałem, złotko, ale nie zamierzam ci powiedzieć jak bardzo. W tym ociąganiu się jest artyzm. Okiełznać kobietę przerwą w nawijce to jak okiełznać ciszę w muzyce. Bez kurewskich pauz to tylko hałas.

Przeciągam długo, mruganiem powiek przecieram krew z oczu, właściwie resztkę, bo czuję, że już krzepnie; spoglądam w telewizor, na dwóch kolesiów w Channel 7 biegnących ulicą, dźwigających kurewsko wielki telewizor, wreszcie z powrotem patrzę na Cecilię i mówię:

– Czuję, że świat się kończy, że zostało nam mało czasu. Więc przyjechałem jak najszybciej, bo... – Przerywam to pierdolenie (tak, znowu, bo pierwsza przerwa była tylko przygrywką, dopiero ta jest zasadnicza), moje słowa wybrzmiewają, a ja zaglądam jej głęboko w te jasnozielone *ojos*, ściągam usta trochę i mówię na przydechu: – Myślałem tylko o tym, żeby przyjechać do ciebie.

Cholera jasna, dobry w tym jestem.

Kłamstwo to narzędzie. Kurwa, słowa to narzędzie, wcale nie takie inne od spluw. Używam ich, żeby dostać to, czego chcę. Każdy tak robi.

I widzę, że to pierdololo odnosi skutek, bo jej twarz się rozpromienia, jakby bomba wybuchła za jej oczami, jakby rozpaliło ją całą od środka.

Cecilia próbuje złapać oddech, a ja winszuję sobie talentu. Jestem jak ten skurwiel Warren Beatty. Zajebałem ją moim Bugsym. Dawać mi, kurwa, Oscara, bo zanim dochodzę, co się dzieje, ta gruba kurwa skacze na mnie i już walimy się oboje na dywan, i aż ścieramy sobie łokcie.

Jej koszulka sama się zdejmuje. Spodnie też. Magia.

Z telewizorem nadającym w tle, z kolesiami niosącymi nad głową skradzione krzesła ogrodowe, dostającymi pierdolca przed kamerami, rżnę ją na całego, o ludzie.

To najlepsze kokainowe dymanko. Jakby się ptaki biły, głośno jest, dziko, czuć wszystko, klapsy i zadrapania tak mocno nie bolą.

Na fazie człowiek odbiera tylko to, co przyjemne.

Co przyjemne.

Wrzeszczy do mnie, żebym ją puknął od tyłu, świruje, łapie mnie za jaja i tak dalej, każe się gryźć w ucho i żebym ją mocno chwycił za biodra, żeby wiedziała, że to na serio, żebym ją spoliczkował - wyrżnął mocno. No dobra. Jestem do usług, chcę ją zadowolić.

Przerywamy tylko raz, bo czeka ciocia *cocaína*. Wciągam nosem to gówno z jej prawego sutka, brodawka przypomina mały naleśnik, taka rozlana i ciemna. Wysysam cycek do czysta, potem ona zalicza działkę z mojego kutasa jednym długim liźnięciem języka.

Ciąg dalszy? Wyobraźcie sobie najbardziej wariacką akcję, na jaką was stać. To, co zawsze chcieliście zrobić, dziwka o kruczoczarnych włosach i dużej dupie, dziwka, co się rozkłada i napina, robi nad facetem szpagaty i ssie palec wskazujący, jakby to było coś innego, jęczy, wywracając oczami w głąb czaszki, aż człowiek się boi, że dostała jakiegoś ataku.

No, coś w tym stylu.

Taka jazda, że nawet Payasę, liżącą *panochas*, wyjebałoby w kosmos.

6

Potem zaczynają się pytania; Cecilia siedzi na mnie okrakiem jak kowbojka na ogierze i wygląda na nieludzko wkurzoną. W pierwszej chwili nie słyszę, co mówi. Niczego nie słyszę. Ale gdy się nachylam do niej, próbuję podnieść głowę z dywanu, słowa napływają, zgrywają się z ruchem jej ust, jakby ktoś włączył głośność. Ostrzeliwują mnie.

– Co jest, Toño, kurwa mać? Zaniemogłeś mi tu czy jak? Masz wstrząs mózgu? A w ogóle to kto ci przyłożył? Złodzieje ze sklepów czy kto? To oni cię pocięli?

Na tym się nie kończy. Dziamga przez kolejną minutę.

Nic się nie równa z wkurwioną Latynoską.

Nic.

Wreszcie odnajduję język w japie i nim poruszam. Suchy i spuchnięty jak skurwysyn, ale dukam:

– Zamknij się, dziwko jedna. Wszystko w porządku.

Wybałusza gały. I wtedy dociera do niej, że otwierając mi drzwi, popełniła największy błąd w swoim życiu.

Bo ja już krążę po domu. Ludzie mówią o niewpuszczaniu wilka do owczarni czy coś. Bo teraz jestem wilk.

Cecilia chce uciekać, ale łapię ją za kudły i walę nią o podłogę, chce wstać, ale znowu ją przewracam. Wskakuję na nią, wciskam kolana w jej pachy, przygniatam ręce pod plecami, zgarniam swoje dżinsy leżące obok i grzebię w kieszeniach od środka, o których wiem tylko ja i z których można coś wyjąć wtedy, jak się łapę wsadzi za rozporek. Z jednej z nich wyciągam strzykawkę napełnioną heroiną, już nawet nie wiem jak starą.

Ale ciągle jest wodnista, jak pstrykam palcem w plastik, puk-puk-puk, potrząsam i widzę, że się minimalnie miesza, to dobrze.

W każdym razie dobrze dla Cecilii.

Ale ona chyba ma inne zdanie w tej sprawie. Kręci głową, kiedy mocniej dociskam kolanami jej pachy. Żyły jej wychodzą na szyi, zaczyna się miotać, a ja myślę: To dobrze, świetnie, bo dzięki temu nie będę musiał ci obmacywać ramienia, złotko. Walcz, walcz, to dobrze.

Igła też jest dobra, nieskrzywiona ani nic, może tępa. W każdym razie trochę. I, cholera, używana może tylko raz? Wbijam koniec w największą, najwredniejszą żyłę na szyi Cecilii, tak na próbę, ale wchodzi łatwo, no to dociskam tłok, co się będę zastanawiał.

Stało się i nawet ta głupia cipa jest na tyle rozgarnięta, żeby wiedzieć, że nie ma sensu się rzucać.

Wie, co się dzieje, jak się da w żyłę w ten sposób. To nie żarty.

Płacze cicho, łzy, a ja dociskam tłok do końca i zaczynam myśleć trochę jaśniej, znaczy się, jak mocny był ten strzał?

Odczekuję chwilę, ale nic.

Bo pojęcia nie mam.

Nawet nie wiem, czy strzykawkę napełniłem wczoraj wieczorem, czy dzisiaj rano.

Nie mogę się powstrzymać od śmiechu, bo, rany, głupio mi się robi, prawie mi się wyrywa z ust, prawie mówię: o kurczę. Ale tylko prawie.

Bo już kręcę głową i myślę, że muszę się skupić, oprzytomnij, kurwa, jesteś tu z dwóch i tylko dwóch powodów.

1. Przyszedłem po pieniądze, które skitrał Momo.

2. Przyszedłem, żeby zwinąć cały towar, który uda mi się znaleźć.

Zerżnięcie Cecilii to tylko wisienka na torcie. Dobra wisienka. Soczysta, smaczna. Ale tylko wisienka.

Bo widzicie, Momo przez całe lata żył na mój koszt, na koszt takich skurwieli jak ja. Kantuje mnie. Sprzedaje gówniany towar, choć w sąsiednim pokoju ma dobry. Wysyła mnie po byle gówno (jak w zeszłym tygodniu po cały ładunek pampersów, jak Boga kocham, nie wstawiam kitu, bo ten *perezoso* nawet nie raczy sam ich kupić) i nigdy nie płaci uczciwie.

Big Fe, ten to zawsze płaci porządnie za to, co mu się dostarcza. I znowu myślę o pagerze, i aż mnie trzęsiączka dopada, ale po chwili adrenalina odpala.

Powtarzam sobie, że nie ma mowy, żeby mnie znalazł. Pewnie sam odstawia teraz jakiś numer. Ale żałuję, że jak wczoraj przyniosłem tego glocka owiniętego plastrem, to powiedziałem temu wyglądającemu na Azteka skurwysynowi, ile jest nabojów w środku. Cholera. Czy chciałem, żeby mi zapłacił jak za komplet? Niech mi odstrzelą *culo*, no jasne, że tak! Ale nie zapłacił, dostałem tyle, ile dostałem. Takie życie. Tak to funkcjonuje.

No bo jak zrobię delikwenta w wała, jak go oszukam, jak da się nabrać, to, kurwa, to jego wina, że jest *estúpido*.

Jak kogoś skroję, to jego wina, że nie umiał mnie powstrzymać.

Do siebie niech ma pretensje.

A Fate, ten skurwysyn, jest wyrobiony. To generał czy coś. Sama strategia i takie tam. Jego się nie przechytrzy. Ja i on to dwa różne gatunki ludzi.

Nie potrafiłbym go skroić. Nawet na centa.

Co ważniejsze, z nim nie jest tak, że podaje ci cenę za towar, a potem jak zaryzykujesz własną dupą, żeby to zdobyć, to odwraca kota ogonem, zaniża ceny, zachowując się tak, jakbyś za pierwszym razem się przesłyszał.

U Fate'a cena to cena. Ten kolo jest honorowy.

Z Momo interesy zawsze były gówniane.

Momo to zupełnie osobna kategoria skurwysynów, których całe życie to ciągły kant.

I teraz jest czas, żeby to Momo został okantowany.

To jego wina, że mnie teraz nie powstrzyma.

Tam, skąd jestem, to się nazywa rewanż. Czasem tylko to trzyma człowieka przy życiu. W takie dni jak dziś.

W dni, kiedy wreszcie można chujów zrobić w chuja.

Podnoszę się z Cecilii powolutku i idę do sypialni, a uśmiech mam szeroki jak ten napis Hollywood na wzgórzu.

7

W niecałą godzinę czyszczę dom od piwnicy po dach. Widzę to w telewizorze, bo w rogu ekranu jest mały zegar. Chyba chcą, żeby człowiek wiedział, która jest godzina, jak dzieje się jakieś kurewstwo.

Drugi sejf znalazłem po dziesięciu minutach. Pod tym łóżkiem wodnym, wbudowany w ramę. Sprytne. Ale nie dość sprytne. Rozkminiłem to gówno w pół minuty. Poza tym, Momo, nie zostawia się polis ubezpieczeniowych i paszportów, i innego gówna w szufladzie stolika przy łóżku. Bo to mówi bardzo dużo o tobie. Z drugiej strony na chuj mi to wszystko, przecież i tak używasz tego samego szyfru – data urodzin, dokładnie to samo jak w tym pierwszym sejfie.

Jak wbiłem numer, to klapka odskoczyła jak pierdolona piniata. Jakbym zasłużył na te wszystkie cuksy w środku.

Było sześć tysięcy dolarów w spiętych gumkami plikach po tysiąc i dodatkowe pięćset dwadzieścia dwa luzem. Od razu uznałem, że tyle właśnie Momo wisi mi za moje usługi.

Reszta to prezenty pod choinką.

Ćwierć kilo maryśki. *Cocaína* – pół kilo. Pani H. – pół kilo. Dokładnie tyle. To gówno to jego zabezpieczenie, oszczędności na czarną godzinę. Aż tym cuchnie. Całkowita wartość rynkowa, jak to mówią w telewizji?

Dobre pytanie. Pojęcia, kurwa, nie mam.

Ale na pewno duża!

Tak duża, że śpiewam triumfalną pieśń o wydymaniu pana Momo bez gumki na resztkach jego łóżka wodnego, które pochlastałem nożem znalezionym w biblioteczce.

Włożyłem wszystko do czarnego foliowego worka, który zgarnąłem z kuchni, dorzuciłem małą wagę pana Momo.

Wracam do dużego pokoju i widzę, że przez cały ten czas Cecilia ani drgnęła. Jej loki wyglądają jak połamany wachlarz, rozsypały się płasko na dywanie. Leży nieruchomo, aż się zląkłem, więc pstrykam jej palcami pod nosem, palcami, co ciągle pachną jak ona, bo chcę sprawdzić, czy żyje, no i żyje, więc uff, co za ulga.

Siadam i nożem Momo wycinam najmniejszą na świecie szczelinkę w opakowaniu kokainy, a potem, jak jebany naukowiec mający do czynienia z niebezpiecznymi chemikaliami, wsuwam do środka paznokieć małego palca, obracam, wyjmuję, z małą grudką bieli w kształcie półksiężyca.

Dlatego w tej grze nikt mnie nie zrobi w chuja. *Operation*. Dajcie mi tylko jakąś pęsetkę i patrzcie, jak próbkuję biały towar.

Wciągam tę porcję do *nariz* i najpierw mnie kopie, a potem cała twarz mi drętwieje (kinol, policzki, nawet oczy) i wtedy wiem, że to towar pierwsza klasa.

Colombiano. Pura.

Kaszlę mocno kilka razy, ale to mnie tylko nakręca. Wywalam błyskawicznie na dwór. Zanim się orientuję, szarpnięciem otwieram drzwi furgonetki, wrzucam czarny worek na cztery kartony wszelkiej wódy, jaką tylko można sobie zamarzyć, ale przeważnie to portorykański *ron*. Czterdzieści cztery pierdolone butelki. Sam liczyłem.

O kurwa, wspomniałem już, że skroiłem to wszystko?

Owszem, skroiłem. Wszystkie co do jednej.

Ten Momo to lubi popić. Ale ja potrzebuję tego towaru do czegoś innego.

Łapię za pierwszą z brzegu butelkę, odkręcam nakrętkę, zwijam ścierkę, którą zabrałem z bieliźniarki (a tak, jebani handlarze narkotyków mają w domu jebane bieliźniarki, i to dobrze zaopatrzone, bo poważni gracze lubią czystość), nieważne, w każdym razie zwijam ścierkę lewą ręką, jakbym rolował wielkiego dżointa, i wpycham ją głęboko do butelki, aż dotyka rumu koloru herbaty i nasiąka jak gąbka.

Potem zapalam koniec ścierki. Robi się czarna, bucha małymi pomarańczowymi płomieniami.

Zasada jest prosta.

Jak skroisz komuś chatę, to trzeba ją puścić z dymem.

Butelka jest ciężka i czuję, jak gorąco sunie po mojej ręce aż do twarzy. Kiedy płomień zbliża się do wylotu butelki, patrzę przez chwilę, żółte toto, czerwone i pomarańczowe, z małymi kawałkami płonącej czerni. Prawie mi żal wyrzucać.

Bo wyciąłem tę akcję za moje krzywdy. Ale nie tylko.

Także za Ernesto, bo jestem winien temu skurczybykowi więcej, niż potrafiłbym odpłacić.

Wiecie, kto poszedł na salę treningową wtedy dawno temu i powiedział temu skurwysynowi Garzie, że jak jeszcze raz zakombinuje z jakimś dzieciakiem, to ostatnim widokiem w jego życiu będzie lufa wycelowana w jego czoło?

Nie moi starzy. O nie, kurwa. Para ćpunów starej daty. Ćpali, zanim ktokolwiek wiedział, co to jest ćpanie.

Poszedł duży brat Payasy, i to na ostro.

Nigdy nie tknął broni, ale tak się wtedy wściekł, że zagroził, że to zrobi. I zrobiłby. Ten głąb w ogóle nie był w branży ani nic, ale poszedł tam i zrobił rzeźnię. Kijem baseballowym rozbił gablotę z pucharami, a potem zabrał swojego małego brata Raya (miał wtedy chyba ze trzynaście lat), zabrał mnie i dwa inne dzieciaki.

Na chwilę wylądowałem w jednym domu z nim, Rayem, Payasą i ich *madre*. Dobrzy z nich ludzie. Tak bardzo we mnie wierzyli, znaczy starali się, ale w końcu moje ciągoty wszystko przeważyły. I wtedy zjawił się Fate, a *madre* się wyprowadziła, a ja i tak babrałem się w gównie, no więc wiadomo. Byłem jak ci Francuzi, co mówią „la vi" i idą w miasto, bo życie potrafi być zwariowane. Coko...

Kurwa! Butelka parzy mnie w rękę, więc rzucam ją w pizdu, w otwarte drzwi. Obraca się w powietrzu jak idealny chip shot, jak Fuzzy Zoeller dający białym po zielonym, a jak spada na dywan w salonie, to cały dom leci pierdut!

O rany, uwielbiam ten odgłos buchającego ognia. Szuuu-buuuu!

Całymi dniami mógłbym tego słuchać. Albo...

Chwila.

Zaraz.

Czy ja...

O kurwa.

Cecilia ciągle jest w domu?

Ale już się wycofuję. Nic na to nie poradzę.

Powtarzam sobie, że nic jej nie będzie. Ocknie się, bez problemu. Gorąc. Taki gorąc, że na pewno się obudzi i ucieknie.

To znaczy jasne, że przyszło mi do głowy, żeby tam wbiec i ją wyciągnąć, świrować bohatera, ale zbliża się jakiś dzieciak na jakimś motorowerku, dudniącym punkiem czy czymś z jamnika przywiązanego z tyłu, i wydaje mi się, że już go wcześniej widziałem, ale nie kojarzę gdzie, poza tym wygląda słabo (bo kto, kurwa, nosi czerwone szelki?). Ale wyraźnie na mnie patrzy, więc odwrót.

Wsiadam do furgonetki i się zmywam.

8

Muszę coś wyznać. Czasem nie mam pojęcia, co robię. Czasem po prostu robię, kurwa, i już.

Jestem impulsywny, tak mówi Clever. No bo żyję pod dyktando odruchów, pod dyktando gówna odpalającego mi we łbie i wtedy mięśnie się poruszają, i robię, co robię, zanim się połapię.

W rezultacie czasem wydarzy się coś dobrego, czasem coś złego. Zależy.

Czy mam wyrzuty? Trochę.

Ale właściwie to nie.

No bo jak już mówiłem: jak cię robię w chuja, to twoja wina, że tak się to potoczyło.

Jak Cecilia się nie obudzi i nie zabierze dupska z płonącego domu, to Momo będzie winny. Jasne jak słońce. Jakby jej nie zostawił na straży, to całe gówno by się nie wydarzyło.

Kurwa, jebać Momo za to, że musiałem to zrobić.

Wrzeszczę o tym wszystkim przez okno, do każdego i do nikogo, i walę po łuku przy Ham Park, gdzie Josephine przechodzi w Virginia, patrzę na tę jebaną durną ścianę do handballu zrobioną z drewna i myślę, ile drzazg mi się powbijało w rękę, jak to gówno się czepiało piłki po porządnym rzucie, a potem wracało odbite, i znowu rzucam, ale tak naprawdę to tylko wbijam sobie drzazgi jeszcze głębiej (albo gorzej, w skórę między palcami), jak się nie ma rękawiczek, i wtedy świta mi, że trzeba załatwić tę pierdoloną ścianę!

Szarpię ostro kierownicą, skok przez krawężnik, i grzeję na ścianę. Za szybko, bo na trawie nie da się zahamować tak jak na betonie, przekonuję się o tym, jak próbuję ominąć ścianę, nie pieprznąć w to kurewstwo, i wpadam w poślizg, ryję kołami dwie smugi w ziemi jak łyżwiarze szorujący po lodzie. Kurwa. O mało nie zaliczam wywrotki.

O mało.

Wreszcie się zatrzymuję, a wtedy chwytam butelkę, odkręcam ją i polewam następną szmatę rumem, potem wpycham ją do szyjki. Szukam zapalniczki w furgonetce, ale gówno znajduję i wtedy przypominam sobie, że przecież mam jedną w kieszeni.

Zapalam, szmata jara się szybko! Znowu fajne szuuu w moim ręku.

W ogóle już nie myślę. Mój najlepszy popisowy rzut w ścianę.

Trafiam w podstawę i bucha od razu.

Robi się pomarańczowa i zaczyna kopcić.

Dumny jestem, bo wiem, że teraz będą musieli postawić wreszcie porządną ścianę do handballu. Z betonu czy innego gówna. Coś trwałego.

Dobre uczucie. Jak to się nazywa?

Duma.

Tak. Właśnie. Duma.

9

Budzę się w trawie i, kurwa, łeb napierdala jak jeszcze nigdy w życiu! Jak ucisk obręczy ze wszystkich stron. Tak jak wtedy, jak mnie łapie okropne przeziębienie i mam wrażenie, że mi się cała twarz zapadnie. No i najpierw główkuję: jak ja się tu znalazłem?

I wtedy przypominam sobie furgonetkę i trawę, i zjaranie domu Momo, i patrzę w bok, i furgonetka ciągle tu stoi; stoi, a pod kołami wielkie jebane ślady hamowania i stratowana trawa.

Ogień buzuje teraz super głośno. Jakby dzikie zwierzę pożerało tę ścianę, chrupiąc i dysząc ciężko; rozrywa ją na duże kawały, znika w jednej wielkiej czarnej dziurze.

Czołgam się do furgonetki, jakby ogień miał pożreć i mnie, i podnoszę się powoli.

To gówno przybiera teraz powtarzalny wzór.

Marnuję czas, jak cięcie w filmie.

Przeskok w czasie, rozumiecie?

Takie w tej chwili jest moje życie. I zaczynam się zastanawiać: czy mam przyhamować, czy jak?

W pierwszej chwili to się wydaje dobry pomysł, żeby przyhamować. Znaleźć gdzieś hotel z basenem i uciąć komara na jednym z tych rozkładanych leżaków.

Ale potem myślę, że nie.

Trzeba, kurwa, utrzymać tempo.

Bo jestem bombą.

I jak przyhamuję, to wybuchnę.

10

Zapierdalam stopiątką, której jeszcze nie zbudowali, no i chuj, co z tego? Ze śmiechem pruję obok znaków „Roboty drogowe" i dalej wjazdem, który kończy się w niebie ze sterczącymi dźwigarami, zero asfaltu. To dobre miejsce parkingowe, ludzie. Tutaj czuję, jakby to była moja droga, jakby ją zbudowali specjalnie dla mnie. Patrzę na północ, na plamy ognia i smugi dymu tak kurewsko wielkie, że zasłaniają całe niebo. Wszędzie jest czarno, jakby za wcześnie zrobiła się noc. Nie widać gór Sierra. Nie widać śródmieścia. Gówno widać.

Ale widzę więcej, niż widziałem przez cały dzień. Czuję się, jakbym godziny przesiedział w okręcie podwodnym i patrzył przez jeden z tych paryżkopów, a teraz się wynurzyłem, otwieram właz i wyglądam na świat.

Jest cicho. Ciszej, niżby mi się wydawało. Nie słychać nawet żadnych syren.

Przynajmniej korków nie ma. Widzę stąd siedemsetdziesiątkę, jest pusta. Wszystkie głąby albo przeczekują w domu, albo rozpieprzają miasto. Nie jeżdżą samochodami. To znaczy, że po L.A. najlepiej jeździć wtedy, jak się wszystko jara na popiół. Wydaje mi się to kurewsko zabawne! Jeszcze śmieszniejsze jest to, że takie dni trafiają się tutaj raz na kilkadziesiąt lat.

No bo jeśli chodzi o Meksykanów w tym mieście, to wszyscy słyszeliśmy o spuszczaniu wpierdol bikiniarzom przez białych marines i tych z marynarki wojennej. Każdy ma *abuelo*, który opowiada o tym różne historie. Kiedy to było, w czterdziestym czwartym? Coś koło tego.

To się działo na tle rasowym. Proste. No bo jak ktoś widział odstawionego śniadego kolesia, to razem ze swoimi białymi braćmi ścierał mu glans z butów jego własnym ryjem. Odgrywali się na głąbie za to, że się ubrał ładniej od nich, wiecie?

Potem, jak już się uspokoiło, to wszyscy patrzą wstecz i mówią (najlepszym głosem białego spikera, jaki potrafię udawać): „Boże, to było straszne, coś takiego nigdy już nie powinno się powtórzyć".

Ale zapominają o tym, zapominają nawet, że to potępiali, przez chwilę nic się nie dzieje, ale też niczego nie naprawiono, podpałka jest coraz suchsza, czeka na kolejną iskrę, i wtedy właśnie były rozruchy w Watts, wybuchły chyba w latach sześćdziesiątych, wuje jedną nogą w grobie mają mnóstwo do powiedzenia na ten temat. (Nie znam się za bardzo na rodzinach – kurwa, w ogóle się nie znam – ale wydaje mi się, że dzieciaki nigdy nie słuchają, co się do nich mówi. Ja to zawsze słucham starszych. Może na to nie wygląda, ale zawsze słucham. Może nie zrobię tak, jak mówią, ale zawsze słyszę. Słyszę. Uszy mam szeroko otwarte).

A potem, po Watts, znowu to samo pierdolenie, zgadza się? Wszyscy patrzą w przeszłość i mówią: „Boże, to było straszne, to się już nigdy nie powinno powtórzyć", i kurewstwo polega na tym, że mówią serio, ale nie pamiętają poprzedniego razu i nic się nie zmienia.

Nic się, kurwa, od tego czasu nie zmieniło. Więc ile wychodzi? Rozruchy co dwadzieścia lat? Wystarczy, żeby wszyscy znowu zapomnieli. Bo teraz mamy pierdolony dziewięćdziesiąty drugi, więc ile? Trzydzieści minęło? Trochę mniej? Nieważne. Napierdala tak, jakby narosły odsetki.

To gówno jest jak pożyczka bankowa. Oprocentowana.

Może rzadko mówię coś, co ma sens dla kogoś oprócz mnie samego, ale powinniście to sobie przepisać do notesu. Albo podkreślić. Tak albo siak.

Jak L.A. kiedykolwiek umrze, jak ludzie machną ręką i wyjadą, to powinno się te słowa wykuć na nagrobku...

L.A. ma kurewsko krótką pamięć. Niczego się nie uczy.

Właśnie dlatego to miasto się wykończy. Poczekajcie, a zobaczycie. Będą następne rozruchy w dwa tysiące dwudziestym drugim. Albo i wcześniej, nie wiem.

Kurwa.

Zaraz.

Przychodzi mi do głowy, żeby tu jednak za bardzo nie jeździć, bo to cholerstwo jeszcze się zawali albo coś. Obracam się w fotelu i zerkam na worek z forsą, a potem szczerzę się od ucha do ucha. Myślę sobie o skitranej heroinie i zielsku i znowu wściubiam paznokieć w *cocaína*, i wcieram w dziąsła jak maść, potem robię zawrotkę i spylam z tego wjazdu.

To gówno napędza mi teraz stracha, trzęsie się, jakby się miało rozpaść. Wjechać było dużo łatwiej niż zjechać. Wreszcie jestem na twardym i wtedy dociera do mnie, że powinienem wracać do hotelu. Zachomikować. Pieniądze i resztę.

Ale kolejna rzecz w związku z L.A. Wielkie jak skurwysyn, ale ludzie trzymają się swoich kątów. Są całe kwartały, gdzie ludzie mówią tylko po hiszpańsku, etiopsku albo jakoś.

Wydaje się, że każdy naród ma swojego boksera, a jak się ma tę mentalność, łatwo patrzeć na wszystkich jak na przeciwników, kogoś, komu trzeba skuć mordę, bo jak nie, to nie dostaniemy tego, co się nam należy. Nie dostaniemy nagrody, wiecie?

I może to racja, w pigułce, jak to mówią.

Zgarniasz kupę luda zewsząd, trzymasz ich po kątach, nie pozwalasz im się mieszać, dostrzec prawdy, a wszyscy są nastawieni na rywalizację, bo, kurwa, w L.A. wszyscy przez cały czas kombinują.

Zaraz, na czym skończyłem?

O kurwa.

Ten ból głowy mnie wykończy.

Jest tak źle, że w głowie czuję klekot serca.

Bum-bum-bum.

Znowu szybki romans z białą paczuszką i tym razem wkładam sobie pod język. Smakuje jak wtedy, kiedy musiałem łykać aspirynę bez popicia, tylko gorzej. Bardziej gorzkie. Wciągam głęboko powietrze przez nos, próbując napełnić płuca, a potem wydycham, żeby wyrzucić z siebie smak.

No więc, jak mówię, to gówno się powtórzy w dwa tysiące dwudziestym drugim. Uważajcie.

Tylko wtedy to będziemy musieli się zjednoczyć. Cholera. Chciałbym tu wtedy być. Bo wtedy to już pójdzie na całego, będzie gówno jak z *Terminatora 2*. Moglibyśmy naprawdę ostrzelać kanonadą rzekę z tirów i motocykli!

A jak!

Może to brzmi jak pieprzenie, ale to dlatego, że ból trochę osłabł, za to zęby mi dzwonią w pierdolonej głowie.

11

Wynajmuję za gotówkę drugi pokój na następne cztery dni, naprzeciwko pierwszego, który wziąłem wcześniej. To razem będzie dziesięć. Potem przeniosę się do innego hotelu, w którym jeszcze się na oczy nie pokazywałem. Może w Hawthorne albo gdzieś. No wiecie, daleko.

Nowy pokój jest na tym samym piętrze co tamten (na pierwszym), po drugiej stronie, i nikt nie wie, że to mój pokój. Zapłaciłem skurwielowi w recepcji, żeby pary z gęby nie puścił. Chyba jestem zdrów, bo gość ledwo duka po angielsku, po hiszpańsku zero, więc jak Fate czy Momo dopadliby go i zaczęli pytać, gówno będzie im mógł powiedzieć. Nie wiem, Chińczyk czy co? Może Koreańczyk?

Jebać to. Dla mnie to bez różnicy. Im mniej angielskiego, tym lepiej.

Oba pokoje wynająłem na lipne nazwiska. Jeden jako Shane, po prostu Shane. Drugi jako Alfredo Garcia. No wiecie, jak z tych starych filmów gangsterskich.

Pilnuję się, żeby nikt mnie nie widział wchodzącego do nowego pokoju. Drzwi się zatrzaskują, zamykam je na zasuwkę, zaciągam zasłony. Przysuwam krzywe krzesło do wywietrznika nad telewizorem i ostrzem noża zabranego z domu Momo odkręcam śrubki.

Zdejmuję kratkę, a w środku kurz jak skurwysyn! Kaszlę dwie minuty z zegarkiem w ręku. Potem ręcznikami wygarniam ten syf do kosza na śmieci.

– Pierdolę was, kłaki kurzu – mówię. – Zero z was pożytku.

Chwilę później pakuję tam panią H., zioło i resztę gotówki. Układam wszystko ładnie.

W łazience przesypuję do czarnego pojemniczka po kliszy Kodaka, co to go trzymam na podorędziu, tyle koki, ile się zmieści. Przechylam ostrożnie, jednak to gówno jest sypkie i trochę spada do umywalki, ale zgarniam. Resztę zawijam mocno w foliową torebkę z kubełka do lodu i też wkładam do wywietrznika. Przykręcam z powrotem kratkę, wywieszam na klamce od zewnątrz „Nie przeszkadzać" i wypierdalam z hotelu.

Na parkingu słyszę, że ktoś mnie woła, więc sięgam do kieszeni po broń, o mało nie odwalając kity ze strachu.

– De Be! Ej, Devil's Business! Co jest, kurwa, kretynie jeden?

Odwracam się. To Puppet. Poo-Butt Puppet.

Widzę, że muszę grać ostro.

– Coś powiedział? Nie jestem żadnym kretynem dla ciebie.

Jak poznałem tego skurwysyna, nie wiedział, że mam ksywkę, a ponieważ wiedział, że robię w gównie, wymyślił Devil's Business, jakby to było strasznie cwane albo coś. Jakby to było z klasą. A teraz, chociaż wie, że wołają na mnie Creeper, ciągle czepia się tamtego. Nie wiem po cholerę. Ego? Kto wie, dlaczego ludzie zachowują się jak popierdoleni?

– Przepraszam – odpowiada, choć to wcale nie brzmi, jakby przepraszał. – Masz coś?

Puppet pyta, czy mam przy sobie towar. I jak myślicie, powiem skurwielowi prawdę?

– Nie. Wyszło z godzinę temu.

– Kurwa, pojebało cię? Trzeba się było podzielić.

Jakbym się kiedykolwiek dzielił z Puppetem.

Podchodzi i widzę, że ma już dość, oczy szkliste jak skurwysyn, jednak nie pyta z ciekawości o towar, coś kombinuje i chce mi o tym powiedzieć.

Jak zaczyna gadać, to staram się słuchać kurewsko uważnie, słuchać tak, jakbym nie słuchał, bo ulica wszystko słyszy, widzi i wie. Jak myślisz inaczej, to pomyśl jeszcze raz.

– Słyszałeś, że załoga Fate'a dorwała Jokera i resztę? Jakaś niunia wlazła wczoraj wieczorem na imprezę i urządziła masakrę. – Puppet robi z dłoni spluwę, mierząc z palca w wyimaginowany cel po drugiej stronie parkingu. Potem się poprawia, przechyla rękę. – Normalnie bang-bang-bang! Na zimno, człowieku!

„Jakaś niunia", co? Pewnie chodzi o Payasę. No bo o kogo innego? Trafia mnie mocno, bo wiem, że wcześniej nie pogrywała tak ostro. Jakby poleciała z krewką, kasując tych głąbów. Teraz jest nową kobietą. Już nie dziewicą.

– Ta, słyszałem – odpowiadam, chociaż dobrze wiecie, że chuj o tym wiem.

Ale lepiej, żeby myślał, że słyszałem, bo w tej chwili to jedyny skurwiel na świecie, któremu chcę wmówić, że jestem cwańszy od niego, by nie myślał, że może zrobić ze mnie wała.

Po długiej niezręcznej chwili milczenia Puppet mówi:

– Założę się, że mogę zrobić więcej pożarów niż ty. Moglibyśmy urządzić sobie zawody czy coś. Jak myślisz? Masz jaja do tego?

Wyjął już zapalniczkę i się nią bawi, jakby to było nie wiem co. Prawie się śmieję skurwielowi w twarz. Ale się powstrzymuję. Baran nie ma pojęcia, że został krok w tyle, a nawet dwa, jeśli wliczyć ścianę do handballu – a ja wliczam. Nie wie też, że mam tonę wódy wypalającej dziurę w furgonetce Garzy. To znaczy nie dosłownie, ale wiecie, mogłaby. A potem mi świta, że to wcale nie jest taki głupi pomysł.

Że mógłbym wypalić w tym mieście taką dziurę, jakiej nikt nie zrobił nigdy w całych dziejach Ameryki. W dziejach świata. Przynajmniej nie od czasu wojny czy innego gówna. Ogień? Ogień jest jak środek czyszczący. Przeobraża cały syf i robi miejsce na nowe rzeczy. Bo wybielacz wypala plamy, wiecie? To jakby to samo.

Zastygam i patrzę na Puppeta, a potem spoglądam na tego bezdomnego kolesia z metalową laską z przywiązanymi piórami, który człapie przez parking, utykając trochę, ale z głową wysoko, jakby był szamanem Los Angeles albo coś. W ogóle na mnie nie patrzy, ale nawet z tej odległości widzę, że ma paskudną bliznę z boku nosa. Przez chwilę mam chęć zafundować Puppetowi taką samą.

A potem odwracam się plecami i walę Charlesem Bronsonem:

– Jesteś kurewsko *estúpido*, Puppet. Mam się zachowywać jak młodociany gówniarz?

„Młodociany" znaczy „dziecinny", czyli że zrobiłby to głupi dzieciak, niedojrzały. Puppet próbuje mi tłumaczyć, dlaczego to dobry pomysł, że wcale nie jest głupi, ale za późno, bo już siedzę w furgonetce, grzeję silnik i kątem oka liczę butelki. Ciągle czterdzieści cztery. Nie, czterdzieści dwie.

Mówiłem, że zwinąłem więcej szmat i wepchnąłem do butelek? Nie mówiłem?

Wepchnąłem.

I jak szarpię dźwignią, żeby ruszyć, to myślę tylko o tym, że będę największym podpalaczem w dziejach świata.

Tak wielkim, że nikt nigdy nie słyszał.

Bohaterem tak jakby.

Legendą.

12

Na kolanach trzymam dwie najlepsze zapalniczki (czarne biki, skurwysynu) i chuj mnie obchodzi, w której dzielnicy jestem. Lynwood, Compton, wszystko jedno. South Gate? HP? Kogo to, kurwa, interesuje? Wiem tylko, że zapierdalam Western od strony Imperial i postanawiam ruszyć na północ, jechać, rzucając mołotowy po drodze, dopóki mi się benzyna nie skończy.

Sam, w pojedynkę podpalę to miasto. Spalę je do szczętu, żebyśmy mogli całe to gówno zbudować od nowa. Zacząć od początku. Ktoś kiedyś mi za to podziękuje.

Najpierw trzeba wejść w odpowiedni tryb.

Podjeżdżam do miejsca, które na oko dobrze się sfajczy – może jest markiza, może drzwi są otwarte albo okno – i łapię za butelkę, zapalam kurewstwo i rzucam tym przez okno jak najlepszy na świecie dostawca gazet. Tyle że to nie gazety. Tłucze się i szuuuu jak skurwysyn!

Chyba powoli wjeżdżam do Inglewood czy coś i nagle widzę napisy, „własność czarnych" i „czarny właściciel", nabazgrane sprejem przy oknach sklepów monopolowych, lombardów i tak dalej. Duże czarne litery. Znaczy, wielkimi literami napisane. W pierwszej chwili ni chuja nie kumam.

Ale po przejechaniu kilku przecznic dociera do mnie, że należy pomóc *mayates*, żeby wiedzieli, gdzie napierdalać. Nie mogę się powstrzymać od śmiechu. A jak już mi przechodzi, to:

1. Tam też rzucam.
2. I rzucam wszędzie.

Zatrzymuję się tylko raz, gdy patrzę na wschód, na jedno z tych głównych skrzyżowań (kurwa, nie pamiętam, to Manchester?), i widzę coś, co wygląda jak czołg czy jakieś takie gówno, beżowe i z kamuflażem, a na tym siedzą kolesie, w kamizelkach i z karabinami. Na moment aż mnie mrozi na ten widok, ale oni w ogóle nie patrzą w moją stronę. Siedzą po prostu na skrzyżowaniu.

Daję sobie na wstrzymanie przez kilka przecznic, no wiecie, i dobrze, bo na czerwonym po mojej lewej stronie zatrzymuje się autobus, podnoszę głowę, patrzę w bok coś jakby, a on luka na mnie, no to się uśmiecham i macham ręką, on kiwa głową i też macha, a jak się zapala zielone, ruszam grzecznie zgodnie z ograniczeniem prędkości, autobus mnie wyprzedza i skręca. Hamuję się trochę przez jakieś siedem skrzyżowań i nagle znowu widzę ludzi plądrujących sklepy. Klnę się na Boga, że na jednym parkingu przy spożywczaku widzę gliniarzy, którzy się tylko gapią! Co jest, kurwa? Nawet nie próbują interweniować. Stoją sobie. Bezczynnie. Tylko patrzą.

Wtedy postanawiam, że znowu będę podpalał. W dupie to mam. Zapalam i rzucam, zapalam i rzucam.

Częściej trafiam, niż chybiam. Pioneer Chicken, buch! Tong's Tropical Fish & Pets, buch! (Tego to mi nawet trochę żal). Tina's Wigs, buch! Nora z szyldem na czerwono, że to naprawa butów – nie ma o czym mówić, sfajczyło się jak raca.

Kiedy opróżniłem już drugi karton i jestem w połowie trzeciego, pięścią walę w radio i nawet nie boli. Włącza się, łapie jakąś białą muzykę, no wiecie, znacie to, same gitary i darcie mordy, a na coś takiego to ja nie mam nastroju, więc wciskam guzik AM, modląc się o jakieś gówno w wydaniu Arta Laboe. Miłe starocie. Coś rytmicznego.

Trafiam chyba na końcówkę tego, co mówi Art, bo rozpina głos na falach eteru, każąc wszystkim uważać, siedzieć w domu, i dodaje: „Teraz kawałek, który pomoże wam na chwilę zapomnieć o tym, co dzieje się na mieście".

Nie mogę się powstrzymać od śmiechu, bo przecież ja właśnie „jestem na mieście", no i ba-bap-bap, wchodzi perka. Werbel chyba. Zaraz potem głos.

Znam chyba tę piosenkę. To *Rock Around the Clock* i co to, kurwa, są błyskotki, o których on śpiewa?

Powiem wam. To te knoty. O właśnie.

Te wszystkie ścierki, które podarłem i powtykałem do butelek. Nieźle się błyskają, nie? A kiedy wchodzi ta pierdolona solówka na gitarze, to jakby grali tę piosenkę tylko dla mnie, dla mnie, zajebioza, kierownicę ściskam kolanami, prawą ręką cap butelkę z kartonu, lewą zapalam szmatę, przekładam do lewej, łapiąc za szyjkę, i jeb podjajecznym, akurat jak piosenka się kończy, a mnie robi się smutno i jadę dalej.

Chętnie bym cofnął, puścił ją jeszcze raz. I jeszcze, i jeszcze.

13

Gdy wbijam na skrzyżowanie Szóstej i Western, rzęch jedzie już na oparach, byłoby inaczej, gdybym nie musiał okrążyć bandy kolesi wyglądających na żołnierzy, walnąć na wschód Siedemdziesiątą Szóstą, potem Hoover, potem przemknąć się do Gage, żeby znowu wcisnąć się na Western i grzać na północ. Ale objazd.

Nie planowałem tego i został mi tylko jeden karton, gdy nagle widzę centrum sklepowe przy Szóstej i myślę sobie: kurwa, czemu nie? Dobre miejsce jak każde inne, żeby odwalić mój majstersztyk, bo spalę to kurewstwo na popiół.

Parter i piętro.

Ale dzieje się coś dziwnego, bo jakoś skupić się nie mogę. Już od kilku przecznic dziwne smaki parzą mi usta.

No bo w jednej chwili to masło orzechowe i się zastanawiam, kiedy ja, kurwa, żarłem coś takiego? Przecież nawet nie lubię tego gówna.

Ostatnio kiedy to było? Jak miałem chyba z piętnaście lat.

I jak się upewniam, że ostatni raz jadłem to, jak miałem czternaście lat, czuję w ustach pomidora. Surowego. I zapach też.

Kurwa, zdaje się, że przesadziłem z koką.

Próbuję przegonić ze łba smak pomidorów, wyciągając łychę do opon, co się tłucze z tyłu, jak tylko wsiadłem do tego rzęcha; wysiadam i zaczynam wybijać okna w sklepach. Jak szyba trzaska, to zapalam butelkę i rzucam. Załatwiłem tak dwa sklepy, gdy nagle sobie uświadamiam, że po drugiej stronie jezdni stoi ekipa głąbów.

Jest za daleko, żeby stwierdzić, ale chyba czarni. Tak czy siak, skurwysyny dostały pierdolca, próbują skasować kratę z okna sklepu wielobranżowego. Tak im zależy, że przywiązali linę do haka przerdzewiałego pikapa i próbują wyrwać całą ramę okienną, i nagle widzę, po co tyle zachodu.

W środku ktoś jest i próbują go dopaść. Sklepikarz z giwerą czy czymś, bo mnóstwo wrzasku i ludzie skaczą w tę i z powrotem, i huk wystrzałów jak w Bejrucie czy gdzieś.

Zaczynam się śpieszyć.

Rozwalam trzecie okno. I czwarte też. Wybieram tylko te, gdzie nie ma światła.

Pierdolę te zapalone. Jeszcze mi tego brakowało, żebym się nadział na kogoś ze strzelbą.

Zabieram się za piąte, sklep z wideo, plakaty, których za chuja nie da się przeczytać, bo to inny alfabet, gdy słyszę za sobą pisk, jakby samochód ostro hamował, paląc gumę, i myślę, że to ten pikap, ale nagle ktoś wrzeszczy, że będą strzelać, będą strzelać. Nawet się nie odwracam. Rozpieprzam następne okno, uznaję, że to do tych skurwysynów po drugiej stronie. Rzucam palący się *ron* w szybę i wtedy słyszę:

– Przestań, bo strzelę!

Głośno i po angielsku. Może to do mnie?

Jeśli tak, chuj z tym.

Biorę łychę i podchodzę do następnego okna...

Jeszcze nawet nie podniosłem ręki, żeby rozbić szybę, jak słyszę huk i od razu mi w uszach dzwoni. W szybie robi się dziura, taka porządna, jakby ktoś rzucił kamieniem.

Kaszlę i krew tryska na okno przede mną.

Tak jakby bryzgnęło.

I od razu wiem, że to moja krew.

O kurwa, myślę. Szepczę nawet, wyciągam rękę i dotykam szyby.

Krew jest o wiele ciemniejsza, niż mi się wydawało.

I próbuję ją zebrać z powrotem. No poważnie.

Estúpido, co?

Próbuję zetrzeć swoją krew z szyby i połknąć z powrotem, ale jak dotykam policzka, to czuję dziurę.

Dziura na wielkość palca. Wiem, bo czuję.

No to próbuję zatkać od środka.

Ale wtedy palec mi wchodzi na całą długość, na drugą stronę, i czuję włochate baki na policzku...

Znaczy, z wierzchu.

I wtedy mi świta, że prawie dotykam ucha.

Bo połowa ręki wlazła mi do ust.

Kurwa.

Niedobrze.

Zaczynam drętwieć.

W głowie, jakby w czaszce, to już niczego nie czuję.

Nic a nic.

Dziwne, bo ból głowy zniknął.

Jest...

No właśnie nic nie ma.

Tylko czarny kolor napiera na mnie z chodnika.

Chwyta mnie jak łapska.

KIM BYUNG-HUN
AKA JOHN KIM

30 KWIETNIA 1992

18.33

1

Gdyby rozruchy się nie rozszerzyły, poszedłbym na lekcje do wieczorówki, a teraz siedział w domu. W radiu mówią, że są doniesienia o plądrowaniu w Hollywood, w kilku miejscach San Bernardino Valley, a nawet w Beverly Hills. Wszędzie, ale najbardziej czuje się to tutaj, w Koreatown, gdzie jest mój dom, mój dom rodzinny. Założę się, że w innych miejscach nikt nie tkwi na tylnym siedzeniu samochodu z głośno nastawionym radiem, wciśnięty między ojca a starego sąsiada – od którego jedzie *bonjuk* – trzymając pistolet między stopami, a drugi mając wbity w biodro.

Jedno i drugie boli. Czuję, jak twardy metal siniaczy mi podbicia, wciera się w skórę nike'ów Jordana, ale gorsza jest broń ojca, on ją nosi jak rewolwerowiec, w kaburze przy boku. Za każdym razem, gdy się porusza, wbija mi to po kolbę w biodro i piekący ból paraliżuje nogę aż do stopy.

Z powodu tego, co się dzieje, ojciec stał się innym człowiekiem, to już nie jest ten facet, którego żona zagada na śmierć przy kolacji i który w milczeniu, z rękami założonymi na piersi, ogląda mecz Dodgersów. Gdy samochód skręca w lewo, ojciec przechyla się na mnie i piorunujący ból znów wali mi po nodze.

Powstrzymuję się od grymasu. Tylko tego brakowało, żeby ojciec nazwał mnie mięczakiem w obecności tych ludzi.

Prowadzi pan Park. On też mieszka w naszej kamienicy, ale poznałem go dopiero godzinę temu na klatce schodowej. To jego samochód. Na lewym policzku ma duże znamię, które chyba próbuje zasłonić postawionym kołnierzykiem swojego polo. Jego brat siedzi obok, w koszuli flanelowej i czapce Los Angeles Lakers. Ma okulary tak samo jak ja. Po mojej lewej ręce siedzi siwowłosy pan Rhee w szarej bluzie i kraciastych spodniach z podciągniętymi nogawkami. Jestem najmłodszy i najmniejszy, więc musiałem zająć miejsce w środku. To zawstydzające i niewygodne. Nie mogę nawet spojrzeć przez żadne okno. Wiem jednak, że jest dużo dymu. Tylko to czuję. Równie dobrze mógłbym mieć nos zatkany popiołem. Wiem też, że pan Park dużo trąbi i klnie po koreańsku na ludzi – chyba na ludzi na ulicy.

Kiedy pisałem esej z dziejów współczesnej Kalifornii, dowiedziałem się, że w granicach miasta Los Angeles żyje sto czterdzieści sześć nacji i mówi się dziewięćdziesięcioma różnymi językami. Muszę jeszcze sprawdzić w encyklopedii w bibliotece, ile jest krajów na świecie. Wiedziałem, ile jest wcześniej, ale w zeszłym roku rozpadł się Związek Radziecki, a w tym roku Jugosławia, więc może teraz będzie ze dwadzieścia więcej, skoro Chorwaci i inni zdobyli niepodległość.

– *Ya*. – Ojciec trąca mnie łokciem. – *Jib-joong hae.*

Chce, żebym słuchał uważnie Korean Radio USA 1580 AM. Domyśla się, że próbuję nie słuchać, bo to przygnębiające. Wszystkie historie są takie same. Wszędzie w L.A. koreańskie sklepy są pozostawione same sobie przez policję i straż pożarną. Dlatego właśnie tu jesteśmy, dlatego siedzimy w toyocie pana Parka, jedziemy Wilshire, patrolujemy naszą dzielnicę, bo nikt inny tego za nas nie zrobi. Dlatego mam broń.

– Słucham – odpowiadam, ale ojciec patrzy na mnie, jakbym kłamał.

– Człowiek chroni co swojego – stwierdza po angielsku, nie przejmując się błędami. – To Ameryka.

Kiwam głową. Pan Tuttle, mój nauczyciel historii, mówi, że nic nie dzieje się w próżni. Że wszystko ma swój kontekst. Jeśli rozumiemy kontekst, rozumiemy przyczynę i rodzące się skutki. Więc jeśli rozruchy są skutkiem, to co jest przyczyną? Oczywiście Rodney King i to nagranie, ale jest coś jeszcze: dziewczyna o nazwisku Latasha Harlins. W zeszłym roku była tematem mojej pracy semestralnej. Musiałem wystąpić w roli adwokata diabła, spojrzeć na sprawę oczami Afroamerykanina.

Niecałe dwa tygodnie po pobiciu Rodneya Kinga, w marcu dziewięćdziesiątego pierwszego roku, piętnastoletnia Latasha Harlins została zastrzelona przez koreańską sklepikarkę o nazwisku Soon Ja Du. To też zostało nagrane na wideo. Soon – kobieta, która wyglądała jak stare ciotki z mojej kamienicy, ale miała tylko pięćdziesiąt jeden lat – strzeliła Latashy w plecy i w efekcie uznano ją za winną umyślnego zabójstwa, skazano na grzywnę i wyrok w zawieszeniu na pięć lat, chociaż za takie przestępstwo grozi kara nawet szesnastu lat więzienia. Oczywiście społeczność czarnych uznała to za akt niesprawiedliwości i ludzie byli wściekli. Po wydaniu wyroku nic się jednak nie wydarzyło.

Pan Rhee wyciąga rewolwer z długą srebrną lufą, wyrywając mnie z rozmyślań. Kolejny raz sprawdza, czy broń jest naładowana. W komorach bębenka siedzą ogromne naboje o złotych spłonkach, grubości mojego małego palca. Pośrodku spłonki mają czarne plamki okolone małymi srebrnymi kółeczkami. Wyglądają upiornie jak oczy: sześcioro oczu patrzy na mnie z tego cylindrycznego bębenka, a zaraz potem pan Rhee go zatrzaskuje. Nie potrafię sobie wyobrazić, co taka broń może zrobić ludzkiemu ciału, odstrzelić całą głowę?

I wtedy przychodzi mi na myśl, że praktycznie rzecz biorąc, jesteśmy samozwańczym patrolem, i właściwie nie wiem, co o tym sądzić. To określenie budzi trochę negatywne skojarzenia, ale w gruncie rzeczy oznacza ludzi, którzy z własnej inicjatywy wypełniają próżnię, gdy prawo i porządek zawodzą. Policja kazała nam się ewakuować, porzucić dom i interes. W radiu w pierwszej chwili wzywano do tego samego, ale potem do stacji przyszedł prawnik, który powiedział, że powinniśmy zostać. Powiedział, że jest Druga Poprawka. Że mamy prawo bronić siebie i swojej własności. Ojciec to usłyszał i kazał mi wyjaśnić, o co chodzi. Wytłumaczyłem mu, że to na mocy Konstytucji, że mamy prawo trzymać i nosić pistolety. Gdy to powiedziałem, wszystko od razu się zmieniło. Ojciec poczerwieniał i pokiwał głową. Otworzył szafkę i wyjął broń, i wtedy pomyślałem, że cokolwiek się odtąd wydarzy, to będzie moja wina. Część tego arsenału widziałem, jak mnie rok wcześniej zabrał na strzelnicę, żeby poćwiczyć i nauczyć mnie obchodzenia się z bronią. Ale większość zobaczyłem pierwszy raz. Przerażający był widok tego wszystkiego ułożonego na podłodze. Wyglądało jak zabawki, tylko było cięższe, bardziej połyskliwe, a ja stałem i się gapiłem, ojciec tymczasem zadzwonił po pana Rhee.

Rzuca mną do przodu i uderzam podbródkiem w fotel, bo pan Park daje po hamulcach. Klnie na kogoś stojącego na drodze, a jego brat opuszcza szybę i celuje z broni. Ten ktoś chyba od razu się ulatnia, bo chwilę później znowu jedziemy.

Uświadamiam sobie, że jestem członkiem patrolu. W pierwszym momencie ta myśl mnie przeraża, ale potem czuję ciepło w klatce piersiowej, bo zastanawiam się, jak zareagowałaby Susie Cvitanich. Pewnie by mi nie uwierzyła. Chodzę z Susie do szkoły. Jej rodzina jest z Chorwacji. Susie uważa mnie za przeciętniaka. Nazywa mnie *Señor Aburrido Amarillo*, kiedy się razem uczymy hiszpańskiego. To znaczy coś w rodzaju Żółty Pan Nudziarz. Może się wydawać rasistowskie, ale wcale takie nie jest. Po prostu te hiszpańskie słowa brzmią razem bardzo śmiesznie.

Wyjmuję broń spomiędzy stóp. Jest w sfatygowanej brązowej kaburze, którą ojciec sprawił sobie chyba jeszcze w latach siedemdziesiątych. Nikt nigdy nie mówi, jak ciężka jest broń. Trzeba się samemu przekonać. Ważę ją w dłoni, oceniając, że to ponad pół kilograma, może nawet więcej. Jestem pewien, że Susie już nie nazywałaby mnie nudziarzem, gdyby wiedziała, że należę do patrolu.

Im bardziej jednak myślę o tym określeniu, tym mniej mi się podoba. Wolałbym uznać, że jesteśmy strażą obywatelską. Przecież tak naprawdę tworzymy grupę zatroskanych obywateli, którzy mieszkają w tym mieście i codziennie przyczyniają się do jego rozwoju gospodarczego. Pan Park i jego brat prowadzą pralnię chemiczną. Pan Rhee jest na emeryturze, ale wcześniej miał sklep monopolowy, tylko go potem sprzedał. Mój ojciec to jedyny, który nie pracuje w naszej dzielnicy. Jest inżynierem. Zatrudnionym w TRW. Oni wszyscy mogą się wydawać przeciętni, ale tamci – czyli ci, którzy chcą nas ograbić, skrzywdzić i spalić nam domy – nie wiedzą, że każdy z pasażerów tego samochodu oprócz mnie ma za sobą co najmniej trzyletnią służbę wojskową. A to z tego powodu, że w Korei Południowej obowiązkowo idzie się do wojska. Wszyscy potrafią zrobić użytek z broni. Jeśli Koreatown zostanie uratowane, to tylko dlatego, że ludzie pokroju mojego ojca zostali kiedyś przeszkoleni.

Historycznie rzecz biorąc, straże obywatelskie składały się z praworządnych ranczerów i sklepikarzy. Ci ludzie byli cywilami, nie szeryfami, ale gdy zachodziła konieczność, przypinali sobie odznaki, bo tego od nich wymagano. Egzekwowali prawo, gdy było trzeba, na przykład gdy należało pomóc szeryfowi. A co się dzieje teraz, kiedy policja dezerteruje?

W westernach szeryf nigdy nie porzuca miasteczka. To nie w amerykańskim duchu. Ale tak właśnie się teraz dzieje. Gwardia Narodowa jest w South Central, tutaj ich nie uświadczysz. Nie mamy odznak, choć powinniśmy je mieć. Pan Tuttle mówi, że nie ma nic bardziej amerykańskiego niż sprzeciwienie się, gdy ktoś próbuje nas terroryzować. Właściwie to fundament moralny tego kraju. Wielka Brytania próbowała nas terroryzować, no i ją pokonaliśmy. Obrona siebie i innych to postępowanie ze wszech miar godne Amerykanina.

Pan Park zdejmuje rękę z kierownicy, żeby podkręcić radio.

„Skontaktowała się z nami kobieta w niebezpieczeństwie – mówi spiker spanikowanym głosem. – Oto adres. South Western Avenue, numer pięćset sześćdziesiąt pięć. Prosimy o pomoc!"

– Gdzie to jest? – pyta nasz kierowca, pan Park.

Jego brat, drugi pan Park, ma na kolanach rozłożony plan miasta, a w ręku latarkę, w którą stuka palcami, żeby się zapaliła. Przerzuca strony, wreszcie odpowiada:

– To na rogu Szóstej i Western. Stąd w lewo.

– Nie myśl za dużo, gdy trzymasz broń – odzywa się mój ojciec po koreańsku. Wyjął pistolet. Uniósł go tak wysoko, że widzę małą okrągłą lufę, ale on tylko sprawdza komorę. Dostrzegam jedynie część naboju, suwadło zaraz przeskakuje do przodu z głośnym szczękiem. Drobnym machnięciem ręki ojciec daje mi znak, żebym wyjął swój pistolet z kabury. – Przypomnij sobie Księgę Eklezjasty – mówi.

Chodzi mu chyba o trzeci werset z trzeciego rozdziału. Ma swój czas zabijanie i ma swój czas leczenie. Ma swój czas burzenie oraz ma swój czas budowanie. Biorę głęboki wdech, najgłębszy, jaki mogę, ściągając ramiona. Pan Rhee klepie mnie po kolanie.

– *Gwen chan ah*. Jest okej – mówi. – To zwierzęta, nie ludzie – dodaje.

Rodzice zawsze powtarzali, że szkoła przygotuje mnie na wszystko, że szkoła to najważniejsza sprawa pod słońcem, ale szkoła nie przygotowała mnie na coś takiego. Bo nie mogła. Żołądek mi się wywraca, kiedy pan Park wykonuje ostry skręt w Western i przyśpiesza. Co najmniej szesnasty raz ojciec pokazuje mi, gdzie jest bezpiecznik w pistolecie, który trzymam. Z jedną małą różnicą. Tym razem słychać kliknięcie.

2

Wszystko dzieje się za szybko. Słyszałem o tym wcześniej przy okazji różnych historii i zawsze myślałem, że to głupota, taka zagrywka, ale teraz wiem, że to prawda. Kiedy jest tak chaotycznie, kiedy trzeba zwracać uwagę na zbyt dużo rzeczy naraz, a serce wali sto kilometrów na godzinę, to wtedy naprawdę wszystko dzieje się za szybko. Nie ma mowy, żeby zwrócić uwagę na każdy szczegół. W takich okolicznościach można tylko próbować radzić sobie jak najlepiej.

Przez przednią szybę widzę, że zbliżamy się do pikapa. Dookoła stoi czterech ludzi. Dwaj mają broń. Aż robi mi się sucho w ustach na ten widok. Wszyscy są czarni.

Pan Park ostro hamuje przy krawężniku – chce ich chyba przestraszyć. Nieważne, czy taki miał zamiar, w każdym razie poskutkowało. Wszyscy czterej odskakują do tyłu.

Obaj panowie Park opuszczają szyby i otwierają drzwi jak policjanci w filmie, wychylają się, wysuwając broń przez otwarte okna, a drzwi wykorzystując jako osłonę.

– Wynocha, bo będziemy strzelać! – krzyczą.

Wołają przynajmniej dwa razy, może trzy, a mój ojciec i pan Rhee też wysiadają i celują, opierając ręce na drzwiach;

ja zaś gramolę się ze środka, z radiem dudniącym za moimi plecami.

„Rozmawiam z tą kobietą – ciągnie spiker po koreańsku. – Mówi, że strzelanina ustała i chyba przybyła pomoc. Kimkolwiek jesteście, dziękujemy!"

Pikap ze złodziejami się cofa, by odjechać, ale jest połączony liną z budynkiem. Bracia Park wrzeszczą do bandytów, żeby ją odczepili, i o dziwo jeden z tych facetów na pace podskakuje i zaczyna ciągnąć za węzeł, próbując odwiązać linę.

Z oddali dobiega wycie syreny. Stojąc na ulicy, zastanawiam się przez chwilę, czy pomoc się zbliża, czy oddala. W płucach czuję ciężar od wdychania zadymionego powietrza. Z przodu są złodzieje, przestraszeni nie na żarty. Najwyraźniej nie spodziewali się, że stawimy opór.

Słyszę huk, więc oglądam się do tyłu i po drugiej stronie ulicy widzę piętrowy minimarket, a przed nim czarną sylwetkę podnoszącą i opuszczającą rękę przy ciemnej witrynie. Kilka okien na parterze jest pomarańczowych. W pierwszej chwili tego nie rozumiem i dopiero później dociera do mnie, że to ogień! Boże przenajświętszy, myślę, ten facet podpala sklepy!

Potrzebuję czasu do namysłu, ale go nie mam. Muszę się zastanowić, a trzeba działać. Mija sekunda, dwie, ale wcale nie jestem mądrzejszy niż na początku.

Powstrzymać tego człowieka!

– Przestań, bo strzelam! – krzyczę, bo nic innego nie przychodzi mi do głowy. Brzmi to idiotycznie, ale mam nadzieję, że poskutkuje.

Nie. Facet nie przestaje. Podbiegam bliżej i widzę, że w ręku trzyma łom, że bierze zamach, żeby strzaskać kolejną witrynę, i wtedy zatrzymuję się i unoszę broń. Ojciec mówił mi, żebym strzelał ostrzegawczo, w powietrze. Żeby ich odstraszyć, powiedział. Tylko odstraszyć. Celuję, pewien, że i tak spudłuję. I myślę, że z bliższej odległości skuteczniej go odstraszę.

Gdy muszka na końcu lufy zjeżdża się z czarną sylwetką, celuję trochę w prawo od głowy, w koreański plakat filmowy, który mam przed sobą w oknie sklepu wideo: *Pieśń śmierci*. Na plakacie widać zdjęcie kobiety na białym tle. W ciemności to idealny cel. Naciskam powoli spust, tak jak mnie uczono, i nagle pistolet strzela, drgając w mojej dłoni.

Postać, może ze dwadzieścia metrów ode mnie, zastyga, a potem się chwieje. Upuszcza łom, który z hukiem upada na beton. Słyszę to po drugiej stronie ulicy. I wtedy do mnie dociera: Trafiłem go. Trafiłem!

Z tyłu dochodzi warkot odjeżdżającego szybko pikapa, a obaj panowie Park krzyczą do sklepikarki schowanej w środku, że nic już jej nie grozi. Dopiero gdy pan Rhee podbiega do człowieka, którego postrzeliłem, przychodzi mi do głowy, żeby zrobić to samo.

Nawet nie czuję, że biegnę. W jednej chwili jestem po drugiej stronie jezdni, następnie już na parkingu; patrzę na niego, zdyszany, na krew płynącą mu z twarzy na popękany beton, tymczasem pan Rhee zdejmuje szarą bluzę i przyciska ją facetowi do policzka. Mnóstwo krwi, nigdy aż tyle nie widziałem.

Syrena, którą wcześniej słyszałem, jest coraz głośniejsza. Jadą do nas! Pan Rhee każe mi wybiec na jezdnię, zatrzymać ich, jeśli dam radę, więc biegnę. Z odległości pięciu przecznic widzę, że to wóz strażacki. Chwała Bogu, myślę, podnosząc ręce i machając jak wariat.

Przecież kierowca na pewno mnie zobaczy. Cztery przecznice, trzy, dwie, już mnie widzi, ale wcale nie zwalnia. Mało tego, przyśpiesza! Dojeżdża do naszego skrzyżowania i muszę uskoczyć w bok, boby mnie potrącił!

Mówię panu Rhee, co się stało, tymczasem ojciec dogaduje się z panami Park.

– Zabiorą go do szpitala – zwraca się do mnie po koreańsku. – Nie chcą, żebyś był w to zamieszany.

Koniec dyskusji. Bracia Park podnoszą bezwładnego mężczyznę i człapią z nim do toyoty, wkładają go do środka przez otwartego hatchbacka; ten facet, który z daleka wyglądał przerażająco, z bliska jest chudy i słaby. No i coś jeszcze – bardzo młody, może odrobinę starszy ode mnie. Zatrzaskują hatchbacka, zasłaniając widok, a potem koła buksują i toyota rusza Szóstą w kierunku śródmieścia, śladem wozu strażackiego.

Patrzę spocony za samochodem. Pytam ojca, czy on nie żyje, ten człowiek, którego postrzeliłem.

– Jeszcze dycha – odpowiada po koreańsku.

Kładzie mi rękę na ramieniu, a na jego twarzy odmalowuje się coś nowego, nie gniew, lecz duma. Tak mi się przynajmniej wydaje. Nigdy wcześniej tego nie widziałem, ale to tylko chwila, bo zaraz potem ojciec doskakuje do najbliższego hydrantu przeciwpożarowego, krzycząc, żebym pomógł.

Nie wiem, ile to trwa. Dwie minuty? Dłużej? W końcu skrzywiony zawór ustępuje i woda tryska na ulicę, w ciągu kilku sekund wypełniając rynsztok, przelewając się na jezdnię.

Gdy pikap odjechał, znikąd zaczęli się pojawiać ludzie. Koreańczycy z chusteczkami zawiązanymi na twarzach w obronie przed dymem. Próbują gasić ogień. Czerpią wodę, czym się da: konewkami, zabawkowymi czerwonymi wiaderkami, czymkolwiek. Starzy ludzie i matki wybierają wodę z rynsztoka, a w tafli odbijają się ich pośpieszne ruchy na tle gęstego czarnego dymu i jaskrawych pomarańczowych płomieni wydobywających się z okien sklepów. Nie wiem, skąd nagle przychodzi mi do głowy ta ciekawostka: przeciętny dom pali się w temperaturze prawie sześciuset stopni Celsjusza. Aż robi mi się słabo na tę myśl. Takie chlapanie wodą nic nie pomoże.

I wtedy znowu słychać syrenę, najpierw ledwo, potem wyraźniej. Jadą do nas, skręcają z Piątej i pędzą Western.

Widzę biało-czarne radiowozy z włączonymi światłami. Chwała Bogu, myślę.

Biegnę do nich przepełniony uczuciem ulgi, ale gdy się zbliżam, słyszę, że policjant powtarza głośno mojemu ojcu, jakby był głuchy:

– Nie macie prawa bronić tego mienia pod nieobecność właścicieli.

Ledwo słyszę z powodu huczącego ognia. Rozlega się jakby jęk, potem z tyłu wali się z olbrzymim trzaskiem cały strop. Ojciec robi unik, a jak się wyprostowuje, na jego twarzy pojawia się niedowierzanie w reakcji na to, co powiedział funkcjonariusz. Wskazuje pożar. Pan Rhee robi krok do przodu i w tej samej chwili dostrzegam drugiego policjanta, tuż obok. Dźga mnie palcem w rękę.

– Ma pan pozwolenie na broń? – pyta ostro.

Chcę odpowiedzieć, że nie, bo przecież mam dopiero siedemnaście lat, ale nie mogę. Tylko coś bełkoczę, ledwo poruszając językiem, wpatrzony w okna czerniejące u góry. Przecież w hierarchii sytuacji nadzwyczajnych pożar budynku, prawdopodobnie z mieszkańcami w środku, jest sprawą większej wagi niż egzekwowanie przepisów wobec kogoś, kto sięgnął po broń, żeby chronić swoich sąsiadów, zwłaszcza w warunkach powszechnego chaosu…

Policjant wykręca mi rękę do tyłu, odbiera pistolet i rzuca mnie na maskę radiowozu. Moje okulary lecą na jezdnię, stukają po asfalcie, a ja wrzeszczę, bo czuję kajdanki zatrzaskujące się na przegubach. Świat się zamazuje, ojciec krzyczy, ludzie z tyłu protestują po koreańsku, ale bez przekonania. Wahają się, czy powinni się za mną ująć, czy raczej walczyć dalej z pożarem.

– Jest pan aresztowany pod zarzutem nielegalnego posiadania broni – mówi policjant.

– Przecież się pali! – Znajduję się ze dwanaście metrów od ognia, ale bez trudu mógłbym w tym miejscu usmażyć kiełbaskę. Jest tak gorąco. Próbuję się wyprostować, próbuję coś zrobić – cokolwiek! – żeby pomóc tym żałosnym staruszkom. – Proszę pana, trzeba gasić pożar! – krzyczę.

Łokieć wbity w spocony kark przygniata mnie z powrotem do maski. Wykręcam głowę, żeby spojrzeć w lewo, i czuję, jakby prawa gałka oczna miała mi pęknąć pod naciskiem. W tylnej szybie radiowozu widzę zniekształconą sylwetkę ojca wpychanego do środka za głowę i refleksy ognia tryskającego tak wysoko, że to wygląda jak miotacz płomieni w filmie. Widzę, że zamazane pierwsze piętro też już się pali. Wypełnia mnie odraza zmieszana z czymś jeszcze: gniewem.

Dopiero wtedy przychodzi mi do głowy pierwsza spokojna myśl, odkąd pan Park skręcił w Western: Ten budynek spali się na popiół, a co gorsza, policjanci na to pozwolą. Pozwolą na to funkcjonariusze służb państwowych, na które płacimy, które mają nam pomagać, mają nas chronić. Oni palcem nie ruszą...

Jak uderzenie pioruna dopada mnie świadomość – tak właśnie wygląda niesprawiedliwość. To wstrętne uczucie wściekłej bezsilności, to czekanie, żeby drugi człowiek poszedł po rozum do głowy, modlenie się, żeby ten policjant, ten gliniarz, uświadomił sobie, jak kretyńsko postępuje, żeby mnie rozkuł, żebyśmy wszyscy razem gasili ten pożar, żebyśmy pomogli ludziom, żeby coś ocalało.

Łokieć się unosi i policjant bez słowa ściąga mnie z maski w stronę drzwi radiowozu. Potykam się, ale mnie popycha.

Musi mnie obrócić, żebym wsiadł obok ojca, a wtedy zginam się wpół i kaszlę.

Nie udaję, o nie. W płucach mam sucho. Jakby się miały rozsypać w pył w klatce piersiowej. Ale kaszląc, zbieram w ustach resztki śliny. Wreszcie cichnę, świadomy, że żadnymi słowami nie przekonam tego policjanta, że źle postępuje, że postępuje źle pod każdym względem, więc tylko się wyprostowuję w ułamku sekundy, a gdy on czujnie cofa się o krok, być może po to, żeby zobaczyć, czy należy mi przyłożyć, żebym się nie stawiał, ta krótka chwila zawahania wystarcza mi, żeby spojrzeć w tę jego mechatą brzoskwiniową gębę i wycelować.

Pluję z całej siły i wtedy ohyda, którą mam w środku, trafia go prosto w twarz.

DZIEŃ 3
PIĄTEK

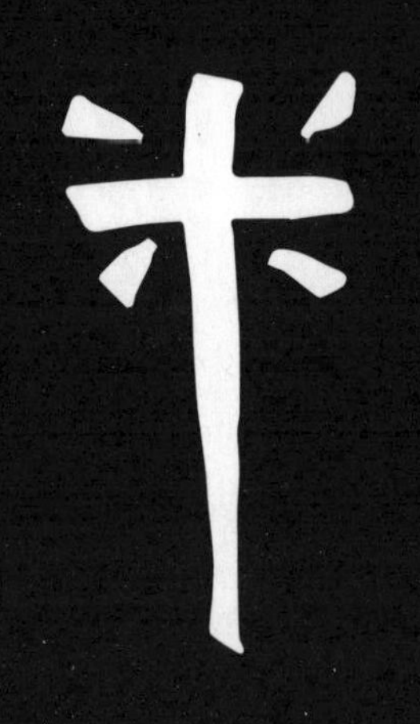

CZY NIE MOŻEMY ŻYĆ ZE SOBĄ W ZGODZIE? CZY MOŻEMY PRZESTAĆ URZĄDZAĆ TO PIEKŁO STARSZYM OSOBOM I DZIECIOM?

RODNEY KING

GLORIA RUBIO, PIELĘGNIARKA DYPLOMOWANA

1 MAJA 1992

3.17

1

Oka nie zmrużyłam, od kiedy wybuchły rozruchy. Nie mogę zapomnieć widoku zwłok Ernesto Very. Chyba już na zawsze wryło mi się to w pamięć. Jego nazwisko, wyraz twarzy – nie potrafię tego od siebie odegnać, a widziałam więcej umierających niż przeciętny człowiek. Właściwie się o to prosiłam, wiem przecież. Taki zawód sobie wybrałam. Ale to też przez tę dzielnicę, w której mieszkam.

Z Ernesto było inaczej. To sprawa jakby osobista. Nie poznał mnie, gdy próbowałam go ratować; ale ja go poznałam, chociaż był zmasakrowany. Chodziliśmy razem do liceum, spotykaliśmy się przez chwilę w pierwszej klasie i był bardzo miły. Nawet całowaliśmy się trochę w sali muzycznej, ale na tym się skończyło. Nie miał pojęcia, bo mu wtedy nie powiedziałam, ale był pierwszym chłopakiem, z którym się całowałam.

Ileś lat później spotykałam go czasem przy furgonetce Tacos El Unico i przy stoisku na rogu Atlantic i Rosecrans i zawsze dawał mi jedno taco więcej i dodatkową porcję cebuli – dla *mi abuela*, bo ona tak właśnie lubi, zawsze o tym pamiętał. Taki był Ernesto. Trochę później dowiedziałam się od swojego krewniaka Termite'a, że Ernesto musiał płacić z własnej pensji za te dodatkowe taco. Mnie nigdy o tym nie wspomniał. Nigdy się nie skarżył. Taki właśnie był Ernesto.

A potem wracam wieczorem do domu, a on leży w moim zaułku i całe moje pielęgniarskie wykształcenie jest nic niewarte, bo nie można chłopaka uratować. Umiera na moich rękach i leży tam przez całą noc, aż do następnego dnia. Leży, blokując trasę, którą normalnie idę do pracy, wzbudzając coraz większe zainteresowanie robactwa i ptaków, więc pięć razy dzwoniłam pod 911, ale połączyłam się tylko raz, a i tak kazali mi czekać, a potem już nikt się nie zgłosił. No więc zatelefonowałam do faceta mojej ciotki, który pracuje w urzędzie koronera, a on wyraził zrozumienie i tak dalej, ale powiedział, że nie przyjedzie za chińskiego boga, że zrobiło się bardzo niebezpiecznie, poza tym, dodał, brakuje mu środków. Jego ludzie są rozproszeni po całym mieście, są wielogodzinne opóźnienia z interwencjami, i to nawet w bezpiecznych miejscach.

To mnie wkurzyło. Zaczęłam wrzeszczeć, zapytałam go, jak myśli, jak ja się czuję, zmuszona tkwić w takiej sytuacji, kiedy przez całą noc przed moim garażem leżą zwłoki mojego pierwszego chłopaka, chłopaka, z którym całowałam się pierwszy raz w życiu. Czy on zdaje sobie sprawę, że przez cały ten czas mam pozamykane okna, a i tak już zaczynam to czuć, czy zdaje sobie sprawę, jakie to okropne, kiedy nie można uciec przed czymś takim?

Nawet nie czekałam na odpowiedź, tylko się rozłączyłam i zadzwoniłam do prywatnej lecznicy medycznej, o której wiem dzięki pracy w szpitalu, i zaczęłam ich błagać, żeby przyjechali; ale potraktowali mnie poważnie dopiero wtedy, gdy powiedziałam, że zapłacę dodatkowo. Poza tym musiałam skłamać. Powiedziałam, że Ernesto to mój brat, że zależy mi, aby zmarły został należycie potraktowany. Dyspozytor, którego nie znałam, powiedział, że zna pewne miejsce, gdzie mogą go zabrać, ale potem zaczął tworzyć problemy, bo będą musieli powiedzieć policji, że to nie jest miejsce przestępstwa, że tutaj tylko podrzucono zwłoki, że załoga ambulansu patrolowała okolicę i przypadkiem się natknęła, że rodzina zmarłego ubłagała ich, żeby... itede, itede. „Ech, no nie wiem... No dobra, może coś wymyślę, tylko pieniądze mają być w gotówce" – dodał na końcu.

Patrzyłam, jak za dwieście dwadzieścia osiem dolarów dwóch facetów podnosi Ernesto i wkłada go do karetki. Jedenaście banknotów dwudziestodolarowych, jeden pięciodolarowy i trzy monety jednodolarowe. Od kiedy wybuchły zamieszki, pozamykano wszystkie banki, więc mogłam dać tylko to, co miałam w domu, ostatni grosz na czarną godzinę. Za te pieniądze chciałam kupić nowy telewizor, ale teraz to się wydaje głupotą. Już nie chcę widzieć tego, co się dzieje w mieście. Nie chcę oglądać wiadomości. Chcę spokoju.

Gdy zabierali Ernesto, jedno szczególnie wryło mi się w pamięć: nie zdjęli mu z twarzy tej czarno-białej flanelowej koszuli, którą siostra go zasłoniła na moich oczach. Po prostu przykryli go całego białym prześcieradłem, od stóp do głów, starając się nie dotykać zwłok bez potrzeby. Żeby nie zatrzeć ewentualnych śladów przestępstwa, tak powiedzieli. Potem patrzyłam, jak zamykają drzwi, jak odwożą Ernesto. Ktoś musiał patrzeć. Jestem pielęgniarką tak długo, że wiem, że nie każdemu można pomóc. Czasem po prostu trzeba tylko być obok, być obecnym, żeby nie odchodzili w samotności. Mam nadzieję, że zrobiłam to dla niego, ale pewności nie mam. Ciągle doskwiera mi poczucie, że zawiodłam. Kiedy odjechali, stałam długą chwilę w zaułku, a potem poszłam do pracy i nie wróciłam do domu.

Wciąż siedzę w szpitalu, Harbor-UCLA. Nie mogę się zebrać, żeby pójść do domu, więc siedzę tutaj, myślę o Ernesto i martwię się o brata. Jest na mieście z innymi, rozrabia i plądruje, wiem o tym. On i ta jego ekipa, jak to nazywa. Nawet nie wiedziałam, co to dokładnie znaczy, więc poprosiłam, żeby mi wyjaśnił, ale nie raczył. Opowiedział mi tylko, jak pewnego razu zerwali się grupą ze szkoły i urządzili sobie imprezę na wagarach. Polegała na tym, że wszyscy zażywali narkotyki i uprawiali seks w ogrodzie na tyłach jednego domu. Ciągle o tym nadawał. Gangsta Woodstock, tak to nazwał. Wolałabym, żeby to były żarty. Niestety, Aurelio ma wiele wad, ale kłamać nie umie.

Stacy chyba mnie zobaczyła, sterczącą na korytarzu, bo właśnie nadchodzi ze stanowiska pielęgniarek.

– Wszystko okej, paniusiu?

– Tak, po prostu długi dzień.

Ta odpowiedź przeważnie oznacza: „Nie pytaj" albo „Mam dosyć". Dla mnie i innych pielęgniarek to jak szyfr. Dziś w nocy w całym mieście obowiązuje godzina policyjna. Wprowadzona o zmierzchu, jak podali w wiadomościach, ale w naszym szpitalu jedyna zmiana polega na tym, że w nieprzerwanym do tej pory napływie pacjentów są przestoje, bo teraz jak ludzie się zjawiają, to falami. W tej chwili się uspokoiło, ale niedługo na pewno znowu się zacznie.

– Długi dzień – powtarza Stacy z uśmiechem i się odwraca, ale na odchodnym puszcza do mnie oko i palcem przy podkładce wskazuje dyskretnie mężczyznę idącego korytarzem.

Patrzę w tamtą stronę i na widok pana Takiego-A-Takiego dostaję od razu palpitacji serca, jakbym skakała przez skakankę i nagle się w nią zaplątała. To Filipina Maria – są u nas dwie Marie, Abulog i Zaragoza – no więc to Maria Abulog poznała go półtora roku temu jako pierwsza i bardzo się jej spodobał, chociaż jest mężatką i ma troje dzieci, i uznała chyba, że powinna opowiedzieć o tym facecie wszystkim samotnym pielęgniarkom, bo takie właśnie są pielęgniarki: albo chcą ci za wszelką cenę pomóc, albo zaszkodzić. Z doświadczenia wiem, że poza tymi dwiema ewentualnościami nie ma prawie nic.

W każdym razie kiedy Filipina Maria spojrzała na plakietkę u pana Takiego-A-Takiego, zobaczyła nazwisko zaczynające się na „S", którego za żadne skarby świata nie potrafiłaby wymówić, więc ochrzciła go „pan Taki-A-Taki" i to się przyjęło. Niedługo potem wszystkie nasze dziewczyny wypatrywały wysokiego strażaka, ponad metr osiemdziesiąt wzrostu, z czarnymi wąsami i dołeczkiem w podbródku, brązowymi oczami i ładnymi brwiami, jakby je podstrzygał czy coś, ale wiem, że nie podstrzyga. Mnóstwo dziewczyn próbuje się do niego zalecać, tylko że on nie wygląda na zainteresowanego. A przynajmniej nie był zainteresowany Stacy, chociaż to naturalna blondynka, była siatkarka, więc nie wiem, jakie kobiety są w jego typie. Wszystkie starsze pielęgniarki na oddziale mówią, że to ja mu się podobam, ale w to nie wierzę. Chyba jestem dla niego za niska. Może za śniada.

Oto co wiem o panu Takim-A-Takim: na imię ma Anthony, lat trzydzieści sześć, ale nie wiem, kiedy wypadają jego urodziny, a to wielka szkoda, bo przydałoby się do horoskopu. Na lewym policzku ma bliznę w kształcie małej litery „v", ale znowu nie wiem, skąd się wzięła, a gdy się uśmiecha, pod blizną robi się dołek, ale tylko po tej jednej, lewej stronie; mieszka w San Pedro, tam się wychował, jego rodzina pochodzi z Chorwacji, a wiem o tym, bo Teresa z rachunkowości też mieszka w Pedro i zna jego rodzinę, bo tam jest tylko jedna państwowa szkoła podstawowa i jedna mała katolicka szkoła średnia, więc wszyscy się znają, no i dobrze, a Teresa wie jeszcze, że jego rodzina to katolicy, co bardzo ucieszyłoby moją matkę, no wiecie, gdyby kiedykolwiek go poznała czy coś. Chyba powinnam zaznaczyć wyraźnie, że nie mam obsesji na jego punkcie. Po prostu trochę go lubię.

No dobra, może bardziej niż trochę. I w ogóle to dość dziwne, bo normalnie raczej skupiam się tylko na pracy, ale w jego przypadku nie umiem się powstrzymać. No bo, na przykład, jak kończy rozmawiać ze mną, to jeszcze na pożegnanie kiwa lekko głową, jakby się kłaniał, jakby nasze rozmowy były dla niego ważne. A dłonie, dłonie ma nienaturalnie duże. Są takie wielkie, że mógłby mnie bez trudu w nie zagarnąć, takie, jakie widuje się na okładkach głupich powieści romantycznych, które czyta *mi tia* Luz, dłonie obejmujące mocno kobiety, a najlepsze, że na lewej nie ma obrączki. Spytałam Teresę i powiedziała, że Anthony jest kawalerem, że raz tylko był zaręczony, ale nie wypaliło. Staram się nie gapić na niego, kiedy na mnie patrzy albo się do mnie zbliża.

Jak byłam mała, ćwiczyłam balet, bo mama powiedziała, że muszę być wyrobiona kulturalnie, ale teraz pamiętam z tego tylko to, jak się czułam po piruecie: zawrót głowy i takie dziwne zamotanie w środku. Tak się właśnie czuję w obecności pana Takiego-A-Takiego.

Widziałam go już kilka razy, zawsze w towarzystwie innych strażaków. Jest kierowcą. Ale wszyscy nazywają go ratownikiem. Wozi strażaków do pożarów, a potem, jeżeli ktoś jest ranny, przywozi go tutaj. Wyraz jego twarzy nie pozostawia wątpliwości, że właśnie dlatego zjawił się w szpitalu, a mnie od razu robi się smutno.

– Dzień dobry, siostro Glorio – mówi bardzo cicho.

Tak właśnie się do mnie zwraca, mówi „siostro" i dodaje imię. Nie wiem, dlaczego tak, nie wiem, kiedy to się zaczęło, ale to lubię. Jakby się stało naszym znakiem rozpoznawczym, to, jak się do siebie zwracamy, więc zawsze odpowiadam:

– Dzień dobry, strażaku Anthony.

Lecz dziś się do mnie nie uśmiecha, nie widzę dołeczka. Głowę ma spuszczoną. Wiem, że to z powodu tego, co się dzieje na mieście, ale nawet gdy sytuacja jest niedobra – pracujemy tu, gdzie pracujemy, i spotykamy się w takich właśnie okolicznościach, zawsze spowodowanych przez coś złego – przeważnie ma dla mnie uśmiech, choćby najmniejszy, albo ponury żart o tym, co widział czy słyszał. Zwykle próbuje mnie rozweselić, ale nie dzisiaj. Dzisiaj trzyma ręce w kieszeniach.

Dociera więc do mnie, że to ja muszę zacząć rozmowę:

– Z tego, co tu mamy, widać, że nie jest za fajnie. Co się dzieje na mieście?

Dotykam jego tricepsa i natychmiast cofam rękę. Chcę, żeby wiedział, że martwię się o niego, i jednocześnie nie chcę, żeby o tym wiedział. Serce mi trochę trzepocze, jakby sobie przypomniało, że skakało przez skakankę. Przypatruję się, żeby sprawdzić, czy nie jest ranny ani nic, choćby draśnięty.

– Ech – mówi tylko.

Wiem, że nie wolno mi naciskać. W szpitalu słyszy się różne rzeczy. Widzi. O ile się orientuję, w nocy musieliśmy opatrzyć jedenastu strażaków – i wierzcie mi, sprawdziłam nazwisko każdego, gdy ich przywieźli. Jeden został postrzelony, ale miał operację i chyba się wyliże. Może było ich więcej niż jedenastu. Wygląda na to, że pierwszego dnia najbardziej dostało się właśnie strażakom. Zapanował kompletny chaos, nie było policji, która mogłaby ich chronić, więc do nich strzelano. Teraz chyba się poprawiło, ale do normalności ciągle daleko. Słyszałam nawet, że ostrzelano komendę straży pożarnej numer dziewięć, szesnaście i czterdzieści jeden. Ludzie zaczynali strzelać, gdy wozy wyjeżdżały na ulice.

Więc jeśli zachowuję się dziwnie albo nerwowo, to przepraszam, bo nie wiedziałam, czy pan Taki-A-Taki jest cały i zdrowy, czy go jeszcze zobaczę, a kobiety czasem dziwnie postępują, jak nie wiedzą, czy zobaczą kogoś, kto jest dla nich ważny. A przynajmniej tak powiedziała *mi abuela*, a ona znała się na wielu rzeczach, zwłaszcza na kobiecości.

– Proszę się nim zająć – mówi pan Taki-A-Taki.

Nie wiem, kogo ma na myśli, ale wiem, że w tej chwili następny strażak wymaga pomocy lekarskiej. Zapytam później Stacy, jak on już sobie pójdzie. Pan Taki-A-Taki znowu spuszcza trochę głowę i zanim zdąży spojrzeć w głąb korytarza, skąd przyszedł – zawsze tak robi – mówię do niego:

– Musi pan już iść.

Patrzy na mnie, jakby był zdziwiony, skąd to wiem, a ja tylko uśmiecham się lekko, mając nadzieję, że zrewanżuje się tym samym. Nic z tego.

– Niech pan tam uważa na siebie – dodaję.

Kiwa głową i odchodzi. Nie ogląda się. Próbuję nie brać tego do siebie, ale czuję lekkie ukłucie w piersi. Z odległości kilku kroków dostrzegam zakrzepłą krew na jego karku i od razu chcę wyciągnąć rękę, przytrzymać go, zbadać, upewnić się, że nic mu nie grozi, że to nie jego krew, ale wiem, że nie mogę – że byłoby to dziwne zachowanie – więc z moich ust dobywa się zgnębione, rozżalone, niespokojne westchnienie, a potem ruszam w swoją stronę.

2

Żeby zająć myśli czymś innym, idę tam, gdzie miałam iść wcześniej, a więc na OIOM, bo powinnam sprawdzić stan pacjenta po operacji neurochirurgicznej. Przywieźli go z dziurą w lewym policzku, a wyniki badań toksykologicznych przekroczyły wszystkie normy. Uwaga, ten człowiek został postrzelony pod kątem od tyłu, kula przeszła przez policzek i wyszła otwartymi ustami, więc nie ma rany wylotowej, ale gdy go przywieźli, nie dawał oznak życia i nikt nie mógł zrozumieć, dlaczego tak jest. Sprawa wyjaśniła się dopiero wtedy, gdy zrobiliśmy mu rezonans magnetyczny i znaleźliśmy guz mózgu.

– To cud – stwierdził lekarz prowadzący. – Ten skurwiel ma w płacie czołowym guz wielkości piłki golfowej, a w organizmie tyle kokainy, że wykończyłoby konia, ale rusza się i łazi po mieście? Gdyby go nie postrzelili w głowę, być może nigdy byśmy go nie przebadali. Są rzeczy, o których się nie śniło filozofom, siostro.

Nie wiem, co znaczą ostatnie słowa, ale wiem, że operacja przebiegła idealnie. Guz umiejscowiony był powierzchniowo i został usunięty wraz z częścią normalnej tkanki dokoła, a teraz pacjent leży na moim oddziale, do mnie zaś należy odegranie roli nieludzkiej zołzy, czyli wypisanie go jak najszybciej, bo mamy pacjentów, których musimy trzymać na krzesłach w poczekalni. W normalnych okolicznościach przeleżałby u nas dwa albo trzy dni, ale rozruchy i stan wyjątkowy to nie są normalne okoliczności.

Odgarniam zasłonę i widzę, że nie śpi. Na twarzy ma gazę i plaster, zakrywające cały policzek, a na czaszce szwy, czarne od zakrzepłej krwi. Na karcie pacjenta najpierw zapisano „N.N.", nazwisko nieznane, ale potem ktoś to przekreślił i poprawił na „Antonio Delgado". Ten mężczyzna wygląda ładnie w pewien opłakany sposób, przynajmniej do momentu, gdy otworzy usta. Facet w typie niektórych dziewczyn. Ale nie w moim. Już nie.

– Cześć, siostro – mówi, psując dobre wrażenie. – Cześć. Na imię mam Antonio. Annn-too-nioo. Ale ci, co mnie dobrze znają, nazywają mnie Lil Creeper.

Chichocze w reakcji na własne słowa. Naprawdę rozśmieszył sam siebie. To chyba dobry znak, zaaplikowana morfina działa.

Wrócił patolog i powiedział, że to był gwiaździak niskozróżnicowany, złośliwy jak cholera. Ale został wcześnie wykryty, a to dobrze, bo w przeciwnym razie facet mógłby umrzeć w ciągu roku albo nawet szybciej. No więc wychodzi na to, że ten postrzał uratował mu życie. Niebywałe. Jak to jest, że takie wstrętne karaluchy mają szczęście, a dobrzy ludzie pokroju Ernesto – pecha? Nigdy tego nie zrozumiem.

Najpierw sprawdzam ciśnienie wewnątrzczaszkowe, które jest normalne jak na ten stan, a potem ciśnienie krwi. Sto trzydzieści dziewięć na dziewięćdziesiąt, więc trochę podwyższone, ale w zasadzie idealne, bo oznacza, że poprzez opuchliznę dotrą do mózgu substancje odżywcze.

– Serce pewnie szybciej mi bije, bo jesteś przy mnie. Może powinnaś zmierzyć jeszcze raz?

Akurat. Wypuszczam powietrze z mankietu, ściągam mu go z ręki i świecę latarką w oczy. Źrenice reagują, zwężają się idealnie, symetrycznie. Normalnie może byłby mały problem, ale w tych warunkach chory czuje się na tyle dobrze, żebym przekazała go pod opiekę ambulatoryjną, gdy tylko stan będzie stabilny przez całą dobę, a według mojego rozeznania nastąpi to za dziesięć godzin. Zapisuję to, gdy nagle dopada mnie niemiłe uczucie. Przecież ja znam tego pacjenta.

To ten mały ćpun, który w zeszłym roku bez powodu ukradł pani Nantakarn całą porcelanę, bo przecież nie da się jej sprzedać za żadne porządne pieniądze, no i tydzień później musiała ją odkupić na pchlim targu. On i mój brat byli z tego samego rocznika w szkole. Na pewno się znają. Oczywiście nie zamierzam o tym wspominać.

– Tak ci się przyglądam – mówi. Mruży oczy, jakby natężał szare komórki. – Ja cię znam.

No po prostu wspaniale! Już czuję, że wyłazi na wierzch ta część mnie, którą nauczyłam się ukrywać w pracy. Sama obecność tego kretyna przywołuje we mnie moją dzielnicę. Nie czekam, żeby skojarzył, skąd się znamy, przystępuję do ofensywy:

– Tak? Ja też cię znam. Po coś ukradł w zeszłym roku te ładne talerze?

Uśmiecha się, jakby został przyłapany, ale nie traci rezonu. Zaczyna kręcić:

– Nic nie ukradłem, starsza siostro Sleepy'ego. Nigdy w całym życiu. Taki zarzut to obraza.

Posyłam mu spojrzenie mówiące, że znam go na wylot, więc niech wciska taki kit jakiejś innej dziewczynie.

Widzi to i twarz mu się zmienia. Jakby smutek i bezbronność. Waham się, więc to wykorzystuje:

– No dobra, coś jedno bym ukradł.

Podpucha. Widzę tę jego ściemę na kilometr. Gdybyście też wychowali się w mojej dzielnicy i zadawali z nieodpowiednimi facetami, połapalibyście się tak samo jak ja. Łatwo nie było, ale uczyłam się na błędach. Wszystkich tych kolesiów, którzy źle mnie potraktowali, łączy to, że potrafili świetnie kłamać, a ja byłam głupia i to łykałam. Więc teraz, w sytuacji z tym małym gnojem, kładę rękę na biodrze, jakbym chciała powiedzieć, że nie mam czasu na takie bzdury. Bo rzeczywiście, dla takich typków nie mam czasu i już nigdy nie będę go miała.

Wydaje mu się, że jest strasznie obcykany w te klocki, ale robi za długą przerwę. Odwracam się, żeby odejść.

– Skradłbym twoje serce.

Z ust natychmiast wyrywa mi się piskliwy chichot, aż sama jestem trochę zaskoczona. Prawie jak warknięcie. Ten chłopaczyna nie zdobyłby mojego serca nawet wtedy, gdyby mi je wykroił nożem. Bo ono bije dla kogoś innego, tym razem dla dobrego człowieka, mimo że on sam może jeszcze o tym nie wie, a nawet gdyby wiedział, nie obchodziłoby go to, chociaż w duchu mam nadzieję, że byłoby inaczej.

Chyba przystaję na moment, a ten dzieciak – dzieciak, wszystkiego dziewiętnaście lat – błędnie to interpretuje. Myśli, że to z jego powodu!

– Ej no – mówi pewny siebie. – Zabiorę cię do lokalu Sama i tak dalej! Dobry w tym jestem. Zamówisz sobie stek i krewetki, taki ze mnie facet. Będę cię dobrze traktował.

Phi, jakby ten gnój wiedział, co znaczy dobrze traktować kobietę. Gdybym nigdy nie wystawiła nosa z naszej dzielnicy, może bym się na to nabrała, ale wystawiłam, więc się nie nabieram. Poza tym żadna szanująca się dziewczyna nie chce iść do Hofbrau Sama. Ten lokal oficjalnie nazywa się kabaretem dla dorosłych, ale tak naprawdę to obskurna speluna z ordynarnym striptizem, pizzą i mrożonym żarciem, z dziewczynami z getta trzęsącymi w stanie przedcukrzycowym grubymi tyłkami. Mój brat mówi, że odchodzi tam gangsterska lanserka i szpanowanie forsą, jakby byli nie wiadomo kim.

– Nie, dzięki – odpowiadam.

– Przegapiasz świetną okazję.

Wieszam jego kartę na łóżku i wtedy dociera do niego, że jestem nieosiągalna, więc próbuje mi nucić *Rock Around the Clock*, tyle że używa innego słowa, takiego, którego *mi abuela* zabroniła używać, bo oznacza penisa.

Jak się poznało tylu paskudnych facetów co ja, to docenia się tych dobrych, dostrzega, jak rzadko się trafiają. Tak rzadko, że czasem się wydaje, że spotkamy tylko czterech albo pięciu w całym życiu, a wśród nich może z dwoma mamy szansę się związać. Miałam szansę z Ernesto – był porządnym facetem, dobrym nie tylko w ogóle, ale dobrym dla mnie – jednak zdarzyło mi się to w wieku, kiedy człowiek jest jeszcze głupi. Może pan Taki-A-Taki będzie moją drugą szansą? Mam nadzieję, bo już dużo czasu upłynęło między tymi dwoma. Za dużo.

Dmucham na kosmyk włosów, który przylepił mi się do policzka, ale to nie pomaga. Dalej jest przyklejony. Patrzę na zegarek. Jestem na nogach od dwudziestu dwóch, nie, dwudziestu trzech godzin i teraz zaczynam się pocić, tak jak to się dzieje, gdy człowiek sterczy za długo w jednym miejscu, więc palcami wskazującymi zaczesuję włosy z czoła i oplatam je z tyłu małą czarną gumką, którą na wszelki wypadek zawsze noszę na nadgarstku. Najpierw zbieram włosy w ogon, a potem zawijam je w pętelkę z tyłu głowy.

Idę parę metrów korytarzem i nagle postanawiam się pomodlić. Zerkam przez ramię, żeby się upewnić, że z tyłu nie nadjeżdża żadne łóżko szpitalne ani wózek, zatrzymuję się i opuszczam głowę. Biorę w palce mój srebrny krzyżyk, który mam na szyi. „Mój" to brzmi dziwnie, bo dała mi go przed śmiercią *abuela*. Zostało mi po niej zaledwie kilka rzeczy, parę sukienek – bo tylko na mnie pasują – wszystkie obszyte koronką, tradycyjnie długie i niebieskie, bo tylko ten kolor nosiła – a ten krzyżyk to jedyna biżuteria, jaką mam. Moje młodsze siostry i krewniaczki dostały turkusy – pierścionki i naszyjniki. Ten krzyżyk babcia lubiła najbardziej, dlatego ma takie szczególne znaczenie. Nie modlę się z nim przez cały czas, tylko wtedy, gdy czuję silną potrzebę.

Słyszę szum jarzeniówek nad głową i skrzypienie butów w korytarzu, ale to nic, modlę się za swojego młodszego brata, żeby nie skończył jak Ernesto Vera w zaułku za domem, potem modlę się za duszę Ernesto, bo leżał tam tak długo, dłużej, niż wypada. Rozkręcam się, więc dodatkowo modlę się za strażaka Anthony'ego Takiego-A-Takiego, żeby mu się nic nie stało, żeby wrócił i znowu był dla mnie miły, żebym mogła wywołać uśmiech na jego twarzy i dojrzeć dołeczek. Bardzo chciałabym go jeszcze zobaczyć, a jeśli to się stanie, może starczy mi odwagi, żeby dać mu do zrozumienia, że gdyby chciał mnie kiedyś zaprosić na kawę, to chętnie bym poszła, no wiecie, kiedykolwiek.

Wsuwam krzyżyk z powrotem pod karczek, a ponieważ czuję się trochę głupio, rozglądam się na boki, żeby sprawdzić, czy nikt mnie nie widział.

ANTHONY SMILJANIC
KIEROWCA-RATOWNIK STRAŻY POŻARNEJ

1 MAJA 1992

2.41

1

Dojeżdżamy na miejsce w ślepej uliczce, widzę, że na końcu pali się to jak fajerwerk, i od razu mam złe przeczucia. Pobliskie domy robią się pomarańczowe od płomieni. W tej chwili myślę, że to chyba najlepsze miejsce na zasadzkę, jakie można sobie wyobrazić. Jedziemy do pożaru, a ja mam oczy dookoła głowy. Jest tak, od kiedy rozpocząłem zmianę, a to, co widzę, bardzo mi się nie podoba. Obok na trawnikach stoją gapie po dwóch, trzech – czarni, w kapturach i z durnymi bandanami na głowach.

Z tyłu siedzą Suzuki i Gutierrez, obok mnie – Wilts, dowódca sekcji. On też jest czarny, ale to nie znaczy, że podoba mu się ten tłumek. Mówię mu, że to nie za dobrze wygląda, więc łączy się z dowódcą plutonu i melduje, że na ulicy jest za dużo ludzi, że udają, jakby w ogóle nie byli nami zainteresowani. Przywykłem już do wrzasków, nawet do tego, że rzucają w nas kamieniami, ale nie do takiej ciszy. Ze trzydziestu ludzi patrzy na nas jak na obiad na kółkach, jednak dowódca plutonu mówi, że mamy polegać na naszej eskorcie, a sekcyjny kiwa na to głową, no więc jadę dalej. Wykonuję rozkazy – na tym polega moja służba: kieruję wózkiem i sikam – ale nie muszą mi się one podobać, po prostu ma być woda w kiszkach.

Pilnują nas dwa radiowozy drogówki, oba z hrabstwa Ventura, przysłane w ramach współpracy służb. Są w porządku. Nie nawykli do takiej roboty jak nasza, ale są okej. Nie byli szczęśliwi, gdy usłyszeli, że cywile do nas strzelają, że regularnie szatkują nam sprzęt i wybijają okna. W typowej akcji pożarniczej wysyłamy strażaka do hydrantu. Strażak otwiera hydrant i sikamy. Ale odkąd trzydzieści godzin temu wybuchły rozruchy, w całym Southland widzimy to samo: wysyłasz do hydrantu jednego gasiora, ludzie go zaczepiają, wysyłasz dwóch, ludzie ich zaczepiają; więc żeby w końcu odkręcić kurek, potrzebujesz wsparcia dwóch radiowozów blokujących ulicę z obu stron. Wtedy robi się okej, ale i tak najlepiej, gdy policjanci od razu wyciągają broń.

Tutaj mamy ślepy zaułek w osiedlu ruder stojących bardzo blisko siebie. Stara zabudowa, z lat pięćdziesiątych, to pewnie były kwatery dla pracowników fabryki samolotów, takich jak ci od Lockheeda, dla tych, co się zjawili po drugiej wojnie światowej. Teraz to wszystko się rozlatuje, farba odłazi, wiaty samochodowe pozapadane, a auta stoją na cegłach. To na północ od mojej dzielnicy, pięćdziesiątkisiódemki, więc nawet nie wiem, czy to teren Bloodsów czy Cripsów, ale na pewno czyjś. Ludzie coś za bardzo filują, żeby to była ziemia niczyja, co gorsza, ciągną do pożaru – i do nas – jak leniwe ćmy. Ale w tej chwili to nie moja sprawa.

Moją sprawą jest zaułek. Gdybym chciał ściągnąć strażaków do miejsca, z którego trudno się wydostać, to rozpaliłbym ogień właśnie tutaj. Operacyjnie rzecz biorąc, ze ślepym zaułkiem można zrobić tylko jedno – odciąć wylot. Problem polega na tym, że to zarazem jedyna droga wyjazdu dla nas. Do mnie należy dbanie o drogi ewakuacji, o właściwe parkowanie, żebyśmy mogli zwinąć się i odjechać bez marnowania czasu. Żadnych zawrotek na trzy. Szybki wjazd i wyjazd. Tutaj tak nie da rady i zaczynam się denerwować, bo wyjechać możemy tylko tak, jak wjechaliśmy, no ale trudno, dowódca kazał opanować pożar, więc się podpinamy, rozwijamy dwie kiszki i uruchamiam zawór. Mamy dwuipół- i półtoracalowy wąż. Trzyipółcalowy straciliśmy, bo parę godzin wcześniej interweniowaliśmy w pobliżu Slauson, gdzie zebrał się agresywny tłum, ale jak ruszyliśmy tutaj, wszystko poszło gładko.

Mamy pięć wozów, więc szybko gasimy. Ciągle się dymi, ale zaczynamy się zbierać. Standardowe procedury nakazują zostać do samego końca, aż jest tylko wystygły popiół, bo gdyby nastąpił ponowny zapłon, to ty i twój zastęp dostalibyście nieźle po dupie. W przypadku stanu wyjątkowego sprawa wygląda inaczej. Wyciągamy węże, sikamy, zbijamy płomienie, zwijamy się i odjeżdżamy, bo gdzieś jest inny pożar, a nawet dziesięć, które trzeba ugasić. Jak człowiek wejdzie w rytm, to się nawet robi zabawnie.

Na przykład dziś nie mamy wezwań w ramach ratownictwa. Jest tak, od kiedy to się zaczęło. To prawie jak nagroda. Dzisiaj nie jesteśmy służbą ratowniczo-gaśniczą, tylko gaśniczą. Polewamy wodą. Dlatego wozy szybko wracają do baz, a ci świętsi od papieża ratownicy z karetek wreszcie muszą się przestać opierdzielać.

Nie odrywam oczu od tłumu, gdy nagle dowódca nakazuje odjazd. Ludzie stłoczyli się przy wylocie ulicy, a to niedobrze. Błyskawicznie sprawdzam, czy moja beczka jest pełna wody z hydrantu, po czym odłączam wąż i łapię Gutierreza. Obaj ładujemy półtoracalową kiszkę. W normalnych okolicznościach zwinęlibyśmy ją porządnie, ciasno, ale nie ma czasu na takie popisy. Teraz chodzi tylko o to, żeby wykonać robotę, bo następna czeka dwa, trzy przystanki dalej. Priorytetem jest szybkość, a nie procedury. To wszystko kłóci się z tym, czego nas uczono, i to właśnie jest piękne. Wolność, ot co. Czułbym się jednak jeszcze lepiej, gdyby tłum nie stał tak blisko. Za każdym razem, kiedy patrzę w tamtą stronę, mam wrażenie, że powiększa się i przybliża.

Kiwam głową do Gutierreza, więc wie, że ma się śpieszyć jak cholera. On też widzi tamtych. Szybko podnosimy dwuipółcalowy i ładujemy go do środka. Na moment opieramy go na tylnej klapie, wreszcie dźwigamy wyżej, żeby go ułożyć w schowku, a policjanci wsiadają do radiowozów i torują nam drogę, żebyśmy wszyscy mogli wyjechać, ale wtedy dociera do mnie, że coś jest nie tak. Gdy tylko zatrzaskują się drzwi radiowozów, w naszą stronę leci lawina śmieci, a zaraz potem z ciemności atakują sylwetki.

Kto wie dlaczego? Wąty na tle rasowym? Wąty do straży? Proszę mi wybaczyć, że nie zastanawiam się dalej nad motywacją pieprzonych gangsta, bo muszę rzucić wąż w cholerę i zrobić unik przed kamieniem wielkości piłki baseballowej. Kamień wgniata karoserię z tyłu i upada na asfalt. Podnoszę głowę i widzę, że ktoś dopadł Gutierreza próbującego wydostać nogę uwięzioną pod wężem. Rzucam się do przodu, żeby zaatakować skurwiela, ale jestem za wolny. Wielki czarny ceha zbudowany jak futbolista wali mojego kumpla w twarz pękniętym pustakiem.

Widzę minę tego gnoja, przejęcie i obrzydliwą radochę; widzę, jak ten kawał pustaka spada w zwolnionym tempie; w żołądku czuję ten odgłos, gdy następuje uderzenie gruchoczące podbródek, ohydne chrupnięcie strzaskanej żuchwy. Gutierrez wyje chrapliwie, a ja wpadam z rozpędu na uśmiechniętego czarnego ceha, akurat jak się wyprostowuje, aż się potyka o krawężnik i leci na mordę w trawę. Nie jestem najwyższy na świecie, ale natarłem całym ciałem. Nie wiem, co jeszcze bym zrobił, bo nagle policjanci z tyłu wyciągają broń i oddają strzały ostrzegawcze, w efekcie czego gnój ucieka jak zając. Gdy biegnie, zauważam bliznę połyskującą na jego ramieniu, jakby miał kiedyś operację czy coś.

– Zastrzelcie go! – krzyczę. – Zmasakrował Gutesa! Zastrzelcie go!

Nic z tego. Pozwalają mu uciec przez płot. To mnie wpienia, ale nie mogę teraz marnować energii.

Spoglądam w dół, żeby ocenić stan Gutierreza. Jest niedobrze. Bardzo niedobrze. Obok mnie staje sekcyjny. I Suzuki.

– O cholera – mówi ten drugi. – Trzymaj się, Gutes!

W dziurze ziejącej w twarzy widzę język, wywijający się, jakby chciał się wyrwać i uciec. Reszta wygląda jeszcze gorzej, bo żuchwa wisi, kompletnie wybita z lewego stawu, tak bardzo, że widzę biel zębów trzonowych.

Na ten widok serce mi zamiera. Ściągam kurtkę i zrywam z siebie koszulę – bo wydaje mi się, że w apteczce nie ma nic odpowiednio dużego – zwijam ją i wciskam między jego ramię a szczękę, potem lekko wykręcam mu głowę, żeby unieruchomić żuchwę.

– Przytrzymaj przez chwilę – zwracam się do Suzukiego.

Sekcyjny biegnie do radia, a my dwaj łapiemy Gutierreza i niesiemy go do szoferki. Nie mamy czasu na unieruchomienie kręgosłupa szyjnego. Jedyne, co możemy zrobić, to użyć rąk do podparcia, jak będziemy stąd wypierdalać. Oddycham szybko i głęboko, bełkoczę coś, przepraszam wszystkimi słowami, jakie przychodzą mi do głowy, mówię Gutesowi, że jest mi kurewsko przykro, tak strasznie przykro, że ten kretyn policjant nie ustrzelił gnoja na miejscu, przykro, że nie posłuchałem swojej intuicji, żeby zostawić tę kiszkę w cholerę; że gdybyśmy przy poprzedniej akcji nie stracili trzyipółcalowej, to teraz łatwiej byłoby mi machnąć ręką, jak ta leżała na trawie, i nie ładować, ale nie chciałem jechać do następnego pożaru bez choćby jednego porządnego węża ssawnego, i jak to teraz brzmi idiotycznie, niewarte tego wszystkiego, co zrobiliśmy. W ogóle niewarte.

Suzuki i ja sadzamy Gutierreza z przodu. Przechylamy go szybko na oparcie, ja wyskakuję i obiegam wóz, żeby wsiąść z drugiej strony. Suzuki robi to samo, ładuje się z tyłu, otwiera szerzej okienko, żeby podeprzeć Gutierrezowi szyję. Sekcyjny też już siedzi z tyłu, wisi na radiu.

– Mamy rannego strażaka – mówi do mikrofonu.

– Powtórz – odpowiada zastępca dowódcy plutonu.

– Jakiś bandyta zmiażdżył Gutierrezowi twarz cegłówką! – słyszę nagle własny krzyk.

Sekcyjny ignoruje mnie i powtarza to, co powiedział przed chwilą. Policjanci już przepędzili tłum. Przeczesują we czterech ulicę i trawniki, szukając maruderów, ale my nie mamy na to czasu. Wrzucam bieg.

– Jaki jest stan? – pyta teraz dowódca. Musi wiedzieć.

Mój wóz jest pierwszy i powinienem zaczekać na policjantów, żeby nas eskortowali, ale nie zamierzam. Prawą ręką podtrzymuję to, co zostało ze szczęki Gutierreza, bo moja koszula mu się zsunęła; a Suzuki podpiera mu szyję. Lewą ręką zaś włączam światła i syrenę, wciskam pedał gazu i ruszam.

– Bardzo poważny – odpowiada sekcyjny.

Nie mówi jednak, że Gutierrez ma wyrwę w twarzy, poprzestawiane zęby, a o reszcie lepiej nie wspominać.

Gutierrez jest z pięćdziesiątkisiódemki – to jeden z nas, najgorszy kucharz pod słońcem. Trzęsie się, gdy próbuję utrzymać jego twarz w całości; właściwie dygocze. Jest w szoku. Mruczy coś o tym, że powinienem zadzwonić do jego żony i powiedzieć jej, że nic mu nie jest, mruczy, żebym się nie martwił, że to jego wina, bo mu noga uwięzła. Czuję, że w trakcie mówienia jego język wylazł przez dziurę i ociera się o moją dłoń.

– Przestań gadać – mówię. – Cicho bądź.

– Harbor-UCLA – daje nam wreszcie wytyczne dowódca plutonu.

Zastępy strażackie w całym mieście donoszą o tym, że mieszkańcy blokują przejazd albo zatrzymują wozy, obrzucają je butelkami, puszkami, kamieniami – czymkolwiek. Tworzą kordony na skrzyżowaniach, trzymając się za ręce jak przedszkolaki, blokując ulice.

Gutierrez jęczy, a ja czuję drgania w kościach nadgarstka. Biorę bardzo głęboki wdech.

– Uprzedzam – mówię przez ramię do Wiltsa – że jak mi ktoś stanie na drodze, to rozjadę skurwysyna.

Nie ma odpowiedzi, słychać tylko modulowane wycie syren dobiegające z wozów jadących za nami. Są. Wszyscy.

– Rób to, co musisz – mówi w końcu sekcyjny.

2

Nikt nie staje mi na drodze – na szczęście dla tego kogoś. Cieszę się, na tyle, na ile można w tej sytuacji, bo i tak mam mocno obciążone sumienie. Suzuki ciągle podpiera Gutierrezowi szyję, a ten jęczy trochę przy oddychaniu. Udało mi się znowu wcisnąć mu koszulę pod brodę, więc szczęka jakby wisi na stawie. Dzięki temu mogę prowadzić prawą ręką, ale kierownica lepi się teraz od krwi, a to sprawia, że czuję nienawiść do siebie. To uczucie jeszcze się nasila, gdy słyszę, jak sekcyjny przekazuje przez radio szczegóły dla dowódcy plutonu.

Pierwszą dużą ulicą, do której dojeżdżamy, jest Vermont, więc odbijam w lewo, ale walę trochę za szybko i w trakcie skrętu tylne prawe koło mi bryka, a potem opada na asfalt z jazgotliwym hukiem, od czego dygocze cały wóz. Suzuki stęka, Gutierrez nie reaguje, a ja postanawiam odtąd bardzo uważać.

– Śpiesz się powoli – upominam siebie na głos.

Tak powtarzała moja eks. Właściwie to jedyna dobra rzecz, która mi po niej została, takie przypomnienie, żebym zachował spokój w gorączkowych chwilach.

– Dobrze jedziesz – mówi z tyłu sekcyjny.

Mijamy budynek Gwardii Narodowej, fortecę obłożoną workami z piaskiem, na rogu ulicy, na skraju parkingu przy supermarkecie, i nie mogę nie myśleć, że zrobiliby więcej dobrego, gdyby byli tam, skąd my wracamy, ale cholera, przecież wiem, że ich rola to w dużej części odstraszanie, a nie interwencje. Mimo wszystko byłoby miło, gdybyśmy ratowali osiedla przed spaleniem i jednocześnie nie byli atakowani przez mieszkańców, tych samych ludzi, którym próbujemy pomóc. Ale to chyba za dużo dobrego, co? Pierdolone bestie.

Radiowóz grzeje teraz obok mnie. Pewnie myślą, że to moje miasto, więc wiem, gdzie jadę; no i dobrze, bo rzeczywiście wiem. W ten sposób dają mi też znak, że to ja prowadzę kolumnę, a to dobra wiadomość, ulice są na tyle puste, że mogę to robić, co mnie dziwi, bo byłem pewien, że godzina policyjna nie odniesie skutku, skoro miasto dostało szału.

Skręcam w lewo w Gage, ale tym razem wolniej, czterema kołami przyklejony do asfaltu. Potem ostry gaz na Harbor Freeway. Zjazd mam na Carson, grzeję teraz ponad dziewięćdziesiąt na godzinę, dziewięćdziesiąt pięć, może sześć. Lepiej nie przekraczać tej granicy, jak się wali wozem z pełną beczką o pojemności dwóch tysięcy dwustu litrów i dwustudwudziestolitrowym zbiornikiem paliwa, i to nieważne, ile akurat jest w środku. Na miejscu będziemy za pięć minut. Podjedziemy i wszystko będzie dobrze. Opadną go jak osy, w tych swoich kitlach, zabiorą go i pozszywają.

Śpiesz się powoli, upominam siebie w duchu.

To wcale nie znaczy, że zwalniam, ale pomaga mi opanować nerwy. Chciałbym się odegrać na gnoju, który to zrobił. Chcę go odnaleźć, tego z blizną na ramieniu, i przestrzelić mu oba kolana. Próbuję sobie przypomnieć, jak wyglądał ten gangsta, ale co kilka sekund zerkam na Gutierreza, żeby sprawdzić, czy się trzyma. Nie potrafię sobie nawet wyobrazić, jaki ból powoduje chociażby najmniejszy nacisk na szczękę. Twardy z niego sukinkot. Wszystkim będę o tym opowiadał, kiedy wyzdrowieje. Każdemu. Pewnego dnia to będzie po prostu temat do pogadania. Jak anegdota z wojny.

Może byłoby też lepiej, gdyby nasz ratownik medyczny nie był akurat z ekipą z czterdziestej szóstej. Przydałaby się jego pomoc. Sanitariusze z sił specjalnych marynarki wojennej od lat robią nam nieoficjalne szkolenia, bo wojskowi uważają, że to najlepszy sposób zapoznania się z „urazami bojowymi": tępy uraz, rany postrzałowe i kłute, urazy w wyniku wybuchu – w L.A. chyba trafia się tego więcej niż gdziekolwiek indziej w Ameryce. To nasza prywatna strefa wojny i właśnie kolejny niewinny człowiek padł jej ofiarą.

Utrata krwi daje się już Gutierrezowi we znaki. Co chwila zamyka oczy, ruch jak powolne wycieraczki na szybie.

– Ale zaliczyłeś koniec zmiany, bohaterze – mówię na tyle głośno, żeby zagłuszyć syrenę, choć i tak nie wiem, czy mnie słyszy. – Będziesz miał co opowiadać po powrocie na Hawaje.

Na te swoje słowa czerwienię się jak burak i robię się taki malutki, bo co to za bohaterstwo wykonywać swoją robotę i zostać zaatakowanym przez bandytę wielkości szafy? Co jest bohaterskiego w próbie obrony własnego życia, w dodatku nieudanej? Nic.

Kręcę głową i sprawdzam mu tętno. Wolne, ale jest.

Jeszcze trzy minuty, myślę.

Autostrada jest prawie pusta. Nie ma nic innego do roboty, jak gapić się na nowe czerwono-niebiesko-czarne graffiti głoszące: „HWDP", „Jebać Gwardię Narodową", „Zabić białych", i próbować nie brać tego do siebie, bo jestem teraz wóz strażacki i grzeję szybko. Mijamy dwa samochody policyjne z włączonymi kogutami, jadące w przeciwną stronę, ale to tyle. Nigdy czegoś takiego nie widziałem.

Gutierrez dojeżdża do pracy jak niektórzy. W okresie próbnym trzeba mieszkać w granicach miasta, ale potem można się przenieść gdziekolwiek. Jak się robi na zmiany i ma się dobre stosunki z dowódcami, to można sobie ułożyć grafik, jaki nam odpowiada. Jedyny kłopot to morale, bo gdy jest dużo strażaków zamiejscowych, to może się to odbijać na służbie, ale, jak mówię, dowódcy o tym decydują. Nasz Wilts jest w porządku. Mamy strażaków z San Francisco, San Diego i Vegas, ale najdalej mieszka właśnie Gutierrez. Na Maui, nad zatoką Napili, z żoną i synem chodzącym do drugiej klasy. Do pracy lata samolotem.

Jasna cholera. Wiecie, jak czasem pod wpływem chwili człowiek o czymś zapomina, a potem nagle mu się przypomni i robi się jeszcze gorzej? No właśnie, tak się poczułem, gdy przypomniałem sobie o żonie i dziecku Gutierreza. Na imię mają Kehaulani i Junior. Właściwie Junior to przezwisko. Bo imię ma po ojcu. Następne pokolenie. Ładny dzieciak, duże brązowe oczy, po matce. Poznałem ich w tym roku, bo wybierali się do Disneylandu, pierwszy taki wypad tego dzieciaka. Na komendzie Junior spytał mnie, czy chcę zobaczyć, co zamierza dać Wróżce Zębuszce, a gdy kiwnąłem głową, wskazał palcem swoje usta i odsłonił chwiejący się mały biały ząb. Pstryknął go w jedną i drugą stronę jak włącznik światła. Potem zachichotał i spytał, czy Myszka Miki też będzie chciała go zobaczyć.

Znowu sprawdzam tętno ojcu Juniora. Takie samo.

– Oby wszystko było dobrze – mówię.

W tej chwili jestem megawkurzony na tę ławę przysięgłych. Jestem wkurzony na wszystko, ale na nich szczególnie. Chociaż jeden mógł zostać uznany za winnego. Wtedy to by się nie wydarzyło. Mogli nam przynajmniej dać jakiegoś kozła ofiarnego, ale nie. Teraz całe miasto za to płaci, a Gutes płaci najdrożej.

Gutierrez pracuje na zmiany, więc jeden miesiąc jest na służbie, drugi ma wolny. W kwietniu pracował, więc maj ma luźny. Gdyby nie wybuchły rozruchy, nie zostałby na dyżurze, tylko przespałby nockę na bazie i złapał najwcześniejszy lot. Wiem o tym, bo parę razy odwoziłem go na lotnisko. Każdy strażak ma drugą fuchę, to z powodu mnóstwa dni wolnych. Poza służbą Gutierrez zajmuje się handlem nieruchomościami. Z tego, co wiem, całkiem dobrze mu idzie. Najbardziej dołuje mnie teraz to, że kiedy zmasakrowano mu twarz, formalnie powinien mieć wolne.

Jasna cholera. Ta myśl nie daje mi spokoju. Nakręca się we mnie poczucie winy i wcale się przed tym nie bronię. W młotkowaniu siebie jestem najlepszy. Nikt nie umie tego robić lepiej. Może tylko moja matka, z tym jej samobiczowaniem się. Jako chorwaccy katolicy mamy tak od urodzenia. To konkretne poczucie winy zaczyna się jako kłucie w brzuchu. Rozchodzi się gorącem ze środka, aż do palców nóg i rąk i z powrotem. Wmawiam sobie, że to wszystko moja wina, że nie powinniśmy byli zabierać tego węża, że powinienem był posłuchać swojej intuicji, bo wtedy Gutierrezowi nic by się nie stało. Cały i zdrowy wróciłby do domu, do rodziny. Ale już za późno. Za późno.

3

Dowódca plutonu uprzedził ich przez radio, żeby czekali na nas przed wejściem na oddział ratunkowy, więc kiedy podjeżdżam, cztery kitle już wytaczają wózek. Przechylam się i dociskam mocniej koszulę Gutierrezowi do twarzy, a tamci bardzo powoli uchylają drzwi i pojawia się sześć rąk, które najpierw podpierają go, a potem otwierają drzwi na całą szerokość i ostrożnie go wyjmują.

– Trzymamy – mówią do mnie.

Nie chcę puścić, ale powtarzają, więc w końcu zabieram rękę.

Przez moment siedzę tylko i patrzę, jak kładą go na wózek, zapinają mu kołnierz ortopedyczny, potem zakładają mu maskę tlenową na twarz, uświadamiając sobie, że robota nie będzie taka łatwa, jak sądzili. Ruszają, wwożą Gutierreza przez drzwi, a ja czuję, jakby mi wyrwano kawał ciała.

Chwytam kurtkę z kabiny, bo chodzenie w przepoconym i zakrwawionym podkoszulku wydaje mi się niestosowne, i jestem już w środku, gdy przychodzi mi do głowy, że łażenie w kurtce w szpitalu też będzie idiotyczne, ale już za późno.

Nie zdążam nawet mrugnąć okiem, gdy dobiega do mnie Wilts.

– Zajmą się nim – mówi. – My nic tu nie poradzimy. Słuchaj, dowódca chce, żebyśmy wracali na służbę. Przysyłają nam jednego z siedemdziesiątkidziewiątki. Podwożą go pikapem.

Nie możemy obsługiwać wozu strażackiego we trzech, więc za Gutierreza dostajemy zmiennika, żebyśmy ruszyli do akcji. Tak to funkcjonuje, mimo to boli.

– Muszę się odpryskać – mówię i oddalam się pod tym pretekstem.

– Dobra – odpowiada Wilts. Ma sterany głos. Idealnie pasuje do mojego samopoczucia.

W łazience dwa razy szoruję ręce. Puszczam gorącą wodę i sprawdzam w lustrze, czy nie mam śladów krwi. Mam. Do lewej brwi przyklejona zakrzepła kropla jak stary czerwony miód, kilka kropek na uchu, jedna nawet w środku. Skąd się to wzięło, nie mam pojęcia. Zmywam wszystko. Wycieram ręce chyba dwunastoma papierowymi ręcznikami, potem zapinam się pod samą szyję, bo gdybym ją spotkał, nie chciałbym, żeby zobaczyła krew na moim podkoszulku.

OIOM jest niedaleko. Wiem, gdzie i jak się tam idzie. Uznaję, że mam z dziesięć minut do przyjazdu nowego strażaka, i chcę ją zobaczyć, chcę dziś zobaczyć coś dobrego. Nic się przez to nie poprawi, ale może podtrzyma mnie na duchu. Nie wiem. Głupio to brzmi. Ale może to prawda? Mijam łysego skośnookiego portiera, wywijającego mopem, z walkmanem nastawionym za głośno i ze zdjętymi basami. Poznaję piosenkę, *To Be With You*, i aż kręcę głową, bo jest cholernie łzawa, aż czuję zażenowanie, bo jak ją usłyszałem w zeszłym tygodniu w radiu, pomyślałem o Glorii i musiałem pohamować wyobraźnię, bo może ona wcale nie czuje tego co ja.

Wyłażę zza rogu, dostrzegam ją w pobliżu stanowiska pielęgniarek i aż mi nogi drżą, więc muszę udawać, że to naturalne. W tej kobiecie jest coś wyjątkowego. Ciężko to wyjaśnić, ale to, jak chodzi, jak się nosi, widać, że kocha swoją pracę i jest stabilną osobą, kimś, na kim można polegać. Podoba mi się to. Jest inna od dziewczyn, wśród których dorastałem, które w ogóle nie interesowały się szkołą, wszystkie już mężatki od wielu lat. Do wzięcia zostały tylko te, które pracują za grosze w porcie, albo puszczalskie z San Pedro, dziesięć lat młodsze ode mnie, od życia chcące tylko tego, żeby po szkole średniej zostać hostessą w The Grinder i wyhaczyć faceta z legitymacją związku zawodowego pracowników portowych, bo wtedy będą mogły rzucić robotę, siedzieć w domu i niańczyć dzieciaki, oglądając telenowele, i dwa razy w roku spędzać urlop na wyspie Catalina – na słowiańskich Hawajach, jak nazywa to moja matka.

Myśl o Hawajach mnie osacza i znowu przypominam sobie o Gutierrezie, o tym, co mu się przydarzyło i jak mogłem temu zapobiec. Kiszę to w sobie. Myślę o tym, żeby znaleźć tego gnoja, który to zrobił, zaskoczyć go, żeby za to zapłacił.

Teraz muszę to w sobie zdusić, bo widzę, że siostra Gloria rozmawia z tą wysoką jasnowłosą pielęgniarką – jak ona ma na imię? Zapomniałem, ale ta dziewczyna jest jak szybkie przewijanie w magnetowidzie. Już przy drugim spotkaniu chciała się umówić na randkę i nie powiem, żeby mi to nie pochlebiło albo żeby nie była pociągająca, ale jednak trochę się zraziłem. Chyba jestem staroświecki. Lubię samemu zapraszać. Tak mnie wychowano.

W każdym razie wysoka blondynka widzi, że podchodzę, i wysyła siostrze Glorii umówiony sygnał – kiwnięcie głową – a ona się odwraca i patrzy na mnie – czasem tak na mnie patrzy, że nie potrafię powiedzieć, czy myśli, że jestem w porządku, czy mam jakiś feler. To takie spojrzenie jakby pomiędzy, którego nie umiem odczytać. Próbuję zmusić się do uśmiechu czy coś, ale ciągle myślę o swoich rękach na kierownicy klejącej się od krwi.

– Dzień dobry, siostro Glorio – mówię ciszej, niż zamierzałem.

Może to głupie tak się do niej zwracać na powitanie, ale nic na to nie poradzę. W mojej branży wszyscy mówią sobie po nazwisku, tutaj chyba też tak jest, bo na plakietkach personelu widziałem tylko nazwiska, bez imion. No więc jak się spotkaliśmy pierwszy raz i zwróciłem się do niej po nazwisku, Rubio, od razu poprosiła, żebym mówił jej Gloria, i wyrwało mi się „siostro Glorio", zanim zdążyłem pomyśleć, a ona się roześmiała i nazwała mnie „strażakiem Anthonym", i tak już zostało.

– Dzień dobry, strażaku Anthony.

Miło słyszeć, jak to mówi, bo brzmi swojsko. Nie uśmiecha się, więc ja też się nie uśmiecham. Nie wygląda na zadowoloną, że mnie widzi, ale na niezadowoloną też nie. Widzę, że głęboko w tych oczach coś się dzieje, nie wiem co, ale chciałbym się dowiedzieć. Ma kamienną twarz pokerzysty, aż czasem się zastanawiam, gdzie się wychowała, czy tam się ciężko żyło, bo odnoszę wrażenie, jakby mogła włączać i wyłączać w sobie to zahartowanie jak światło.

Spuszczam wzrok na swoje ręce i widzę, że nie zmyłem resztek krwi dokoła paznokci, więc wciskam dłonie do kieszeni.

– Z tego, co tu mamy, widać, że nie jest za fajnie. Co się dzieje na mieście? – pyta siostra Gloria.

Dotyka mnie palcami w ramię i szybko opuszcza rękę. Tak lekko, że mogłoby to być niechcący, ale mam nadzieję, że nie było. Przez chwilę czuję potrzebę, żeby jej opowiedzieć o tym ślepym zaułku i Gutierrezie, najzwięźlej, jak potrafię, ale z ust nie wychodzą żadne zdania ani nawet pojedyncze słowa, więc kończę tylko krótkim:

– Ech.

Jakbym utknął na jałowym biegu, a najgorsze jest to, że próbuję ruszyć z miejsca, wrzucić jedynkę, ale mój mózg ani drgnie. Co za jełop ze mnie.

Chyba pomyślała to samo, bo patrzy teraz uważnie, nie ocenia mnie, tylko jakby stara się ustalić, co ze mną jest nie tak. Prawie jakby mnie diagnozowała. W ten sposób mija niezręczna chwila, a ja gapię się na jej białe pielęgniarskie buty, wytarte od środka, jakby nieświadomie pocierała stopami, no i milczę, ona też. Tylko patrzy na mnie i wreszcie uzmysławiam sobie, że muszę przerwać tę ciszę, powiedzieć cokolwiek.

– Proszę się nim zająć – mówię.

Krzywię się lekko na te słowa. Ale ze mnie kretyn! Bez sensu, bo przecież do tej pory w ogóle nie powiedziałem jej o Gutierrezie, a to mi przypomina, że za długo tu sterczę; lecz nie mogę sklecić słów, żeby wyrazić, że cieszę się, że ją widzę, no więc nic nie mówię. Wszyscy na mnie czekają.

Muszę iść.

– Musi pan już iść – mówi siostra Gloria, jakby czytała w moich myślach. To rozstrzyga sprawę. Nigdy nie zagram w karty przeciw tej kobiecie, ale przyznaję, że mieć ją w swoim zespole to byłoby coś. Myśląc o tym, chyba przechyliłem trochę głowę, bo posyła mi lekki uśmiech, który blokuje we mnie wszelką odpowiedź, na jaką mogłoby mnie stać. – Niech pan tam uważa na siebie – dodaje.

Uprzejmy ton, a jednak brzmi to prawie jak polecenie – uprzejme polecenie – aż nie wiem, co odpowiedzieć, więc tylko jakby kiwam głową machinalnie i odchodzę. Jestem tak rozczarowany i zawstydzony naszą rozmową, że nawet nie oglądam się do tyłu. Wyciągam tylko ręce z kieszeni i patrzę znowu na paznokcie, na krew pod paznokciem palca wskazującego i serdecznego, i myślę o Gutierrezie i Juniorze, i o tym, że w ich domu niedługo zadzwoni telefon, chłopiec i matka dowiedzą się, co się stało, i przyśpieszam kroku.

4

Szufladkuję. Przyznaję się. Wszystko, co się niedawno stało, wkładam do jednej mentalnej szuflady, żeby ją zamknąć na klucz. Wracamy z wyłączoną syreną i tym razem nie jadę na czele. Wóz dowódcy zajął należne mu miejsce i to dobrze, bo nie działam w tej chwili na pełnych obrotach. Jestem w środku kolumny, chroniony z przodu i z tyłu. Mamy nowego faceta w zastępstwie Gutesa, nazywa się McPherson, i walimy znowu na północ, mała kolumna świateł kierująca się na autostradę. Dowódca podaje nowy adres przez radio, namiary na najnowszego zwycięzcę w naszej małej loterii strażackiej, ale nie za bardzo zwracam uwagę. Z całej siły próbuję domknąć szufladę z myślami o Gutierrezie i jego rodzinie, i o tym, jak kiepsko wypadło spotkanie z siostrą Glorią i co bym zrobił młotkiem z twarzą tego gangsta, więc tylko trzymam się szyku. Próbuję skupić się na czymś innym. Zastanawiam się teraz, ile budynków spłonie doszczętnie, bo mamy za mało wozów.

Wiecie, co jest śmieszne w tym wszystkim? To, co o tych podpaleniach mówią w wiadomościach. Faceci w telewizji ciągle nawijają, że nie mogą uwierzyć, że ludzie podpalają własne osiedla. Uważają, że to smutne, że to jakiś rodzaj prymitywnego, bezmyślnego gniewu. Wcale nie. To przeważnie zaplanowane, a motywacja może być trojaka: pretensja, chaos, ubezpieczenie. Ale to nie żadna oficjalna definicja ani nic. Po prostu tak myślę. Pretensja, gdy jeden facet z jakiegoś powodu nie lubi drugiego, więc wykorzystuje zamęt, żeby coś tamtemu zrobić; czyli nawet powody rasowe, że czarni atakują Koreańczyków, podpadają pod tę kategorię. Chaos, gdy człowiek rozrabia dla samej rozróby, gdy próbuje w ten sposób zatrzeć ślady przestępstwa albo ściągnąć służby ratownicze w jedno miejsce, żeby popełnić przestępstwo w drugim, a tak właśnie robią gangi. Robili tak przed rozruchami, robią to w trakcie i będą to robić potem. Właściwie szczerze powiem, że wcale nie wypatruję lata w tym roku. Cały ten syf, który się teraz dzieje, będzie się domagał odwetu, jeżeli nie w najbliższych dniach, to później, latem. Ostatnim i najbardziej prawdopodobnym powodem jest ubezpieczenie, bo jeśli prowadzicie interes w zapadłej części miasta i nie zarabiacie tyle, ile byście chcieli, ale macie ubezpieczenie od pożarów i od dawna płacicie cholernie duże składki, a pewnego dnia rasistowscy gliniarze zostają uniewinnieni i ta-da!, nagle pojawia się okazja, żeby podpalić własny sklep i na tym zarobić – a wystarczy zwalić winę na gangi i plądrujących bandytów – to czemu nie?

Kiedy usłyszałem o wyroku sądowym, siedziałem akurat z Charliem Carrillo na trybunie Peck Park w San Pedro. Carrillo jest z pięćdziesiątej trzeciej dzielnicy, ale chodziliśmy razem do szkoły i gramy razem w amatorskiej drużynie baseballowej.

Jestem łapaczem. To najważniejsza pozycja na boisku moim zdaniem. Można od biedy zagrać bez łącznika, jak ktoś się uprze, no wiecie, ośmiu na ośmiu, ale bez łapacza? Nie ma szans. Łapacz to stały element gry. Musi być przy każdym rzucie, musi być przy każdej zmianie miotacza. Bez niego nie ma gry. W każdym razie potrenowaliśmy trochę i usiedliśmy z włączonym radiem tranzystorowym.

No więc jak siedziałem obok Carrillo, w wiadomościach zaczęli podawać szczegóły uniewinnienia przez ławę przysięgłych Briseno, Winda i Koona i pomyślałem, że to ostatnie słowo, używane przecież do obrażania czarnych, jest dość nieszczęśliwym nazwiskiem w przypadku policjanta oskarżonego o przemoc na tle rasowym. Podali też, że przysięgli nie uzgodnili werdyktu w sprawie Powella, ale coś innego mnie zastanowiło.

Odpinam ochraniacze z nóg, odwracam się do Carrillo i mówię:

– Dlaczego dziennikarze tak trąbią o rasizmie tych gliniarzy? Briseno nie jest biały, prawda?

– Wydaje mi się, że chyba Briseño – odpowiada Carrillo. – A więc to Latynos.

Sam jest Latynosem, czyli wie.

– No dobra, ale to trochę nadużycie mówić, że jest biały, skoro nie jest.

– Pasuje do obrazu. Biali przeciw czarnym.

– Racja, ale to przeinaczanie faktów.

– Wielkie mi rzeczy – mówi Carrillo. – Cały czas tak robią. W tej branży nie obowiązuje żadna odpowiedzialność, wiesz przecież. W dniu, kiedy ktoś z telewizji będzie musiał relacjonować wydarzenia i wziąć za to odpowiedzialność, nikt już nie będzie chciał zostać dziennikarzem.

– Prawda – przyznaję – ale to w tej chwili nie ma znaczenia. Bo zaraz rozpęta się piekło.

Potem zadzwoniłem na komendę i spytałem, czy mnie potrzebują, ale powiedzieli, żebym przyszedł następnego dnia, tak jak mam w grafiku.

No więc się stawiłem, a wtedy piekło rzeczywiście już się rozpętało, i to tak, jak nikt się nie spodziewał. Oczywiście nie wiedziałem wtedy, że nasz szacowny czarny burmistrz, pan Tom Bradley, ma zamiar wystąpić w telewizji i stwierdzić, że czas wyjść na ulicę albo coś w tym sensie. Chłopaki na komendzie gadali o tym bez końca. Nie mogli uwierzyć. Poczuli się zdradzeni, jakby nas burmistrz wrzucił pod rozpędzony autobus, kiedy to powiedział – naraził nas na większe ryzyko – i rozumiem to, bo też się tak poczułem, ale jestem realistą. Rozruchy i tak by wybuchły. Myślicie, że ludzie siedzieli w domu, powstrzymując się, czekając, co burmistrz powie w telewizji? Ja też tak nie myślę. Cripsi wyszli na ulice, w okolicach Florence i Normandie, zanim Bradley zdecydował się pójść do studia.

Patrzę teraz na skutki rozpościerające się przed moimi oczami i przygotowuję się mentalnie do powrotu na front. Z mojej szoferki to wygląda, jakby Los Angeles przeżyło nalot. Jakby wybuchały bomby. Nisze pomarańczowego koloru po obu stronach stodziesiątki, niektóre w czarnej otchłani, tu i tam, bo pożary przerwały zasilanie w całym kwartale; i nie pierwszy już raz myślę, że tak właśnie wygląda piekło. Dziś nie ma gwiazd, nie było gwiazd już od dwóch nocy. Wzrok zatrzymuje się na baldachimie czarnego dymu zasnuwającym nieckę.

Sprawdzam zegary i melduję sekcyjnemu, że mam niecałą jedną czwartą baku, a jeśli tak jest u mnie, to – głosi niepisana prawda – tak samo jest u wszystkich. Sekcyjny podaje to dalej. Następuje kluczowy moment, bo dowódca plutonu musi zdecydować, czy tankujemy gdzieś po drodze i gasimy przez następne sześć godzin, czy walimy do bazy, żeby uzupełnić paliwo i sprzęt. Ale on tylko dziękuje przez radio za informację, więc nie wiem, do czego się skłania. Ma to określony podtekst – zamknij jadaczkę i rób swoje.

5

Nie musimy walić tak daleko, jak myśleliśmy; zostajemy odwołani ze Slauson i mamy zjechać wcześniej z autostrady, bo znajdujemy się bliżej innego pożaru. Płonie budynek przy Manchester i Vermont, pół przystanku autobusowego na południe. Robię swoje, jadę tam. Policja też robi swoje, ubezpieczając nas z obu stron, dzięki czemu mamy całą ulicę i, co ważniejsze, możliwość odjazdu w obu kierunkach. Staję na Vermont, przodem do Manchester, bo to najlepsza droga ewakuacyjna.

Jesteśmy przy Vermont Knolls. Wszystko wskazuje na to, że ten pożar to skutek pretensji, ale równie dobrze może chodzić o ubezpieczenie. Ktoś podpalił koreański sklep meblowy, a ogień objął przyległe bistro – „Vermont Sandwich Shop. Kanapki na wynos", głosi szyld z czerniejącym już numerem telefonu – obok zaś jest salon piękności. Wygląda na to, że żadnego nie da się uratować. Gdy przyjeżdżamy, ogień już zrobił swoje. Wiele nie zdziałamy, ale przynajmniej możemy ugasić.

Zostawiam włączony silnik. Ponaddwustulitrowy bak wystarcza na mniej więcej sześć godzin, jeśli jest pełny, gdy zaczynamy. McPherson rozkłada wąż, ja obserwuję ciśnienie pompy, ale nie muszę jakoś szczególnie tego pilnować. Półtoracalowy wąż przepompowuje pięćset siedemdziesiąt litrów na minutę, co daje mi około czterech minut na jedną kiszkę, gdybyśmy działali wyłącznie na zbiorniku, a tak nie jest. Rozłożyliśmy tylko jeden wąż i Suzuki go obsługuje, kierując łuk wody na dach, tymczasem dwa węże z innego wozu sikają na to, co zostało z witryny. Podkręcam ciśnienie do dziesięciu atmosfer i ogień zostaje porządnie przyduszony, a ze wszystkich otworów buchają szary dym i para. Przeciągam wąż ssawny z hydrantu, żeby przed odjazdem uzupełnić beczki.

Do moich obowiązków należy patrzenie z szerszej perspektywy, przewidywanie rozwoju sytuacji. Zawiodłem Gutierreza, dlatego teraz zachowuję ekstraczujność z powodu gapiów stojących w pobliżu. Każdemu przypatruję się po dwa razy, ale żaden nie wygląda na gangsta. To raczej ich rodzice, krewni. Po drugiej stronie ulicy stoi w rozsypce grupka starszych ludzi, którzy nas obserwują. Robią zdjęcia, kręcą wideo, jakbyśmy urządzili przedstawienie.

Jeden facet, w szortach i kapciach, bez koszuli, ma dużą kamerę na ramieniu, oko przyłożone do wizjera. Jest spocony, skóra mu błyszczy, z tej odległości wydaje się prawie granatowoczarna. Jakby tego było mało, w wolnej ręce trzyma napoczętą kanapkę. No dobra, nie jestem gliniarzem, ale gdybym chciał aresztować kogoś w związku z podpaleniem kanapkowni, która właśnie się fajczy, to zacząłbym od zadawania pytań temu cwaniaczkowi szamiącemu chleb z szynką i serem o takiej porze – zerkam na zegarek: jest dwie po czwartej rano.

Przed czwartą zero osiem policja poszerza obszar naszej interwencji o jedną przecznicę, prawie do miejsca, gdzie znajduje się oddział Gwardii Narodowej, i nasz dowódca wysyła tam dwa wozy, żeby ugasiły inny pożar, który właśnie wybuchł; my zaś zostajemy przy resztkach po sklepie meblowym, mimo że widać już szkielet stropu sterczący wśród dymu. Wymowne. Już po budynku.

W górze lata śmigłowiec – wygląda na Channel 7 – świecąc na nas reflektorem, jakbyśmy się znajdowali na dnie głębokiej, ciemnej dziury. Ludzie żyjący w tej okolicy znają to uczucie. Na własnej skórze poznali, jak wredne może być życie. Inni, ludzie siedzący w domach, oglądający ten spektakl w telewizji, ci nie mają pojęcia. To ludzie zszokowani rozruchami. Nie są w stanie tego pojąć, ponieważ nie rozumieją drugiej strony. Nie rozumieją, co się dzieje z ludźmi bez pieniędzy, ludźmi żyjącymi na osiedlach, gdzie przestępczość to najlepsza ścieżka kariery, bo nie ma innych możliwości, a ja tego nie usprawiedliwiam ani ich nie rozgrzeszam, ani nie twierdzę, że tego nie da się uniknąć, tylko mówię, jak jest.

I powiem wam coś jeszcze: ci ludzie nie mają bladego pojęcia, jak to jest zaciągnąć się jako praktykant do służby ratownictwa medycznego w mojej okolicy, w jednej z najbardziej gangsterskich dzielnic w gangsterskiej stolicy świata. Nie da się im wyjaśnić, jak to jest, gdy dostajesz wezwanie i pierwszy przybywasz na miejsce, a tam leży człowiek z wielokrotnymi ranami kłutymi – dziewięć w klatce piersiowej, pięć w brzuchu, w tym pępek przekrojony na pół długim cięciem, jakby ktoś chciał wypatroszyć tego dziesięcioletniego gangsta jak rybę – i proszę, ten dzieciak tam leży, płacze, z policzkiem zasmarkanym glutami, wykrwawia się na śmierć na twoich oczach, a ty nic nie możesz zdziałać, tylko przełykasz ślinę, bo płuco chłopaka zostało przebite. Jasne, nawet się wtedy nie myśli, robi się swoje. Jeśli w ogóle wyżyje, przez resztę życia będzie musiał nosić worek kolostomiczny, ale w tej chwili o tym nie myślisz, robisz tylko to, w czym cię szkolono. Udzielasz pierwszej pomocy i wysyłasz go do szpitala. Potem dzwonisz, żeby się dowiedzieć o jego stan, i okazuje się, że uratowałeś mu życie, i wtedy przez moment wydaje ci się, że ta praca ma sens – może nawet ma jakąś wartość – cholera jasna, może nawet z dumą pokażesz na siebie palcem i powiesz, że przesądziłeś o czymś ważnym.

Ale z półtora miesiąca później jesteś na tych samych ulicach, bo musisz asystować koronerowi przy zabezpieczeniu zwłok – niech Bóg broni, żeby mieli taki budżet, żeby mogli to robić we własnym zakresie – i gdy się zbliżasz, żeby zabrać denata do transportu, widzisz, że leży na dnie dołu i jeszcze go nawet nie wsadzili do worka, i nagle ogarnia cię groza, bo rozpoznajesz te rany – blizny i ich rozkład na żebrach i brzuchu, to długie cięcie, po którym prawie nie zostało pępka, jest tylko fioletowa szrama połyskująca w mroku – najpierw rozpoznajesz te rany, dopiero potem twarz. Ciągle ma dziesięć lat. Więcej mieć nie będzie, bo tym razem nie użyli kosy. Tym razem wykonali egzekucję, strzelili mu w potylicę. Więc wtedy, jakby w innym świecie, uratowałeś go od śmierci, ale po co? Odmieniłeś jego życie na lepsze? Nie. Dzięki tobie zyskał tylko kilka dni więcej w piekle. I tyle. Odwlokłeś na chwilę jego śmierć. No i jak się z tym czujesz?

W tym wszystkim kryje się jakaś prawda i może polega ona na tym, że w Ameryce, którą pokazujemy światu, siedzi schowana inna Ameryka, którą widzi tylko garstka ludzi. Niektórzy z nas są w niej umoczeni przez urodzenie albo miejsce zamieszkania, ale reszta po prostu tu pracuje. Lekarze, pielęgniarki, strażacy, policjanci – znamy to. Widzimy codziennie. Pracujemy, każdego dnia targując się ze śmiercią, bo na tym polega część naszej roboty. Widzimy poszczególne warstwy, niesprawiedliwość, nieuchronność. A jednak ciągle prowadzimy tę przegraną walkę. Próbujemy ograć śmierć, czasem uda nam się ją przechytrzyć. A kiedy napotykasz kogoś, kto wie o tym wszystkim tak samo jak ty, no to wtedy musisz zatrzymać się na chwilę, żeby się zastanowić, jak by to było być z kimś, kto potrafiłby współczuć.

Siostra Gloria tak mnie pociąga, bo jest jasne, że rozumie cały świat, a nie połowę. Nie muszę jej niczego tłumaczyć, nie muszę jej nawet tłumaczyć siebie. Widziała tę ukrytą Amerykę tak samo jak ja. Wie, jak wygląda śmierć, jak smakuje bezsilność. Dźwiga to na sobie, ten ciężar. Widać po tym, jak się porusza, jak mówi…

– Ej, Yanic – odzywa się Suzuki. – Zobacz.

Stoi obok z wyciągniętą ręką, dając znak, żebym wystawił dłoń. Podnoszę wzrok i widzę McPhersona przy wężu Suzukiego, a ten kładzie mi na dłoni stalowoszary pocisk, ze zgniecionym czubkiem, bez płaszcza, jeszcze ciepły. Chyba patrzę tępo – co, do cholery? – bo naśladuje strzelca celującego w niebo i robi „bang!" ustami, a potem palcem kreśli trajektorię, ilustrując to cichym gwizdem, krzywa ku górze, później w dół aż do hełmu i pac!, uderzenie kciuka. Obracam pocisk w dłoni, ale przecież nie pierwszy raz widzę amunicję.

Po Nowym Roku i Święcie Niepodległości zamiatamy dach komendy i znajdujemy tyle małokalibrowych pocisków, że byście nie uwierzyli, teraz jednak nie ma porównania. Śrutu na ulicach widziałem więcej niż pasów na przejściach dla pieszych. Przeraża mnie ilość tego. Ile jest sztuk broni w całym Los Angeles, tak ostrożnie szacując? Trzysta sześćdziesiąt tysięcy? To byłoby około jednego procenta, niecała spluwa na stu mieszkańców. Możecie mi wierzyć, że prawdziwe wskaźniki broni posiadanej legalnie i nielegalnie są o wiele wyższe, ale szacujemy oszczędnie. Załóżmy następnie, że ze skandalicznie wysokich dziesięciu procent strzelano jeden raz w ciągu ostatnich czterdziestu ośmiu godzin. To oznaczałoby, że użyto raz trzydzieści sześć tysięcy sztuk broni podczas najgorszych pożarów, jakie widziało Los Angeles, gorszych niż Watts. Ta, jasne. Naprawdę myślicie, że taki gangsta strzeli tylko raz? A nawet gdyby, to daje trzydzieści sześć tysięcy pocisków. Trzydzieści sześć. Tysięcy. Uzyskamy taką samą liczbę, gdy pięć procent tej broni zostanie użyte dwa razy, dwa procent użyte pięć razy. Gdzieś we mnie jest silna chęć, żeby to odrzucić, uznać za szaleństwo, ale nie potrafię tego zrobić. Bo jeśli już, to ta ogólna liczba jest zaniżona, a myśl, że najgorsze jeszcze przed nami, mrozi mi krew w żyłach.

– Oddaj – mówi Suzuki. – Dam dziecku.

– Dlaczego chcesz, żeby twoje dziecko miało kulę?

– Nie wiem. Przewiercę, nawlekę na łańcuszek, żeby nosił na szyi. Powiem, że trafiła jego starego, ale stary ją zatrzymał jak Superman.

Oddaję pocisk, ciągle ciepły. Pojęcia nie mam, czy to dlatego, że Suzuki ściskał go w ręku, czy dlatego, że został dopiero przed chwilą wystrzelony. A w ogóle to nie wiem, czy chcę wiedzieć.

6

Po opanowaniu ognia przy pobliskiej przecznicy dowódca plutonu mówi, że jedziemy do zajezdni autobusowej w Chinatown, żeby zatankować, bo prowizoryczna baza przy Pięćdziesiątej Czwartej i Arlington jest oblegana przez samochody służb ratowniczych. Więc zwijamy się szybko i ruszamy Vermont w kierunku Manchester, potem Manchester do autostrady i na północ. Nasz konwój dociera do śródmieścia i zamiast odbić na stojedynkę, zjeżdżamy przy Czwartej Ulicy, walimy do Alamedy i skręcamy w lewo. To chyba nie najlepsza trasa, biorąc wszystko pod uwagę, ale dochodzę do wniosku, że ten, który ją wybrał, wie coś, czego ja nie wiem, więc się nie wychylam.

– W śródmieściu jest nie najgorzej – mówi z tyłu Suzuki.

Sekcyjny uśmiecha się lekko. Znowu siedzi obok mnie. Trzeba przyznać, że słowa nie powiedział o krwi.

– Fakt – przyznaję. – Myślałem, że będzie gorzej, ale tutaj pewnie nie ma czego kraść.

Śródmieście podupadło, od kiedy w latach siedemdziesiątych właściciele nieruchomości dali za wygraną, sprzedali swoją własność jak najtaniej i wynieśli się z pieniędzmi do Westside i Valley. A nowi właściciele urządzili tutaj najgorsze slumsy. Skid Row nigdy nie było wersalem, ale ze ścieku przeistoczyło się w szambo. Epoka pracowników sezonowych i włóczęgów dobiegła końca, gdy władze zaczęły niszczyć tanie budownictwo, a targi z lokalnymi produktami rolnymi wyparła sieć supermarketów, i wtedy Skid Row przestało być mekką dla robotników rolnych, a stało się przystankiem dla ludzi chorych umysłowo i uzależnionych od narkotyków. Gdy nadeszły lata osiemdziesiąte, crack to wszystko tylko utrwalił. Teraz został właściwie jedynie gmach sądu, hotele z epoki kina niemego wymagające gruntownego remontu, żeby im przywrócić dawny blask, zamknięte teatry variétés przy Main i garść pustych magazynów.

Przecinając Trzecią Ulicę, dostrzegam dwie kobiety pchające wózki spacerowe bez dzieci, za to z mnóstwem zabawek, pudełek i pudełek w pudełkach, jakby wracały z zakupów czy coś. Jedna ma bliznę na twarzy, od ucha przez cały policzek. To keloid sterczący prawie jak cios słonia. Choć wygląda inaczej, przypomina mi bliznę na ramieniu tamtego gangsta, no i zaczyna się w głowie efekt domina. Znowu go nienawidzę z całego serca. Chciałbym wyrżnąć go cegłą w twarz, zobaczyć, jak mu się to spodoba. Na tę myśl uśmiecham się wrednie, a potem przypominam sobie o Gutesie. O jatce. Jak wyglądał jego język, gdy nim poruszał. I już tylko patrzę tępo na przesuwające się do tyłu budynki.

W mojej głowie znowu przewija się film w zwolnionym tempie. Walący pustak – odgłos uderzenia – pamiętam, że były dwa odgłosy, najpierw chrupnięcie zmiażdżonej żuchwy, a potem huk, gdy pustak spadł na ziemię. Przeszywa mnie dreszcz. Najgorszy był widok twarzy tego ceha. Nie miałem pojęcia, że można się krzywić i uśmiechać jednocześnie, aż właśnie to zobaczyłem, i choć naoglądałem się w życiu mnóstwa żałosnych efektów postępowania mnóstwa żałosnych ludzi, to akurat było coś innego. Poprzysiągłem sobie, że ten człowiek zapłaci za to, co zrobił. Znajdę go. Taki gangsta? Na pewno był notowany, na bank. Normalny człowiek nie wstaje jednego dnia z łóżka z postanowieniem, że zmasakruje strażakowi twarz. Do takich rzeczy się dorasta.

– Ciekawe, co tu się stało – mówi McPherson, wyrywając mnie z rozmyślań.

Przecinając stojedynkę, widzę, o co mu chodzi, i nagle się wyjaśnia, dlaczego nie jedziemy tam, gdzie nas najpierw skierowano. Pod nami pali się samochód. Właściwie nie wiadomo, skąd się tam wziął, ten jeep buchający dymem. Sytuacja już opanowana. Czytam numery wozu, z którego sika woda. Jest z czwórki.

Suzuki zwraca uwagę, że nie ma nikogo od nas przy Union Station ani przy targu na Olvera Street. Gdy mijamy Philippe's na rogu, zaczyna mi burczeć w brzuchu. Kanapka typu French dip została wynaleziona w L.A. Mało kto o tym wie. Wynaleziono ją w Cole's, podobno dla klienta, który miał za słabe zęby, żeby gryźć twardą bułkę, więc barman podał mu miseczkę z tłuszczem wytopionym z mięsa, żeby pomoczył sobie pieczywo i je zmiękczył, co w końcu stało się znane jako *au jus*. W naszym mieście trzeba się opowiedzieć po określonej stronie. Osobiście lubię maczać w *au jus*, więc jestem zwolennikiem Cole's, natomiast wydaje się, że wszyscy inni z pięćdziesiątej siódmej wolą Philippe's, gdzie przygotowują *jus* w kuchni i smarują nim mięso, jakby to był sos.

Naszym celem jest zajezdnia autobusowa przy North Spring Street między Mesnagers a Wilhardt. To jedno z niewielu miejsc, gdzie można bezpiecznie zatankować. W normalnych warunkach to zajezdnia, ale w tej chwili, w stanie nadzwyczajnym, to punkt dowodzenia policji i straży pożarnej, miejsce uzupełnień – zatankować, pójść do kibla, zadzwonić do domu, coś zjeść. Poza tym to strefa bezpieczeństwa, więc wydaje się logiczne, że właściwie nic mi tutaj nie grozi; ale okolica wygląda jak w *Mad Maksie*, tym filmie, w którym wszystkim brakuje benzyny, więc się o nią zabijają. Jest w tym miejscu coś, co aż nadto wymownie świadczy o motoryzacyjnym obłędzie Los Angeles; więc mówię o tym, a sekcyjny kiwa głową, ale ani Suzuki, ani McPherson nie widzieli tego filmu, a mnie się nie chce tłumaczyć, więc tylko im mówię, że będą musieli zobaczyć. Otwiera się brama przesuwna z drutem kolczastym u góry i wjeżdżam do środka, omijając grupę ubranych na zielono mężczyzn z M-16 w rękach.

7

Jest później, właśnie żegnamy się z naszą policyjną eskortą – wracają do swojego punktu dowodzenia przy Vermont i stojedynce – gdy nagle ktoś, chyba niejaki Taurino, nazywa tych gości przy bramie żółwiami ninja.

Brzmi sensownie, bo od stóp do głów ubrani są w wojskową zieleń. Mają ochraniacze na uda, śmieszne wojskowe hełmy pokryte takim samym zielonym materiałem i czarną osłonę na oczy. Z daleka naprawdę wyglądają jak żółwie wielkości człowieka. Taurino nie wie, czy są z FBI, czy z ATF, uważa jednak, że to federalni, bo widział, jak przylecieli do bazy Gwardii Narodowej w Los Alamitos, ściągnięci skądś.

– Wygląda, że zamierzają ich użyć cholera wie gdzie – mówi Taurino. – W każdym razie cieszę się, że to nie mnie złożą wizytę.

Patrzę na drugą stronę placu, tam gdzie on, i widzę, że żółwie ninja ładują się do czarnego pojazdu wyglądającego jak skrzyżowanie czołgu z wielkim jeepem z płaskim przodem. Nie ma na nim żadnych identyfikujących oznakowań. Cały czarny, jak metaliczny cień. Jest ich co najmniej dwunastu i są wyposażeni jak siły specjalne. Jeden ma nawet pas z nabojami na piersi jak meksykański bandyta z westernu. Robią wrażenie, nie ma co zaprzeczać.

Żegnam się z Taurinem i chcę odejść, ale on mówi:

– Ej, zaczekaj chwilę.

Odwracam się z powrotem, a on szepcze, że mam zaschniętą krew na karku. Więcej mówić nie musi. Wiem, że to krew Gutierreza.

Zmuszam się do uśmiechu, dziękuję i ruszam do wozu.

Nie winię policjantów za to, co się przydarzyło Gutierrezowi, ale usprawiedliwiać ich też nie zamierzam. To skomplikowane. Jak będę miał kilka dni, żeby to przetrawić i odtworzyć wszystko w głowie jeszcze raz, to wtedy może spróbuję ustalić, kto za co jest odpowiedzialny i ile winy mu przypada, bo i tak będę musiał napisać raport w swoim czasie.

Przecieram szybko kabinę jakimś środkiem czyszczącym przeznaczonym do takich rzeczy, zwracając szczególną uwagę na tablicę rozdzielczą, kierownicę i fotel, na którym wcześniej siedział Gutierrez. Uwijam się. Wszystko trzymam we właściwych skrzynkach, nic się nie wysypuje.

Świt jeszcze nie nadszedł, sekcyjny już się zabrał za papierkową robotę, a ja idę coś przegryźć, zjeść wczesne śniadanie z Suzukim, McPhersonem, kilkoma z pięćdziesiątej siódmej, dwoma z jednej samodzielnej sekcji i paroma z innych zastępów, które dotankowują. Żarcie jest znośne. Widać, że nie strażak to przygotowywał, bo byłoby lepsze. Są płatki owsiane, bekon, jajka, kiełbasa, tortilla, salsa, trochę nie najświeższych ziemniaków. Biorę płatki, sypię rodzynki i dwie saszetki cukru.

Tylu strażaków w jednym miejscu, przy pięciu składanych stolikach na asfalcie zajezdni, nic do roboty oprócz jedzenia, więc nieuchronnie zaczynamy serwować opowieści z wojny. Proszę bardzo, zaczyna facet z pięćdziesiątej ósmej, którego nie znam:

– Trafiliście na jakieś blokady z ludzi?

Większość z nas już szamie, ale kiwam głową, inni kierowcy też, no bo wiadomo, nadzialiśmy się na ludzi wchodzących na jezdnię, przed samochody, próbujących co najmniej powstrzymać nas od wykonywania obowiązków, w najgorszym razie wykorzystujących nas jako łatwy cel. Jeden z kierowców opowiada lakonicznie o tym, jak jego wóz obrzucono kamieniami, dwaj strażacy siedzący z tyłu byli praktycznie bez osłony, nacisnęli tylko orzechy głębiej na głowy, głowy wciągnęli w ramiona i nikomu nic się nie stało. Suzuki patrzy na mnie. McPherson nie patrzy. Ale to jasne, że obaj myślą o Gutierrezie. Dla mnie za wcześnie o tym gadać, więc tylko kiwam zachęcająco na tego, który zaczął, bo chcę, żeby mówił dalej.

– No i wieczorem jesteśmy w Koreatown, tak? Zajebaliśmy ogień w domu towarowym w Beverly Hills i wracamy, bo skierowano nas do dużego pożaru na West Adams przy Crenshaw. – Urywa, żeby się upewnić, że wszyscy słuchają, a potem ciągnie: – No to pruję w kierunku Szóstej i zaraz za skrzyżowaniem z Western na jezdnię wybiega gówniarz wymachujący bronią.

– Celował w was? – pytam.

– Nie, bardziej w powietrze, wymachiwał rękami, chciał mnie zatrzymać. Teraz jak o tym myślę, to on może wcale nie był świadomy, że trzyma pistolet.

Ktoś chce wiedzieć, jak wyglądał ten gówniarz.

– Skośnooki. Koreańczyk. W szkolnej bluzie.

Zapada refleksyjna cisza, bo to dla nas zaskoczenie. Wszyscy wyobrażaliśmy to sobie inaczej, gdy padły słowa o gówniarzu z bronią.

– I co zrobiłeś? – pytam.

– A co mogłem zrobić? Jechałem dalej, dodając gazu, i tylko się modliłem, żeby zdążył uskoczyć.

– No tak, nie miałeś wyboru – odpowiadam.

– Zdążył? – pyta Suzuki. – Zdążył uskoczyć?

– No pewnie – odpowiada strażak z uśmiechem.

Zaraz potem jeden z pięćdziesiątej ósmej mówi, że były meldunki o jakimś meksykańskim gangsta, który dokonywał podpaleń po całym mieście i za każdym razem wykrzykiwał kolejną liczbę i swoją ksywkę, jakby prowadził punktację i chciał, żeby wszyscy o tym wiedzieli.

– Dwadzieścia jeden – mówi strażak, przesadnie naśladując latynoski akcent. – Puppet tu był! Dwadzieścia sześć! Puppet tu był!

Na mundurze ma naszyte nazwisko Rodriguez, więc wolno mu się tak zgrywać.

Po kilku westchnieniach wyrażających niedowierzanie odzywa się Suzuki:

– Człowieku, w każdym gangu *cholo* jest co najmniej dwóch Puppetów! Szkoda, że nie miał innej ksywki, dzięki której łatwiej byłoby go zidentyfikować, nie? Na przykład Spaghetti. Ilu jest gangsterów z ksywką Spaghetti?

Prawie wszyscy się śmieją, wiedzą, że to prawda.

Potem nastrój trochę siada, bo kierowca z dziewięćdziesiątej czwartej pyta, czy słyszeliśmy o Millerze. A przy okazji: ci z dziewięćdziesiątej czwartej nie mogli nawet wyjechać na miasto, bo dostali się pod gęsty ostrzał i pewnie nie ruszyliby przez całą noc, gdyby nie zjawili się SWAT-owcy i nie oczyścili ulicy.

– Słyszałem, że Miller oberwał. Ale nic więcej – odpowiada McPherson.

Szczegółów nadal jest mało, co nieco jednak wiadomo. W środę wieczorem Miller siedział za kółkiem i został postrzelony w szyję. Miał zawał. Wygląda na to, że tamten podjechał z boku i wygarnął tylko dlatego, że Miller był w mundurze i prowadził wóz. Już go operowano, stan jest stabilny, tyle wiemy.

Spotkałem Millera kilka razy i nawet go polubiłem. Nie jest jak ci inni od drabek, same przechwałki i bajer – właściwie są tacy sami jak policjanci na motocyklach, tylko że popisują się na drabinach. Ale nie Miller, on ma łagodne usposobienie. A najgorsze, że ledwie przed paroma miesiącami przeniósł się z pięćdziesiątej ósmej na Westside, bo tam jest spokojniej, no i nagle coś takiego.

– Przykro słuchać – kwituje Suzuki.

Jesteśmy w tym jednomyślni. Wszyscy żałujemy Millera, ale nikt nic nie mówi. Nie mówimy, że mamy nadzieję, że się wyliże, bo wiadomo, że mamy. Wyrażamy to bez słów. Gdy kończę jeść płatki, rozmowa schodzi na kule spadające z nieba.

To okazja dla Suzukiego, żeby puścić pocisk w obieg, więc wstaję i wychodzę z kręgu. Kładę talerz i łyżkę na tacy przeznaczonej na brudne naczynia, idę do kibla, żeby dokładniej zmyć krew z szyi, a potem podchodzę do policyjnego stanowiska dowodzenia po drugiej stronie zajezdni, czując mokry, szorstki kołnierz na karku.

8

Przy stanowisku pytam gliniarzy, czy mógłbym pożyczyć telefon komórkowy. Młody funkcjonariusz podaje mi go. Wysuwana czarna antenka, mały ekran, szara obudowa, białe klawisze podświetlone na zielono i kilka innych przycisków, na których za bardzo się nie znam, oraz kwadratowy mikrofon na zawiasach, bo inaczej zakryłby cały przód. Zadziwiający wynalazek, bez kabla. Wprowadzam numer komendy i wciskam zielony guzik z napisem SND, co chyba znaczy „send", bo nagle zaczyna dzwonić.

Odbiera Rogowski.

– Masz jakieś wiadomości o Gutierrezie? – pytam.

– Był operowany. Przed chwilą skończyli. Kręgosłup i szyja w porządku, szczękę mu zadrutowali i zainstalowali płytkę. Wywichnięta i złamana w dwóch miejscach.

– Ale się wyliże? – pytam.

– Tak – odpowiada Rogowski. – Będzie jadł przez słomkę przez nie wiem ile miesięcy, ale się wyliże. Podobno dobrze się spisałeś. Bez kitu. Ludzie mówią, że wyrwałeś stamtąd tak szybko, że dowódca plutonu nie miał wyjścia, wszyscy musieli grzać za tobą do szpitala.

– No nie wiem – odpowiadam, ale wypuszczam powietrze z płuc i coś się we mnie zmienia, jakby grawitacja zelżała. Zastanawiam się, skąd Rogowski ma te informacje, i nagle przychodzi mi do głowy, że sekcyjny pewnie dzwonił wcześniej, kiedy się myłem w kiblu.

– Słuchaj, rodzina już wie, są w drodze – ciągnie Rogowski, próbując dodać mi otuchy. – Nie jest super, ale jest dobrze jak na takie okoliczności. Świetnie się spisałeś.

Właściwie na tym mógłbym zakończyć rozmowę, ale Rogowski śmieje się i zmienia temat, mówi o czymś, czego się obawiałem w głębi ducha. Moja matka wydzwania co godzinę, żeby spytać, czy wszystko ze mną w porządku. Dziękuję mu, rozłączam się i wybieram jej numer. Odbiera po pierwszym sygnale, jakby warowała przy telefonie. Pewnie tak jest.

– Dzo robisz, *dušo*?

Tam gdzie u wszystkich jest „c", u mojej matki jest „dz". Ona nie umie inaczej, tak funkcjonuje jej język. *Dušo* to czułe słówko, coś jak „skarbie" dodane na końcu zdania. A przy okazji zawsze, w każdych okolicznościach, zadaje mi to pytanie. Bo dla niej ono ma wiele znaczeń jednocześnie: gdzie jesteś, jak się masz, czy już jadłeś?

– Wszystko w porządku, mamo. Odpoczywamy w zajezdni w Chinatown. Przed chwilą jadłem.

– A dzo?

– Płatki owsiane.

– Dzo to za jedzenie.

Dla mojej matki posiłek musi się składać z dwóch dań, a jedno z nich to obowiązkowo makaron. W jej świecie jeśli nie zjadłem makaronu, to się nie najadłem. Nie warto o to kruszyć kopii, więc zmieniam temat. Pytam, jak się czuje.

– Siedzę w domu. Robię pranie – mówi.

Moja matka kłamie w wielu sprawach – ile kruškovaca potajemnie łyknęła, ile noży pochowała po pokojach albo jak bardzo ceni swoje przyjaciółki – ale jeśli chodzi o prace domowe, zawsze mówi prawdę. Robi to, co mówi, że robi, choć przy okazji ogląda telewizję, to znaczy wiadomości, a to znaczy, że się martwi o mnie, a kiedy się martwi, dzwoni na komendę, żeby się czegoś dowiedzieć.

– W którym domu? – pytam, żeby nie było wątpliwości.

Mieszkam trzy numery od matki, od mieszkania, w którym się wychowałem, to Dwudziesta Pierwsza Zachodnia, między Cabrillo i Alma – po północnej stronie, skąd widać port. A jednak matka uważa, że za bardzo oddaliliśmy się od siebie. Ojciec zmarł zimą na zawał serca. Nagle. A więc teraz każdy dystans między mną a matką to dystans za duży.

– W twoim. Tu jest przyjemniej.

Wcale tak nie myśli. Wcale nie uważa, że u mnie jest przyjemniej. Często żałuję, że dałem jej klucz. Wie, że nie lubię, gdy tam przychodzi pod moją nieobecność – sprawdza pocztę, myszkuje w szafkach, zagląda do szuflad – ale teraz już nic na to nie poradzę. Później ją skrzyczę. Mam wrażenie, że zachowuje się w ten sposób, bo dzięki temu czuje, że jest bliżej mnie, poza tym dobrze jej robi wyjście z domu, w którym przeżyła z moim ojcem trzydzieści siedem lat. I znowu, nie warto się o to kłócić. Ale jedno muszę powiedzieć:

– Mamo, przestań wydzwaniać na bazę.

– Jak akurat o tobie pomyślę, to zadzwonię.

– Posłuchaj, mamo – tłumaczę, próbując zachować spokój, choć jestem już wnerwiony – w tak nadzwyczajnej sytuacji nie wolno blokować linii telefonicznych, bo nie będą mogli dzwonić ludzie, którzy naprawdę potrzebują pomocy.

– Ale ja też potrzebuję wiedzieć, dzo się z tobą dzieje.

– Na razie, mamo – odpowiadam przez zaciśnięte zęby.

– *Dušo*, zjedzże dzoś! Dzoś porządnego. Zrób to dla mnie. Proszę. I jeszcze…

Wciskam czerwony guzik „end" i oddaję telefon policjantowi. Milczy, ale ma minę mówiącą: „Ech, te nasze matki. Źle bez nich, z nimi jeszcze gorzej". Nazywa się Najarian, to chyba ormiańskie nazwisko, a jeśli tak, to rozumie moją sytuację. Mundur nosi tak, jak to robią policjanci z L.A., z tym idiotycznym trójkątnym fragmentem białego podkoszulka widocznym między uszami kołnierzyka. Jest młody, ma może dwadzieścia kilka lat, przejęty, z przygładzonymi czarnymi włosami. Zastanawiam się, czym normalnie się zajmuje, skoro dostał takie zadanie w trakcie rozruchów.

Obok Najariana dostrzegam baterię strzelb, postawione kolbami do góry wyglądają jak kwiaty, same łodygi, bez płatków. Jest ich ze trzydzieści. Znowu myślę o tych wszystkich pociskach i choć dochodzę do wniosku, że to jakaś chorobliwa ciekawość, pytam go, ilu ludzi zginęło z powodu rozruchów, jeśli w ogóle ma jakiekolwiek pojęcie.

– Ech, musisz to zobaczyć. Chodź.

Idę za nim w kierunku przyczepy ciężarowej oddalonej od rzędu karetek, oddalonej właściwie od wszystkiego. Stoi na podporach, co na zajezdni autobusowej nie jest chyba aż takie niecodzienne. Zauważam, że to chłodnia. I jest coś jeszcze. Szumi.

– Otwórz – mówi Najarian.

Zaczynam podejrzewać, że pakuję się w coś, w co nie chcę się wpakować.

– Dobra, nie trzeba – odpowiadam.

– No poważnie, otwórz – namawia mnie z uśmiechem. Wskazuje trzy starte schodki, dając do zrozumienia, że powinienem wejść i otworzyć drzwi. Za stromym dachem zajezdni widać nadchodzący świt – no, pierwszy brzask. Słabe pomarańczowe światło przeciska się przez zasłonę czarnego dymu i chmury, odbijając się od przyczepy. – Najpierw musisz to pociągnąć – dodaje Najarian, wskazując palcem metalową sztabę, którą trzeba wysunąć z obejmy.

Wchodzę po schodkach, odsuwam sztabę i drzwi same się otwierają z obłoczkiem mgły, a ja czuję uderzenie zimnego powietrza. Odskakuję do tyłu i patrzę, i dopiero wtedy uświadamiam sobie, że mam przed oczami przewoźną kostnicę. Dziewięć, nie, dziesięć trupów leżących na półkach ze stali nierdzewnej przymocowanych do ściany jak prycze, każdy przykryty białym prześcieradłem.

Najarian wbiega po schodkach i zagląda do środka. Uchyla szerzej lewe skrzydło drzwi.

– Zobacz – mówi, podchodząc do najbliżej leżących zwłok.

Świta mi, że gliniarze zwyczajnie odstrzeliwują ludzi. Jeśli tak, to ich nie winię, zwłaszcza po tym, co widziałem w nocy. Przez chwilę pragnę, żeby w tej przyczepie leżał gangsta, który załatwił Gutesa. Ale tylko przez chwilę.

– Tego tutaj – mówi Najarian, odgarniając białe prześcieradło – podrzucili wczoraj po południu, na Spring, to tuż obok. – Wskazuje płot między nami a ulicą. – Podejrzane, bo przed końcem zmiany go nie było, a potem już był, więc zrobili to w przerwie albo coś koło tego, a to znaczy, że znają godziny albo mieli szczęście. Tak czy siak, sprytnie. – Całkowicie już odgarnął prześcieradło, a ja widzę coś innego, niż się spodziewałem.

Zamiast twarzy jest czarno-biała flanelowa koszula. Najarian wskazuje skinieniem głowy. – Upiorne, nie? Dlaczego zakryli mu twarz, przecież nie jest przestrzelona ani nic. Sprawdziłem. Tylko kość policzkowa strzaskana i brak ucha, ale nie od tego umarł. Zadźgali go.

Akurat to nie wydaje mi się szczególnie upiorne. Po prostu ktoś go zabił, a ktoś inny zasłonił mu twarz koszulą. Ten drugi okazał troskę. Jakby nie chciał, żeby biedak zmarznął. Jest coś jeszcze. Rękawy podwinięte pod spód i związane – rozczula mnie to, choć nie wiem dlaczego – te rękawy, prawie zamrożone, wciśnięte pod głowę jak poduszka, prawie tak samo, jak ja to zrobiłem z Gutierrezem, z tą różnicą, wiem, chociaż nie wiem, skąd wiem, że zrobiono to, gdy ten chłopak już nie żył. Dla mnie wygląda to na pożegnanie, jak wtedy, gdy ludzie wkładają przedmioty do trumny, przed ostatnią wędrówką.

Nie, myślę, to wcale nie upiorne. Ktoś okazał mu troskę, i to dużą.

Najarian zaciąga z powrotem prześcieradło, a ja nie mogę się powstrzymać i dotykam swojego medalika ze świętym Antonim, po którym mam imię, i odmawiam w głowie krótką modlitwę za człowieka przykrytego flanelową koszulą, bez względu na to, kim był i dlaczego się tam znalazł, żeby jego zwłoki bezpiecznie wróciły do rodziny, żeby jego bliscy znaleźli jakieś pocieszenie.

ABEJUNDIO ORELLANA
AKA MOMO

1 MAJA 1992

16.22

1

Puchica! Po co zaufałem Cecilii? Patrzę na resztki mojego spalonego domu i wiem, że znalazłem się między podwójnym młotem a kowadłem. Jedyna droga prowadzi w dół pół metra pod ziemię albo w górę, samolotem, bo kluczyć to już ni chuja się nie da. Muszę teraz zachować zimną krew, zimną jak lód. Ale szczerze mówiąc, to mocno się pocę. Te zasrane rozruchy nie mogły wybuchnąć w gorszym momencie.

Pierwszy młot: skurwiel o ksywce Trouble i jego dwudziestu ziomali sterczą przy krawężniku za moimi plecami, każdy z klamką, każdy szukający pretekstu, żeby zrobić komuś krzywdę, zwłaszcza mnie. Nie podoba im się to, co tu zobaczyli, i jeśli ich zdaniem mam z tym coś wspólnego, to mnie zabiją.

Drugi młot: prawie dwa miesiące temu szeryfowie zwinęli mnie za posiadanie, jak wiozłem towar przez Hawaiian Gardens, ale wparował w to wszystko śledczy z wydziału zabójstw, rzucając mi koło ratunkowe, bo powiedział, że chuj go obchodzą narkotyki, jeśli wiem coś o zabójstwach i podam nazwiska, i tak właśnie stałem się wiarygodnym informatorem policji. Gdyby Trouble o tym wiedział, cholera, gdyby wiedział którykolwiek z ziomków, nawet ktoś z mojej ekipy, miałbym nowy otwór w głowie. Na razie mi się upiekło, jeszcze żyję…

Upiekło? No właśnie, grzebię w popiele. I to jest kowadło, na którym wylądowałem, niszczę sobie buty, skóra z węża, bo próbuję coś odratować z sypialni, która znajdowała się w moim pierdolonym szacownym domu, a to znaczy przede wszystkim, że muszę komuś za to odpłacić, właśnie teraz, kiedy zamierzałem się stąd wynieść, korzystając ze złożonej mi przez sierżanta propozycji relokacji.

Teraz nic z tego. Najpierw muszę się wygrzebać z pierwszego gówna: udowodnić Trouble'owi, że nie miałem nic wspólnego z puszczeniem broni na miasto, a to znaczy odnaleźć sejf. W tej chwili to ćwiczenie pamięciowe z rozkładu pomieszczeń, bo zostało trochę rur, widzę resztki kafelków, tam gdzie była łazienka, ale nawet ścian już nie ma, czyli to była jakaś tania gówniana konstrukcja. Wszedłem tędy, gdzie wcześniej były drzwi i gdzie teraz jest stopiona krata antywłamaniowa. W głowie odliczam dziesięć kroków do sypialni, potem odbijam w prawo i widzę na podłodze otwarte drzwiczki od mojego supersejfu. Rany, ludzie, co za ulga! Biorę wdech, bo właśnie uratowałem swoje dupsko.

W myśli dziękuję złodziejom, bo nie zamykając drzwiczek z powrotem, te skurwysyny potwierdziły moją wersję. Sejf otwarty to sejf obrobiony. Ten drugi sejf, z bronią, jest zamknięty, więc już chyba wiem, co tu się działo.

Ci, którzy to zrobili, przyjechali przed środą, Cecilia im otworzyła, spuścili jej wpierdol albo postawili ją do kąta, albo była z nimi w zmowie, i dobrali się do sejfu z bronią. Zawieźli klamkę do Fate'a i dostali kasę, a potem może filowali na dom, a jak zobaczyli, że nie wróciłem w podskokach, uznali, że im się upiekło, więc zrobili powtórkę, a Cecilia znowu ich wpuściła i rozegrał się akt drugi. Włamali się do mojego supersejfu, a potem spalili chatę na kurewski popiół, solidna robota.

W tej chwili dla Trouble'a ważną okolicznością jest to, że sejf z bronią był zamknięty, a ten drugi otwarty. Dlatego Trouble, mający się za wielkiego Sherlocka Homeboya, uznał, że ktoś mnie skroił i spalił dom, żeby zatrzeć ślady. Nie wie, że ta ksywka przylgnęła już do Clevera, człowieka od Fate'a. Bo ten skurwiel jest łebski jak pierdolony Sherlock.

– Czyli faktycznie spalili ci chatę – mówi Trouble, rozglądając się, jakby szukał dowodów przestępstwa.

Ten żylasty skurwiel z wytatuowanymi literami zamiast brwi zgrywa przede mną macho, mówi mi, co mam myśleć. Żeby nie było nieporozumień, skurwiel jest ostry, ale nie tak ostry jak Fate. Jego dziwka codziennie goli mu głowę i krochmali mu koszulę i gacie. On wszystkim o tym mówi, nawet tym, którzy nie pytają. Oto cały Trouble. Twardziel, ale lubi zgrywać większego, niż jest.

– Wygląda, że mówiłeś prawdę. Masz szczęście.

Na te słowa jego ziomale stojący w zasięgu głosu jakby się uśmiechają, ale próbują to ukryć, odwracając twarze. Może i jestem między podwójnym młotem a kowadłem, ale ze mną się nie zadziera. Gdyby było normalnie, Trouble traktowałby mnie z szacunkiem. Jak ładnie prosi o pomoc, dostaje, czego mu potrzeba. Ale nie teraz. Jego braciak nie żyje. Miasto się pali. W tym momencie ma w dupie konwenanse. Bierze to, czego potrzebuje. Wie, że teraz to wolna amerykanka.

Mam ośmioosobową załogę do robienia interesów i ochronę z góry, ale ta ochrona nie jest całodobowa, nie stoją w moich drzwiach, żeby odstraszać ludzi, a w tym momencie Trouble ma za sobą stuosobową ekipę. Jak nie rozegram tego mądrze, to mnie skasuje bez wahania. Jest takim świrem, że może to zrobić. Ale jednocześnie mnie potrzebuje. Potrzebuje tego, co mogę mu skołować. I zagrywa jedyną kartą, którą ma: mówi, że Fate chciał mnie wrobić, gdy kazał skroić mi broń i użyć jej do odstrzelenia Jokera i pozostałych. Według jego logiki Fate kazał ukraść moją klamkę, żeby miasto pomyślało, że mu pomagałem. Żeby on, wściekły Trouble, chciał mnie dopaść i zabić.

Zabawne jest to, że jeśli rzeczywiście tak było, to prawie się udało. Ta niunia Payasa porzuciła moją broń w ogrodzie, gdzie była impreza. Jeden z ćpających ziomali Trouble'a rozpoznał klamkę po białym plastrze na kolbie, więc jak już powsadzali ludzi do szpitali i skrzyknęli wszystkich, zaczęli mnie szukać. Nie można mnie było złapać przez pager, co uznali za podejrzane, ale ja myślałem, co następuje: skąd mam wiedzieć, że nie chcą mnie obrobić z towaru albo załatwić?

Dopiero po jakimś czasie znaleźli mnie w mojej głównej melinie, bo nie reklamuję tego adresu, ale w końcu im się udało i weszli na ostro, powiedzieli, że musimy się przejechać. Nie porwali mnie, bo sam usiadłem za kółkiem, ale właściwie to jednak porwali. Musiałem się nieźle nagadać, żeby wytargować przejażdżkę. I teraz stoję przed pierwszym domem, który kupiłem w życiu. Do którego chciałem ściągnąć ciotki z Salwadoru. Został z niego tylko komin. Co za skurwysyństwo.

No dobra, nie umiem kłamać. Dostałem cynk. O tym, co się stało, usłyszałem prawie od razu, ale uznałem, że nie ma sensu tu przyjeżdżać. Spalił się, to się spalił. Po jakiego wała wozić dupę? Żeby popatrzeć na popiół? Poza tym może ktoś chciał mnie wywabić z dużej meliny, żeby na nią z kolei zrobić skok? Więc nie pojechałem. Siedziałem na tyłku. Ale we mnie aż buzowało.

Moją pierwszą myślą było: Dla Cecilii lepiej będzie, jak jest już trupem, bo jak nie, to ją potnę. Jeśli żyje, a tych drzwi nie wybito taranem, nie odstrzelono z obrzyna czy coś, to jest to jej wina. A jak to jest twoja wina, to musisz zapłacić.

– Wydymali cię bez gumki, *esé* – stwierdza Trouble. – Nie wściekasz się?

I tak już byłem jedną nogą gdzie indziej, więc szczerze mówiąc, to się nie wściekam. Po pierwsze, gniew jest bez sensu, po drugie, podziwiam tę robotę. Zagrywka bez przypału. Nie ma przypału, nieważne, czy wiedzieli, że to moja broń. Dochodzę do wniosku, że najprawdopodobniej puścili info na mieście, że potrzebują klamki. Któryś z moich naćpanych narwańców wiedział, że mnie nie ma, i zrobił wjazd.

– Ja się nie wściekam – odpowiadam. – Ja się odgrywam.

Trouble'owi się podoba.

– O tym właśnie zawsze mówię, ziomki!

Nie wie, że w tym momencie powiem jemu i jego ekipie wszystko, co chcieliby usłyszeć. Chodzi tylko o to, żeby się nie skapowali, że tak jest. Chodzi o to, żeby myśleli, że jestem z nimi; chociaż nie ma mowy, żebym się przyłączył. Żyję tak długo tylko dlatego, że nie wiązałem się nigdy z żadną stroną przeciw drugiej, no, chyba że miałem z tego korzyści. Ale te dni dobiegają końca. Trouble zagrywa w taki sposób, że prędzej czy później będę musiał się zdeklarować.

Wiecie, co tak naprawdę mnie rozwścieczyło? To, jak to przebiegło. Trouble zaczął szaleć, gdy się dowiedział, że to z mojej broni kropnięto Jokera, dwóch ziomków i jakąś suczkę. Potem do polowania przyłączyło się dwóch innych jego ludzi i zostali odstrzeleni. Jeden przeżył, drugi nie. Zapłata za to, że Joker dorwał człowieka spoza branży? Ogółem pięć trupów. Jeśli chcecie znać moje zdanie, dostali to, na co zasłużyli; ale mnie nikt o zdanie nie pyta. Co więcej, jak będą tak dalej pogrywać, następnym razem może być jeszcze gorzej, ale taka myśl im w ogóle nie przyjdzie do głowy.

Trouble już rozpuścił twarz o tym, jak to są wyposażeni, bo splądrowali lombard i skroili trochę broni, ale potrzebują więcej, zanim zaczną kontratakować. Dlatego jestem im potrzebny, wyjaśnia ziomkom. Bo mam kontakty. Szczerzą ryje i kiwają głowami.

Tyle że to kretyństwo z ich strony. Nawet się nie zastanowią, dlaczego Joker został skasowany. To była tak sprawna gangsta akcja, jak tylko można sobie wyobrazić, robota kogoś, kto zna się na rzeczy, kto wiedział świetnie, jak ludzie zareagują w takich okolicznościach. Jest w tym jakiś zasrany wojskowy sznyt. Kiedy o tym usłyszałem, moją pierwszą myślą było, że to robota Fate'a. Bardzo się nie pomyliłem.

Ale prawdziwy problem to, że Trouble ma sraczkę w głowie zamiast mózgu, bo Joker, jak żył, był jego młodszym bratem. Więzy krwi. A obaj byli braćmi dziewczyny, którą Lil Mosco postrzelił na tym parkingu przed klubem. Taki jest teraz układ, że Trouble został jedynakiem i za wszystko wini ekipę Fate'a, więc się na nich odegra. Te osobiste wąty to najgorsza rzecz pod słońcem. Zaciemniają zdolność oceny. I sprawiają, że człowiek staje się niebezpieczny. Trouble ma w dupie, co będzie jutro; obchodzi go tylko ten moment i zrobi wszystko, żeby ich dorwać za to, co zrobili.

Żebym był dobrze zrozumiany. Trouble jest świrnięty i nakręcony, ale myślą nie grzeszy. On gra w kółko i krzyżyk, a Fate gra w Ryzyko. Ściągnął armię skurwieli do obrony, gotowy na wszystko, nie ma wątpliwości; więc nie zamierzam brać udziału w tej wojnie, jednak muszę przekonać Trouble'a, że jestem chętny, a ten idiota znowu zgrywa przede mną macho.

Jest z dziewczyną, która ma duże zęby i spięte włosy. Też się zachowuje jak kretynka, bo takie gówno przypomina grypę, ludzie się zarażają, jedni są bardziej podatni od innych. Nie wiem, po co ją przywiózł. To męskie sprawy.

– Jak on się dostał do twojego sejfu, co? – pyta mnie niunia, jakby w ogóle wolno jej było otwierać usta.

A jak się ludzie dostają do sejfów? To, kurwa, jasne jak słońce. Znają albo rozpracowują szyfr, a jak nie, to włamują się na chama. I tyle. To nie jest żadna wyższa matematyka. Ale nic nie mówię. Chciałbym, ale nie. W ogóle, kurwa, nie odpowiadam. Nawet na nią nie patrzę.

– Muszę zadzwonić w kilka miejsc – stwierdzam i ruszam do samochodu. – Obgadać sprawę. Zorganizować odbiór.

Trouble łapie mnie za rękę. Doskakuję do niego. Przy krawężniku krok do przodu robi mój człowiek Jefferson i przez chwilę, tylko przez sekundę, wyobrażam sobie, jak odrąbuję Trouble'owi łeb maczetą, jedno ciach!, tak samo, jak robiły to u nas w kraju szwadrony śmierci, kiedy zostałem sierotą i jako trzylatka przysłali mnie tutaj, żebym zamieszkał z Tio George'em, tylko że potem on zachorował i umarł. Zacząłem robić interesy na tych ulicach, gdy Trouble nosił jeszcze koszulę w zębach. Cudahy, Huntington Park, South Gate, Lynwood. Chce szacunku? To najpierw niech sam okaże szacunek weteranowi.

– Nie ma problemu – mówi w sposób, który znaczy, że jest problem. – Ale idę z tobą. Teraz siedzimy w tym razem, wiesz? My kontra oni.

– Jasne – odpowiadam i uśmiecham się, jakbym czekał na te słowa; ale brzuch mnie boli tak, jakby ktoś mi go wkopał do gardła, bo właśnie wróciłem do punktu wyjścia, znowu się znalazłem między podwójnym młotem a kowadłem, tyle że teraz kowadłem jest ekipa Fate'a. A on jest większy, gorszy i cwańszy niż stu Trouble'ów razem wziętych. Palce na moim ramieniu się zaciskają. Czuję to. Ale się uśmiecham, bo najgorsze zło zawsze wyzwala we mnie największe dobro.

2

Dzięki otwartemu sejfowi zyskałem trochę czasu. Tyle, żeby się przejechać po ulicy, poszukać kogoś, kto wiedziałby, jak się spalił mój dom. Tak naprawdę szukam jednego kolesia, tego weterana o imieniu Miguel, bo on zna osiedle i zrozumie tę sytuację bez niepotrzebnych wyjaśnień. Walę do jego chaty. Przy następnym skrzyżowaniu.

Trouble siedzi z tyłu, razem z tą niunią z wystającymi zębami; jakbym wiózł panią Daisy. No tak. Ale luz. Luz. Zapamiętam sobie to gówno. Jefferson siedzi z przodu obok mnie. Chce zastrzelić Trouble'a. Czuję to, ale tylko kiwam do niego głową. Jakbym mówił: Spoko, Jefferson. Będziesz miał okazję w swoim czasie, nie teraz.

I całe szczęście, bo chwilę potem zauważam, że za nami walą dwa auta z ziomkami Trouble'a. On widzi, że ja widzę, i kiwa do mnie głową w lusterku, uśmiechając się jak bonzo. Rozsiada się, jakby mój cadillac był jego jebaną kanapą, i wkłada niuni łapę między uda. Uśmiecham się; rany, skurwysynu, wydaje ci się, że jesteś zajebisty. Zapamiętam to gówno. Punktuję go w głowie i właśnie został mistrzem siary.

Dawniej coś takiego wkurzałoby mnie do nieprzytomności, ta siara, którą odstawia Trouble. Pompowanie ego. Jaki to z niego ważniak. A ja? Mam troje dzieci i dwie kobiety. Znają się wzajemnie, więc luz. Widziałem w życiu dość, żeby nie zgrywać ważniaka, bo nim nie jestem i nie chcę być. Chętnie bym się z tego wypisał. Całkowicie. Zamieszkał na przedmieściach San Diego albo w innym grajdole. Nauczył się pływać na desce, czemu nie?

– Ej, strasznie tu z tyłu gorąco – mówi Trouble. – Masz klimę w tym rzęchu?

Moje cztery kółka to cadillac z pięćdziesiątego siódmego. Wtedy jeszcze nie wynaleźli klimatyzacji. W bagażniku wożę nawet chłodnicę parową, którą czasem wkładam do środka; ale tego nie mówię. Pierdolę Trouble'a. Niech się poci.

– Nie.

– A powinieneś! – Nie doczekał się odpowiedzi, więc zmienia temat: – Zastanawiałem się, skąd, kurwa, wytrzasnąłeś tę swoją ksywkę. Momo.

Skurwiel nie ma pojęcia, jak kursowałem po motelach, od jednego do drugiego, handlując, puszczając dziwki w miasto, robiąc wszystko, co przynosi pieniądze. Jak była wtopa z właścicielami albo zjawiała się policja, przenosiłem się do następnego. Zakładałem wszystko od nowa. Dla mnie takie życie to było właśnie momo. Ludzie zawsze wiedzieli, gdzie mnie znaleźć – urzędowałem w jakimś jebanym momo. Pierwszy lepszy powiedziałby w którym. Potem to do mnie przylgnęło jak ksywka. Zawsze łatwiej powiedzieć „Momo" niż „Abejundio", więc tak musiało być. To ksywka, którą ludzie znali. Ksywka, której się bali. Ale coś wam powiem. Jak się długo żyje w ten sposób, między wprowadzką a szpulą, to zaczynanie od nowa nie wydaje się takie ciężkie. Tio George mówił, żeby nigdy nie zostawiać tego, czego nie chcemy stracić. Ale gówniane mądrości o wiele lepiej brzmią po hiszpańsku.

– To nie ja – odpowiadam. – Jeden z weteranów tak mnie ochrzcił.

– Pieprzysz – stwierdza Trouble.

Wzruszam ramionami. Nie chce mi się pogrywać w ten sposób. Młodzi to chcą fejmu. Zrobią w tym celu wszystko. Tak jak te pierdoły ze średniowiecza. Zabrałem kiedyś córki na taki występ w Buena Park. Był czerwony rycerz, niebieski rycerz, zielony rycerz i żółty rycerz i wszyscy wstali i mówili, skąd pochodzą, gadali coś o męstwie i swoich czynach, a moje córki łykały ten kit, a ja pomyślałem, że to się tak bardzo nie różni od naszej ulicy. No bo jest konkretne miejsce, z którego człowiek pochodzi. Człowiek ma imię, może jakiś tytuł. No i osiągnięcia, czyli syf, którego narobił. A więc to to samo, prawie identyczne.

W drodze do domu Miguela widzę żula w kapturze snującego się po okolicy, więc podjeżdżam. Menele sporo wiedzą i najczęściej chętnie gadają, chyba że są stuknięci. Aż zdziwko, ile czasem mają do powiedzenia, jak okaże im się cierpliwość i zada właściwe pytania. No więc podjeżdżam i się zatrzymuję.

– Ej, facet, wiesz coś o tym domu, co się spalił tam dalej przy ulicy? Widziałeś coś? – odzywam się, zanim Trouble zdąży otworzyć jadaczkę i spytać, co wyprawiam.

Odwraca się do mnie i widzę czarnego, ale ma niebieskie oczy, szkliste.

– Widziałem, jak to miasto przenosi się w kawałkach do nieba – odpowiada.

O kurwa, to większy świr. Wciskam gaz. Skurwiel jest stuknięty, gada jak potłuczony, wszyscy w moim wózku to wiedzą, więc ruszam do domu Miguela, to następna przecznica. Podjeżdżam i wysiadam, a na ścieżce stoi skuter jego syna, Mikeya. Nawet nie muszę dzwonić do drzwi, bo Mikey wychodzi i spotykamy się w połowie drogi; jest w czerwonych szelkach i dużych czarnych butach, i jakby koszulce polo zapiętej po szyję. Nie wyobrażam sobie, dlaczego on sobie wyobraża, że takie ubieranie się jest okej, zwłaszcza jak się ma takiego starego jak Miguel. Normalnie tobym go o to zahaczył, ale w tym momencie nie mam czasu.

– Ojciec w domu? – pytam.

Dawniej jego stary odwalał ostrą gangsterkę, ale teraz jest czysty. Plotki mówią, że działał w East Los. Dla Miguela czuję tylko szacunek, bo zrobił swoje i z tym skończył. A potem, żeby ludzie nie wiedzieli, że był w branży, wyciął sobie tatuaż, który miał między kciukiem a palcem wskazującym. Kiedyś zapytałem go o tę ranę i powiedział mi, że usunął rysunek rozgrzanym nożem. Ma teraz wypukłą bliznę jak gąsienica, porządną, na dwa i pół centymetra. Jak mówiłem, ostry gość.

– Nie – odpowiada Mikey. – Wyszedł.

To mnie lekko detonuje, ale nie za bardzo, bo wiem, że Mikey też widzi, co się dzieje na osiedlu, przecież jeździ ciągle na tym skuterze. I nie jest głupi.

– Widziałeś, co się stało z moim domem? – pytam.

– Ehe.

Uśmiecham się i rzucam mu zachęcające spojrzenie: dobra, wysyp się szybko.

– Widziałem chudzielca, który wrzucił mołotowa przez drzwi.

– Jakiego chudzielca? Jak wyglądał?

No i Mikey opisuje faceta, który wygląda jak Lil Creeper w każdym kurewskim szczególe. Jak był ubrany, jak się poruszał, że ciągle do siebie mówił. W głowie składam przysięgę, że jak najszybciej zabiję skurwysyna albo to komuś zlecę.

Ale w tym momencie próbuję odtworzyć tę scenę, więc cofam się trochę.

– Drzwi wejściowe były otwarte?

Bo to by znaczyło, że Cecilia się z nim skumała albo była kurewsko głupia, a tę drugą ewentualność muszę jeszcze porządnie przemyśleć.

– Ehe.

– Ten facet był z dziewczyną?

– Nie. Jak on rzucił, to ona była w środku.

To mnie dezorientuje.

– Skąd wiesz? – pytam.

– Bo jak on odjechał, to zajrzałem do środka. Leżała na dywanie.

– Zabita? Nieprzytomna czy jak?

– Też nie wiedziałem, to ją szarpnąłem. Włosy sobie przez to przypaliłem na ręku.

Podnosi ręce na dowód. Fakt, jedno ramię ma gładkie, drugie całe owłosione.

Chcę wiedzieć jeszcze tylko jedno.

– Gdzie ona teraz jest?

– Nie wiem. Uciekła. Wzięła ode mnie trzydzieści jeden dolców.

Cecilia sto procent. Nie można zostawić portfela w jej pobliżu, bo zawsze go przetrząśnie.

– Pozdrów swojego staruszka – mówię do Mikeya i się odwracam.

Wsiadam do samochodu i wrzucam bieg.

3

W drodze na Imperial mijamy Ham Park i widzę dużą czarną plamę w miejscu, gdzie stała ściana do handballu, i zastanawiam się, dlaczego, do kurwy nędzy, ktoś spalił coś takiego. Zanim zdążę powiedzieć to na głos, Trouble mi wszystko wyjaśnia:

– Rany, człowieku, brawo! Drzazgi z tego to był najgorszy syf. Może teraz postawią coś porządnego.

Na końcu parku widzę bandę ćwoków, więc podjeżdżam. To głównie małolaty i pretendenci. Jeden ze szczawi, z blizną nad lewym okiem, poznaje mnie i podchodzi, ze spuszczoną głową, tak jak trzeba. Krótka piłka: żeby wiedzieli, że jest zielone światło na odstrzał złodziei plądrujących sklepy, a jak mi nie wierzą, to super, sami się przekonają, jak ich policja dorwie. Dodaję, że strażacy są nietykalni. Że nie robimy takiego gnoju jak czarne gangi i, jasna cholera, nie podpalamy na wabia, bo prowadzimy interesy i nie chcemy problemów. Jak się dowiem, że któryś podpala albo ściąga tu gliniarzy i straż pożarną, to zrobię mu jamajkę, jak robią w Harbor City: wiecie, wlewają delikwentowi powoli przez lejek ług do gardła i zostawiają go na torach, żeby się spalił od środka.

– Ostra gadka – mówi Trouble, gdy ruszam dalej. – Muszę ją sobie zapamiętać.

Nie reaguję, tylko się uśmiecham, żeby wiedział, że usłyszałem; bo on jest z tych, którzy nie lubią być ignorowani.

Zatrzymujemy się przy Cork'n Bottle, bo muszę przedzwonić z telefonu przy drzwiach. Konkretnie rzecz biorąc, to on wisi przy sklepie z oponami, ale bardzo blisko tamtego.

Oczywiście Trouble chce wiedzieć, po co dzwonię, więc mu tłumaczę, że muszę wykonać parę telefonów, żeby nagrać sprawę. Ludzie, z którymi musimy się spiknąć, nie lubią, jak ktoś się u nich zjawia bez zapowiedzi. To kłamstwo, ale Trouble łyka. W interesach są zawodowcami. Przyparty do muru zjawiłem się parę razy znienacka i zawsze załatwili co trzeba.

Parkuję na tyłach i kiwam lekko głową do Jeffersona, dając znak, żeby został w aucie i miał oko na tę parkę gołąbków, żeby się nie jebali na mojej tapicerce.

Wysiadam, a wtedy szablozębna mówi:

– Ej, weź mi cytronową ice tea.

Razem z Trouble'em mają z tego niezłą bekę, a z tyłu podjeżdżają dwie fury pełne ziomków, blokując zaułek. Dochodzę do wniosku, że mam dwie minuty, bo potem zacznie ich pilić, żeby się wynieść.

Wykręcam numer, który znam na pamięć, ale dzwoni, dzwoni i nikt nie odbiera. I tak od dwóch dni. Świra od tego dostaję.

Rozłączam się i telefonuję do Glorii. Jest sygnał.

W głowie układam wiadomość, którą nagram, układam ją od trzech miesięcy. To niełatwe. Bo jak powiedzieć dziewczynie, że jest jedyną, którą kiedykolwiek kochałem, jedyną, dzięki której jakoś się ogarnąłem; co gorsza, tak dobrze jej idzie, odkąd mnie rzuciła, zrobiła pielęgniarstwo i tak dalej, chcę tylko jeszcze raz usłyszeć jej głos, muszę jej powiedzieć, że jestem gotowy zobaczyć się z synem, no bo jest tak samo mój...

– Słucham.

Gloria. Ma skonany głos.

W głowie mi się kręci, bo odebrała, więc bredzę tylko:

– Eee, cześć. Gloria?

Idealnie. Już w tym momencie wiem, że to spierdoliłem, ona się opanowuje, wie, że to ja, a przecież zakazała mi dzwonić kiedykolwiek.

– Pół minuty, Abejundio. Włączam stoper. Czas start.

– Dzwonię, bo... – urywam, patrzę za siebie i w bok, na parking, żeby się upewnić, że nikt nie podsłuchuje. – Dzwonię, bo z tym skończyłem.

Prycha w reakcji na to gówno. Nie dziwię się jej.

– Zostało dwadzieścia sekund.

Słysząc to, panikuję, tracę głowę, więc zaczynam naciskać:

– Policja mnie zwinęła. Nie mogę za bardzo o tym gadać. Ale im pomagałem, a oni za to pomogą mi się wyrwać. Nam pomogą się wyrwać.

Ona tylko:

– Dziesięć.

– Zrozum, eee, moglibyśmy wyjechać razem. Ja, ty i nasz mały człowieczek. Gdzieś daleko stąd. Wiem, że dawno chłopca nie widziałem, ale gadałem z szeryfami i mogą wywieźć całą naszą trójkę. Nazywają to, nazywają to reloka...

Rozlega się trzask na linii. Koniec. Przez chwilę gapię się na słuchawkę. Wiem, że się rozłączyła, ale moje serce jeszcze tego nie wie, ciągle się tłucze, ciągle bije szczęśliwe w reakcji na jej głos, próbuje coś tłumaczyć, jednak mój umysł każe mu się zamknąć, bo spaliłem za sobą ten most, a moje serce wali głową w mur, jeśli serce może walić głową; odwieszam słuchawkę i wrzucam drugą ćwierćdolarówkę.

Muszę wykonać jeszcze jeden telefon.

4

Przed wykręceniem numeru znowu zerkam za róg i w bok, żeby się upewnić, że nikt się nie przypałętał do Cork'n Bottle, ale wszystko okej. Wybieram numer, który wykręciłem najpierw, ale mam przeczucie, że przy biurku sierżanta Ericksona w wydziale zabójstw nie ma nikogo. Urzęduje w Commerce, blisko Wschodniej, gdzie byłem tylko raz, żeby wypełnić papiery, i musiałem się dwa razy przesiadać do innego samochodu, żeby mieć pewność, że nikt mnie nie śledzi. Gdy wlazłem do systemu, to klamka zapadła.

Nieczęsto sypię dziesiątkami. Tak, sypać dziesiątkami to być ucholem, ale też normalnie dzwonić, chociaż telefonowanie miejscowe kosztuje już więcej niż dziesięć centów. Najczęściej przepytują mnie w samochodzie, jak jeździmy po mieście. Na przykład idę sobie na spacer z osiedla, upewniam się, że nikt mnie nie śledzi, i wsiadam do nieoznakowanego samochodu z zaciemnionymi szybami, a oni włączają magnetofon i zadają pytania. A ja sypię wszystko, co wiem. Zeznawał będę dopiero wtedy, jak zakończą dochodzenia, a to trwa wiecznie.

Włącza się automatyczna sekretarka i mówi to, co już wiem: stanowisko Ericksona, proszę zostawić wiadomość.

– IP – mówię i zaraz dodaję numer identyfikacyjny, żeby wiedzieli, że mają mnie w bazie danych. A potem napierdalam szeptem jak najszybciej: – Dzwonię od dwóch dni, wie pan przecież, że nie zostawiam wiadomości. Gdyby było normalnie, nie zadzwoniłbym, ale narobiło się takie gówno, że musi pan przyjechać i mnie zgarnąć, wyciągnąć mnie z tego, kurwa, bo jak to jebnie, to trup będzie słał się gęsto. To chyba będzie na Duncan. Duncan Avenue. Jakoś dziś po południu albo wieczorem. Jak się dowiem, to zadzwonię, ale wrócę do siebie za dwie godziny, o dziewiątej. Musi pan po mnie przyjechać.

Znowu rozglądam się za siebie i na boki. Ulga jak chuj, bo nikt nie patrzy.

Na początku Erickson mocno mnie przyciskał w sprawie gangów, więc rzuciłem jakiś ochłap na zachętę. Resztki ze stołu, wiecie, ale porządne resztki. Powiedziałem im, że na mieście słychać, że to Lil Mosco ostrzelał ten klub i przewiercił ołowiem siostrę Jokera i że prędzej czy później będzie odwet, ale tym się jakoś specjalnie nie przejęli, bardziej interesowało ich samo zabójstwo. No i słyszałem, że potem próbowali zwinąć Lil Mosco, ale zniknął, się zadekował, bo Fate nie jest taki głupi, żeby go wysyłać na miasto.

Wiadomo, że nie powiedziałem Ericksonowi, że tam byłem, Cecilia akurat robiła mi loda na parkingu, kiedy Lil Mosco dorwał tych dwoje i zaczął strzelać. Usłyszałem kłótnię, bo chłopak siostry Jokera zaczął wrzeszczeć do odchodzącego Mosco, że zgwałci mu siostrę, Payasę, za pomocą noża. Dobra, też lubię kosę, jak każdy, nic tak nie skłania ludzi do wyznań, ale w tamtym momencie ten tekst to była granica i koleś przekroczył ją w chuj, chociaż mu się wydawało, że wypadł zajebiście. Naprawdę się zdziwił, że Lil Mosco zareagował?

Wiedzą, że moje informacje są prawdziwe, więc wprowadzają mnie do systemu jako wiarygodne źródło, a Erickson mi mówi, że się łącznikują, takiego słowa użył, łącznikują się z FBI, bo chcą dopaść prawdziwych ważniaków. Prawie mu się roześmiałem w twarz, jak mi to powiedział. Przecież ja nie znam żadnych ważniaków, mówię, ale wiem, kto rządzi. A potem dodałem, że jak chce dopaść ważniaków, to lepiej niech mnie obejmie pierdolonym programem ochrony świadków, bo gówno im powiem, jak mi najpierw nie zmienią nazwiska na Theodore Hernandez i nie wyekspediują mnie do Argentyny. Potem, żeby udowodnić, że handluję dobrym towarem, sprzedałem im paru Jamajczyków z Harbor City. Słuchali z zaczerwienionymi uszami.

Z tego, co wiem, psy już mają wszystko gotowe, zaraz będą aresztowania i stawiane zarzuty, więc czas, żebym się z tego wypisał. W zeszłym tygodniu kazali mi się spakować, więc się spakowałem. W bagażniku wożę torbę, jestem gotowy, żeby się spulić, ale teraz nie mogę się do nikogo dodzwonić. A to wywołuje niemiłe uczucie, jeśli chcecie znać prawdę.

– Ej! – Trouble wychodzi na zewnątrz, trzymając w ręku chyba ostatnią ice tea ze splądrowanego sklepu. – Skończyłeś czy jak? Jedziemy. – Chce odejść, ale coś mu się przypomina i znowu się do mnie odwraca, szperając w kieszeni. – Masz ochotę na gumę jagodową? – Pierwszy raz tego dnia cichnie wyraźnie po tych słowach. – Mój brat lubił to gówno – dodaje po chwili. – Ale tak wiesz, uwielbiał bez kitu.

5

W drodze do Harbor City myślę o tym, że szkoda, że zjarał się sklep z bronią, bo to byłby najlepszy włam, a ja nie musiałbym przepłacać za jakieś klamki, żeby Trouble i jego ziomki uzbroili się po zęby. Obrywam osiem klocków po kieszeni, żeby się z tego wykaraskać.

Jedziemy do Harbor City, żeby się spotkać z facetem, który nazywa się Rohan. To on nauczył mnie akcji z ługiem. W biurowcu z czerwonej cegły, obok nadmorskiej autostrady, tam gdzie Frampton przechodzi w Dwieście Czterdziestą, ma nieduży magazyn, porządny i odsunięty od ulicy, dokoła rosną nawet jakieś drzewa, aż miło. Z boku w ścianie jest brama garażowa – można ją podnieść i przyjmować dostawy – i tam właśnie kolo na nas czeka.

Jest wysoki, wyższy ode mnie prawie dziesięć centymetrów, mieszany Jamajczyk, trochę biały, trochę czarny, trochę Azjata chyba. To ostatnie widać po kształcie oczu. Prowadzi tutaj handel częściami hydraulicznymi, całkiem na legalu. W środku pełno różnych rur i akcesoriów. Uczy się też hiszpańskiego.

– *Qué onda, vos?* – zwraca się do mnie.

Za plecami słyszę Trouble'a szepczącego do jednego ze swoich ziomków:

– O kurwa, ale jazda! Ten wyspiarz gada po salwadorsku!

Jeśli Rohan to słyszał, to nie pokazuje tego po sobie. Pyta, czy mam pieniądze.

– *Tienes pisto?*

Kiwam głową, więc prowadzi nas do biura, gdzie gra muzyka.

Jak się człowiek zadaje z Jamajczykami, to się nasłucha reggae do wyrzygania. Jak teraz, wiem, że to nie Shabba Ranks gra w tle. To Toots and The Maytals, jeden z albumów koncertowych, piosenka o więźniu numer 54-46, i aż zdziwko, jak to pasuje. Kawałek nagrany na żywo w Londynie, jeszcze w latach osiemdziesiątych, w Hammersmith Palais. Znam te numery, bo Rohanowi zależy, żebym je znał, żebym szanował jego kulturę, tak mówi. No więc nigdy nie byłem w Anglii, ale to szał, publika śpiewa głośno na płycie, kiedy ja, Jefferson i Trouble siadamy do interesów w biurze Rohana.

Rohan zna Jeffersona, więc przedstawiam mu tylko Trouble'a, który jakimś cudem nie robi więcej gnoju, co wydatnie pomaga w tej sytuacji. Idzie nam szybko i bezboleśnie, to znaczy pójdzie bezboleśnie, pod warunkiem że bez sprzeciwu wybulę dodatkowe dwa tysiące, bo Rohan podbija cenę za sześć strzelb i piętnaście pistoletów półautomatycznych różnej produkcji, wszystko niezarejestrowane, do okrągłych dziesięciu klocków, no bo czy nie widzę, że miasto stało się jedną wielką dupą do wydymania?

– No właśnie, jak będziemy mieli odpowiednie fiuty, to możemy zerżnąć wszystko – dodaje Trouble.

Nie może się doczekać, żeby położyć łapska na tej broni.

Nie ma sensu się targować. Przywiozłem dziewięć tysięcy gotówką, które Jefferson przynosi z samochodu, ze schowka w drzwiach od strony pasażera, a Rohan przelicza i mówi, że ufa mi, że dopłacę resztę, że interesy ze mną to przyjemność i czy wiem, co leci z głośników. No to mu mówię, że to Toots, a on się śmieje, dumny ze mnie. W tym momencie zaczynam się zastanawiać, czy kiedykolwiek się dowie, że to ja go sprzedałem szeryfom, jak mu zrobią nalot lada dzień. Zasłużył na to za podbicie wrednie ceny, chciwy skurwysyn. Uśmiecham się do niego zza stołu. Serdecznie i tak dalej, potem dziękuję grzecznie i wychodzę na dwór.

Stoję na parkingu, dokoła tylko nasze samochody, i patrzę, jak ładują broń do jakichś zwykłych skrzynek na rury i potem do bagażników swoich dwóch aut, i myślę sobie, że to łaska boska, że mogę się wyrwać z tego gówna. Mocno się wychyliłem poza swoją strefę, aż tak bardzo pomagając ekipie Trouble'a, ale zrobiłem to tylko dlatego, żeby się ich pozbyć, bo mam lodowate przeczucie, że ważniakom mocno się nie spodoba, że załogi Fate'a i Trouble'a skoczą sobie do gardeł, a jeszcze mniej, że ja się do tego przyczyniłem; ale teraz nie da się już tego powstrzymać. Nieuniknione i pojęcia nie mam, co z tego będzie. Właściwie to prawie nie chcę wiedzieć, ale nastroje są takie, że będzie strzelanina jak w O.K. Corral, pukanina aż do ostatniego naboju, bo skurwiele dyszą żądzą mordu.

Patrzę, jak kończą ładować i zatrzaskują bagażniki. Już chcę się pożegnać po ziomalsku, ale Trouble patrzy na mnie i mówi:

– Koniec ze staniem z boku. Jedziesz, kurwa, z nami, działasz. Pomogłeś nam tutaj, znaczy jesteś z nami.

Uśmiecham się, ale czuję, jakby mi się płuca skleiły. Próbuję normalnie oddychać, ale nie mogę, co tam, chuj z tym, umiem udawać, gdy trzeba.

Wyszczerzony od ucha do ucha pokazuję mu dziewiątkę, którą noszę za paskiem, też z kolbą owiniętą białym plastrem, bo nie cierpię, jak mi się łapa poci, gdy trzymam klamkę, no i mówię:

– *Símon*, człowieku, miałem nadzieję, że to powiesz. Obmyślimy plan i…

– Plan? – śmieje się Trouble. – Jedziemy. Atak z zaskoczenia. Partyzancka zagrywka, *vato*.

Do tej pory przytakiwałem, ale ten debilizm to zwykłe samobójstwo. W tym momencie mnie olśniewa. Trouble'owi chodzi właśnie o taką samobójczą akcję. Żołądek zawiązuje mi się w precel na samą myśl o tym, bo nie ma mowy, żebym wziął w tym udział.

– Nic z tego nie będzie – odpowiadam. – Fate rządzi w Lynwood.

Jeśli chcą mnie ze sobą zaciągnąć, żebyśmy popełnili jakieś kretyństwo w rodzaju ostrzelania domu, to wszyscy będziemy skończeni. Nawet jak wyjdziemy z tego z życiem, to i tak jesteśmy skończeni. Ogłoszą sezon polowań i tak dalej. Mój żołądek to już nie precel, tylko czarna dziura wsysająca całe ciało.

– Jasna cholera, Momo – mówi Trouble. – Myślałem, że czytasz książki i inne gówno. Można rządzić, a potem przestać. Można nie rządzić, a potem zacząć. Jak król umiera, to musi być nowy, nie, ziomek? *El rey ha muerto. Viva el rey!*

Jego bęcwały kiwają łbami na to pieprzenie.

– Poza tym – dodaje – nie przypominam sobie, żebym ci dał wybór.

Czuję, jak mi uśmiech tężeje na ryju, i kiwam głową. Pot na mnie bucha, bo nie mogę uwierzyć, że z niego taki kretyn, i zdaję sobie sprawę, że się z tego nie wyautuję, więc kiwam głową do Jeffersona, żeby wsiadał, a potem modlę się w duchu, żeby Erickson odsłuchał moją wiadomość, kiedy zapierdalamy z powrotem, tyle że teraz dwie fury z tyłu są bardziej przysadziste na osiach, załadowane taką ilością broni, że można skasować całe osiedle.

DZIEŃ 4
SOBOTA

TO BYŁ DZIKI ZACHÓD Z WYASFALTOWANYMI ULICAMI.

RONALD ROEMER,
BYŁY FUNKCJONARIUSZ STRAŻY POŻARNEJ,
O SYTUACJI W SOUTH CENTRAL
PODCZAS ROZRUCHÓW

BENNETT GALVEZ
AKA TROUBLE
AKA TROUBLE G.

2 MAJA 1992

1.09

1

Jak się szykuję, żeby narobić porządnego gówna, to się nie trzęsę, tylko pocę. W kark mi się robi gorąco, czuję, jakbym się zjarał na słońcu czy coś, mokro, nic nie mogę poradzić, nie umiem tego powstrzymać. Nakręcam się. Jest, jak jest. W tej chwili wciskam szyję w kołnierz, żeby to pohamować, potrzeć bawełną o skórę, bo walimy trzema furami na akcję, a jedynym celem mojego życia teraz jest to, żeby ta dziwka Payasa zdechła w kałuży własnej krwi za to, co zrobiła, bo tam, skąd pochodzę, nikomu nie wolno bezkarnie uszkodzić rodziny. Chcę, żeby się poczuła tak samo, jak ja się czuję od paru dni. Musi. Nikt nie może mi odebrać jedynego brata i jedynej siostry i spodziewać się czegoś innego.

Nie mówiłem nikomu, ale jak Ramiro umierał na moich oczach, to jakby mnie żywy ogień palił. Ciało mam jakieś inne. Czasami to gorąc w stopach, w podeszwach i za kolanami, a kiedy indziej obejmuje mnie to całego, aż czuję, jakbym miał się spalić, i nie mogę tego odgonić. Ten gorąc zmienia się czasem pod wpływem moich myśli, pod wpływem tego, o czym myślę. Buzuje mocniej przez to, co ciągle odgrywam w głowie, powstrzymać się nie mogę.

Siedziałem w salonie, czekałem na piwo, które moja dziewczyna niosła mi z kuchni, i pamiętam, że właśnie pomyślałem, jakie to świetne uczucie, że dorwaliśmy jednego z nich, tego całego Ernesto. Że nareszcie! Świetne uczucie, wiadomo. Trzeba było odczekać ponad miesiąc, żeby się odegrać za moją młodszą siorę. Rodzice musieli wystąpić w wiadomościach i w ogóle. Uroczystość była u nas, trumna obok zgaszonego telewizora, tym z zakładu pogrzebowego to się nie spodobało, ale zrobili co trzeba, bo im zapłaciłem, a zapłaciłem im, bo matka by się zabiła, gdyby jej ukochanej córki nie przywieziono ostatni raz do domu. A potem w karawan i na cmentarz, żeby pochować. Musiałem patrzeć, jak moja młodsza siostra idzie do ziemi, pod grubą warstwę tej sztucznej trawy, co rosła dokoła. Musiałem stać i słuchać cichego zgrzytu wyciągarki, na której ją opuścili do dołu. Jakby pies gryzł metalowy łańcuch, tak to było słychać. Chyba nigdy nie zapomnę tego dźwięku, chociaż najchętniej bym zapomniał. Musiałem pierwszy sypnąć garść ziemi, bo ojciec nie mógł. Nie że nie chciał, nie mógł. Siedział na wózku, z kapeluszem w rękach, więc to ja i Joker musieliśmy podejść i sypnąć ziemię na trumnę naszej młodszej siostry. Naszej Yesenii. A jak rzucona ziemia zadudniła o drewniane wieko, to matka zaczęła zawodzić. Żałośnie. Tego się nie zapomina. Zostaje w uszach. Czasem budzi mnie to w nocy.

No więc jak usłyszałem, że ten koleś pracujący w furgonetce Tacos El Unico jest z rodziny tego Lil Mosco, który zabił naszą Yesenię, że tak naprawdę to jego starszy brat, a przedtem nie wiedziałem, bo nie był z branży ani nic, to klamka zapadła. Wcześniej nie znałem jego nazwiska. A potem to już był tylko „martwym bratem Lil Mosco". Nazywałem go tak przy wszystkich ziomalach, a oni się śmiali, bo chyba nie wierzyli, że mówię poważnie.

Będę szczery, chuj mnie obchodziło, czy facet jest z branży, czy nie. W mojej opinii Lil Mosco wciągnął go do tej zabawy. Jak zabija mi siostrę i znika, no to jest, jak jest. Właściwie to on zabił swojego starszego brata, bo spieprzył jak ostatni tchórz, nie wziął tego na klatę jak mężczyzna. Więc jak miasto dostało pierdolca z powodu tej gównianej afery z Rodneyem Kingiem, kazałem Jokerowi śledzić skurwysyna, żebyśmy się chociaż trochę odwdzięczyli za to, że zabili naszą Yesenię. Dorwaliśmy nie tego, którego chcieliśmy, nie Lil Mosco, ale trudno, skasowaliśmy jednego z nich, remis. Moja młodsza siostra, wasz starszy brat. Sprawiedliwie, uznałem. Sprawa zakończona.

No i tamtego wieczoru stałem w tym samym salonie, patrząc na telewizor przykryty małą serwetką z kanarkami, którą matka złożyła na trzy, żeby za bardzo nie zwisała; na serwetce wysokie zapalone świece modlitewne z obrazkami świętych i Jezusa z dużym czerwonym sercem wychodzącym z piersi. Z przodu zdjęcie mojej młodszej siostry sprzed trzech lat, uśmiechniętej, z aparatem na zębach, choć wrzynał się jej mocno – ja i Ramiro też takiego potrzebowaliśmy, ale ojciec był już wtedy na rencie inwalidzkiej i hajsu starczyło tylko dla Yesenii – a po lewej stronie puste miejsce, gdzie na uroczystości stała trumna; i pamiętam, że spojrzałem na dywan tamtego wieczoru, kiedy załatwiliśmy Ernesto, i pomyślałem, że to puste miejsce po trumnie już nie jest takie puste. Zapełnić to się nie zapełniło, ale zawsze coś. Zemsta. Odpłata.

To, co się potem stało, napierdala we mnie do tej chwili. Odgrywają mi się w głowie powtórki, bez przerwy. Ciągle. Zaczyna się od mojej dziewczyny, która wchodzi z piwem w jednym z tych połyskliwych czerwonych kubków, uśmiechnięta, jakby była ze mnie dumna, drugą ręką zaczesując sobie włosy za ucho, i nagle bang! Na dworze. Strzał. Podskakuje ze strachu, chlusta piwem prosto na mnie, aż mi normalnie moczy koszulę u dołu i górę spodni.

Wiem, że ten huk to strzał. Wiem to w tej samej w chwili, jak odwracam się do dużych szklanych drzwi do ogrodu. Za głowami ludzi widzę upadającego Jokera, krew tryska mu z ucha albo szyi, nie wiem skąd, a na ten widok ostatnia dobra rzecz we mnie, jedyna dobra rzecz, rozpada się na milion kawałków, ale jeszcze tego nie wiem, bo moją uwagę przyciąga teraz dziewczyna w koronkowych rękawiczkach, z glockiem, celuje do Foxa, a jemu klatka piersiowa wylatuje przez plecy i jest tyle krwi, że wygląda, jakby ktoś rzucił butelką keczupu w ścianę z pustaków i jakby się roztrzaskała, i...

Z tyłu odzywa się Momo:

– Ej, coś ci jest czy jak?

Właściwie to nie pytanie. Odstawia wyższą pierdolencję, jakby był lepszy ode mnie. Ale gdyby siedział cicho, tobym się nie zorientował, że trzymam się za kołnierz i pocieram nim gorący kark jak ręcznikiem albo czymś, robię to nieświadomie.

– Nie martw się o mnie – odpowiadam. – Martw się o siebie.

Puszczam kołnierz i kładę ręce na kolanach. Jesteśmy prawie na miejscu. Blisko Boardwalk, które te skurwysyny tak lubią. Czas kończyć zabawę.

Jakoś tak się ze mną porobiło ostatnio, jakbym się gubił w sobie, tracę rozeznanie, rachubę czasu. Jest, jak jest. Było tak ze mną już wtedy, jak mi skasowali siostrę; ale nie aż tak bardzo, bo nie stało się to na moich oczach. Nie widziałem jej krwi. Z Jokerem to co innego. Za dużo. Tak.

Pamiętam, że pobiegłem do drzwi, a wszyscy inni w drugą stronę, i walnęło więcej strzałów, a ja nic nie widzę, bo mi ludzie zasłaniają, wrzeszczę, żeby wypierdalali, drzwi się rozsuwają, i wtedy słyszę wielkie bum jak z trzystapięćdziesiątkisiódemki albo czterdziestkiczwórki, głośne. W dupie mam, z czego strzelają, dopadam drzwi, kopniakami i pięściami torując sobie drogę, chuj mnie obchodzi, bo chcę dobiec do Ramiro, wyskakuję na dwór, ale zapominam o dwóch małych schodkach, tracę grunt pod nogami i upadam do przodu, mocno, kurewsko ścierając sobie lewe kolano i obie ręce, nic jednak nie czuję, zrywam się i już jestem przy nim, jeszcze oddycha, patrzy na mnie, jakby się trzęsie cały, próbuje... co? Mówić? „Nie", powtarzam bez przerwy, bo nic innego nie przychodzi mi do łba, powtarzam ciągle i szybko, aż traci sens. To tylko dźwięki wychodzące ze mnie, a Ramiro przestaje oddychać, ten cholerny gówniarz, którego uczyłem jeździć na rowerze, bo tata nie mógł z powodu kalectwa. Podtrzymuję skurwiela, tego małego skurwiela, który zawsze chciał być taki jak ja, i myślę, że się zgrywa. Że zaraz zacznie oddychać. Że zrobił mi kawał. No więc się śmieję, no bo może on czeka, żebym się zaśmiał, to wtedy zacznie oddychać... ale nie. Klatka piersiowa się nie podnosi, tylko zapada. Z szyi dochodzi takie jakby gulgotanie, więc próbuję zatkać to rękami. Nie daję rady. Chcę zakryć dziurę po kuli, dużą jak moneta. Naciskam obiema rękami, ale już nie czuję bicia serca. Ciągle mówię, że nie, nie. Bardzo cicho. Nie głośno czy dramatycznie, tylko „nie". Nie, nie, nie. I wtedy słychać największy huk. Strzelba.

Pewnie dlatego nie śpię od tamtej pory, to znaczy tak nie śpię, żebym spał. Piję, żeby nie widzieć twarzy mojego brata. Ćpam, żeby nie widzieć tej dziury w szyi. Nic więcej nie mogę zrobić. Zasypiam, dopiero jak mi się film urwie, inaczej się nie da, a potem, jak otwieram oczy, po kilku godzinach, to i tak nie pomaga. Wszystko wraca, siedzi mi w głowie i całe ciało boli, znowu pali mnie ogień. Jest, jak jest.

Robimy wjazd i parkujemy przy Virginia, wszystkie trzy samochody, czyli zaczyna się zabawa, więc wciągam grubą kreskę koki z kciuka. To też mnie grzeje. Potem wbijam sobie do głowy wspomnienia o Jokerze, no bo czas wykonać robotę. Jakbym mógł otworzyć czaszkę, wpakować to do środka, zamknąć, zachować. Tak właśnie mam go w sobie. Jak najbliżej. Zaraz potem czuję, jakby mnie rozpaliła błyskawica w środku. I dobrze, bo w tej chwili nie mogę być sobą. Nie mogę być Bennettem ze wszystkimi jego kurewskimi problemami. Teraz ja to Trouble. Ten, o którym wszyscy wiedzą, że się nigdy nie cofa.

Na ulicy tylko my i jakiś czarny skurwiel wyglądający na bezdomnego, gmerający w śmietnikach kawałek dalej. Od iluś dni nie wywożą śmieci, ale ludzie i tak wystawiają nowe. Kretyni. Właściwie nie muszę nawet patrzeć, i tak wiem, że to ten sam świr, którego Momo pytał o swój spalony dom i od którego usłyszał jakieś pierdoły o mieście idącym w kawałkach do nieba czy coś.

Oprócz tego czubka szurającego nogami widzę dokoła miasto duchów. Światła pogaszone w całej dzielnicy, zasłony dokładnie zaciągnięte, tylko latarnie się palą. Ładnie tutaj pachnie kwiatami, nie wiem jakimi, ledwo czuć dym. Zapuściliśmy się daleko poza swój rejon, stoimy tuż obok tego miejsca, które nazywają Boardwalk. Mój młodszy brat mi o tym mówił. Wiem, że dla Fate'a i jego ekipy to droga ucieczki przed szeryfami i innym gównem, ale w tej chwili to nasz wjazd w sam środek ich terenu.

2

Koka kurewsko kopie i już mi lepiej. Jest moc. Czas się odegrać, wyłożyć karty. Jest nas dziewięciu ziomów, twardych *veteranos*, bo w tej akcji nie można polegać na małolatach chcących zarobić belki na pagony. Wiedzą, że to samobójcza akcja, i mają wyjebane, ja też. Takie rzeczy robię nie od wczoraj i jestem nietykalny. Bo nikt się nie spodziewa, że zrobisz wjazd do domu i rozwalisz kolesi na ich własnej kanapie, to czysty *vato loco*. A ja tak robię i jakoś żyję. W tej chwili mój główny atut to to, że mam wyjebane. Na wszystko. Wcześniej takie akcje robiłem sam. Ale nigdy takiej dużej. Ściągnąć wszystkich na drugą stronę Atlantic, już samo to nam dopierdoliło. Coraz więcej Gwardii Narodowej na ulicach, patrolują i sterczą na skrzyżowaniach, więc nie mogliśmy ruszyć kolumną. Trzeba było przycwaniaczyć, żeby ich ominąć, no to po drodze się rozdzieliliśmy, czterech ziomków w jednym samochodzie, pięciu w drugim, pojechaliśmy innymi trasami i spotkaliśmy się na miejscu.

Bo z Gwardią nie chcieliśmy zadzierać. Mamy wśród nich trzech naszych, zmobilizowanych do Inglewood i wysłanych w teren. Co, myślicie, że w Gwardii Narodowej nie ma gangsta? Kurwa. Pobudka. My mamy trzech. Ale nazwisk nie podam. Głowę daję, że inne gangi też mają u nich swoich ziomków. Bo to świetny sposób, żeby się dowiedzieć o broni, taktyce i podobnym gównie. Rozkminić ważne sprawy, no wiecie.

Powiedziałem Momo, że uderzymy na Fate'a i resztę po południu, zaraz po spotkaniu z tym Kitamajczykiem, po tym, jak się wyposażymy porządnie; ale wcale tak nie zrobiliśmy, bo nie było takich planów. Skłamałem. Jebać Momo. W życiu nie zrobiliśmy wjazdu w środku dnia. Poza tym najpierw trzeba było jeszcze coś załatwić. Musieliśmy zrobić włam do biura kuratora sądowego i urządzić ognisko z akt, żeby pewni ludzie nie poszli siedzieć.

Była taka radocha, że należało to uczcić, więc się naćpaliśmy. Żeby było jasne: Momo uraczył nas powodowany dobrocią serca, bo z niego wspaniałomyślny człowiek. Widać, że nie próbuje się oszczędzać jak jakaś *vibora*. Żmija znaczy, takie cholerstwo, co ukąsi człowieka, jak się jej pozwoli.

Momo migał się od tygodni. Nie tylko ja to widziałem. Nie odpowiadał ani przez pager, ani nawet jak się go spytać prosto w oczy. Dekuje się. Jakbym go nie znał, tobym powiedział, że zaczął kablować, bo jak go spotkałem pierwszy raz, znaczy poznałem, to był inny. Nie mówił dużo, ale był prawdziwy, a teraz, jak wiem, że kręcił i unikał pagera, a przecież wiedział, że to z jego broni stuknięto Ramiro, to mam powody do zmartwień, więc i mnie wolno kręcić.

Moja dziewczyna też ma rację, jak mówi, żeby już go nie puszczać do telefonu, bo może chce zadzwonić, żeby się poskarżyć, że źle go traktujemy, więc posłuchałem jej, a nawet lepiej, bo moją nową strzelbą przepędziłem tego jego Jeffersona do domu. Nie spodobało mu się patrzenie w wylot lufy, ale co miał zrobić, przestał strugać twardziela i spierdolił, i to rakiem, bo ciągle na mnie patrzył. Nic nie mógł zrobić, tyle w temacie.

Na odchodne powiedziałem mu, że sam przypilnuję Momo, to wystarczy. Dlatego właśnie mam teraz tę mendę u boku, jest cały wystraszony, ściska ten swój poharatany pistolet z plastrem, łapsko mu się poci, bo nigdy nie strzelał, taki jest powód.

Patrzę na niego i mówię:

– Oszczędź mi durnych pytań, dobra?

– Jest czas na gadki i czas na działanie.

Pyskuje jak twardziel, ale ślepy by widział, że nie chce tego robić, idzie, bo wie, że inaczej odstrzeliłbym mu łeb z odległości jednego kroku. Na tym polega piękno zjarania całego gieta, bez udziałowców. Mogłem wcześniej skasować Momo, ale wolę go zmusić, żeby maszerował z nami.

Mówię obu kierowcom, żeby zostali na miejscu i nie gasili silników, bo zrobi się ostro i będzie szybki wyjazd. Każę Momo iść przodem, w razie czego to moja tarcza, wiadomo. Nas sześciu i ten kretyn ruszamy jak oddział komandosów, niewykrywalni, podchody przez Boardwalk, jedyny dźwięk to nasze kroki i szelest rozchylanych liści i gałęzi. Uśmiecham się na myśl, że nawet się nie zorientują. Zrobimy im pierdolony

Wietnam, kurwa. Za Ramiro, za Foxa, za Lil Blanco, biedak dostał przy ogrodzeniu, i tych innych, co oberwali na imprezie.

Walimy szybko szeregiem jak mrówki przez zaułek z garażami po obu stronach, potem z powrotem na Boardwalk i dalej na Pope, rozglądając się dokoła, ale nikogo nie ma, a potem jeszcze jeden zaułek i już jest Duncan Avenue. Momo na przodzie, ja jestem drugi. Od razu dostrzegam dom, w którym mieszka Fate i ta *manflora* Payasa. Dodaję gazu.

Ten cały Momo wreszcie się na coś przydał, bo zakapował nam, gdzie mieszkają. Jak spytałem, skąd wie, to odpowiedział, że jego ćpuny mówią różne rzeczy, jak się nagrzeją, a ten skurwiel Lil Creeper, jak się nawali, to gęby zamknąć nie umie, więc Momo go czasem podpytywał o ekipę Fate'a, żeby być zorientowanym w sprawach. Jak to powiedział, to tylko pokiwałem głową, bo to sprytna zagrywka była, ale i tak wyczułem, że kręci, żmija jedna.

Z przodu dom za ogrodzeniem z siatki drucianej do wysokości pasa, a mój wzrok przyciągają trzy skrzynki na listy na wspólnym podjeździe, co biegnie dalej w głąb. Dom jest po prawej stronie tej betonowej alejki. Takie pudełko, beżowe gówno pokryte tynkiem, z krzywym dachem, przodem do ulicy, jak baseballówka mocno naciśnięta na głowę, podpieranym przez sześć rozstrzelonych filarów. Między środkowymi dwoma są drzwi z oknami po obu stronach, z widokiem na najbardziej żałosny trawnik, jaki widziałem.

Zasłony zaciągnięte, ale z lewego okna przebija pasek światła, z lampy czy czegoś. Dodatkowo telewizor rzuca kolorowy blask. Dobrze.

Podnoszę rękę i pierwszy ruszam na podjazd, obok skrzynek na listy, na trawnik, prosto do drzwi. Zero wahania. Za Ramiro, za Yesenię, wy skurwysyny. Dochodzę i staję na rozkraczonych nogach. Wszyscy robią to samo. Jak zacznę pruć, wszyscy zaczną pruć. Zaczynam. W stylu Ala Capone, gangsterzy w rzędzie wywalający do ostatniego naboju.

Kraty w oknach nas nie powstrzymują, ale na coś chyba się przydają, bo ciągle słyszę to ping, ping, ping, jakieś dziwne, ale się nie zastanawiam, walimy w szyby, szkło fruwa w pizdu, na podjazd, na trawnik.

Śmieję się, bo jednym strzałem wysadzam kratę antywłamaniową na drzwiach, takie jakby buu-haa, jestem niepokonany, no i to chyba nie metal, bo się gnie i krzywi, jak przyłożyłem strzelbę; przeładowuję i znowu, już wisi, zamach i kopię w zawiasy, szarpię za klamkę, cała wygięta od śrutu, zostaje mi w ręku, super, cholera!

Odchylam się do tyłu na maksa i kopię z całej siły w drzwi, gówniane drewno, bez klamki, zasuwki, więc powinno przegrać z moim butem.

Nie puszcza. Aż się, kurwa, odbijam!

I czuję ból w stopie. W kolanie też.

No to kopię jeszcze raz. To samo. Ani drgnie.

– Co jest, kurwa?! – woła ktoś za mną.

Szybko filuję w tę dziurę, w której była klamka, ale to nie dziura. To znaczy niby dziura, ale coś jest w środku, dalej. Metal.

Wciskam tam lufę, ale nie chce wejść. Grube to jak pokrywa włazu kanałowego. Pogięte od śrutu, wpycham palce, w chuj gorące, aż parzy.

Co jest, do kurwy nędzy?

I wtedy jakby mnie oblali wrzątkiem. Całe ciało znowu płonie. Jest mi głupio, jest mi smutno i jestem wściekły, wszystko naraz. Nie. Nie, nie.

To zasrana pułapka. Najbardziej pierdolona pułapka. Nie.

Wlazłem w sam jej środek. Ja. O kurwa!

W ustach mam sucho i już chcę krzyknąć do ziomów, żeby się ratowali, ale nagle światła się zapalają. Nie, nie...

Oczojebne żółtobiałe światła z tyłu i z boku, aż mrużę oczy, jak się odwracam, zaciskam powieki, podnoszę strzelbę do twarzy, żeby zasłonić się przed tym blaskiem, i daję glebę, i wtedy właśnie słyszę pierwszy strzał z oddali, i moi kretyni idą w rozsypkę.

Co jest, myślę, zgarbiony najbardziej jak się da, przyklejony do ściany, aż mi się wrzyna w plecy, harata, bo szybko się przesuwam do rogu, żeby wyrwać stąd w cholerę.

Chcę krzyknąć, żeby wypierdalali. Ale z gardła wychodzi zduszony bełkot.

Słyszę więcej huku, szybciej tym razem, bliżej. Coś jak blam-blam-blam...

Nie.

Pociski gwiżdżą, jeden trafia w ścianę nad moją głową i tynk tryska takim pac-tfyyyy!, pył i grudki lecą mi na mordę, a potem najgorszy odgłos, jaki kiedykolwiek słyszałem: trrrrr-trrrrr...

Zgadza się, to śpiewa groźny rusek, dokładnie taki dźwięk, jak się z niego wygarnie serią. Nie wiem, jak są blisko ani w co celują, ale to dudnienie czuję w płucach, wali mi w serce jak w bęben, i już wiem, że jesteśmy załatwieni, tu i teraz, na miejscu. Nie, nie.

Wszędzie słychać wrzaski. Serce mi zapierdala w uszach, we łbie gorąc i ból.

Nie. Za głośno. I za szybko.

– Nie – mówię, bo nic innego nie umiem powiedzieć.

To całe kurewstwo to moja wina. Ale nie ma czasu na pieprzony rachunek sumienia. Musimy się przebić.

W głowie zwołuję apel wszystkich ziomków, których tak kretyńsko wystawiłem. W tej chwili nie mogę zrobić nic lepszego dla Ramiro i naszej Yesenii, i Lil Blanco, i...

I dla Foxa, i Looneya, i…

– Strzelajcie w lampy! – krzyczę, przeładowuję i walę w czarne sylwetki na tle bieli.

Znowu przeładowuję i wygarniam, i rozbijam jedno światło: iskry i takie tsssss, więc znowu przeładowuję i walę, i już się wystrzelałem, już pusto, wiem to, ale i tak przeładowuję i naciskam spust. Nic się nie dzieje.

Jest, jak jest.

– Lepiej mnie zabijcie, zabijcie, skurwysyny jedne! – krzyczę.

Pozostałe słowa nie wychodzą z ust, bo już leżę na boku, a nawet nie pamiętam, żebym zaliczył glebę.

W uszach dzwoni, jakby mi zainstalowali syreny strażackie. Kaszlę. I wtedy słyszę cztery ciche strzały: pop-pop-pop-pop.

I ktoś na mnie pada, na moje ramię. Mocno.

Chcę się połapać, co jest grane, ale oczy nie chcą już patrzeć, takie ciężkie powieki.

ROBERT ALÀN RIVERA
AKA CLEVER
AKA SHERLOCK HOMEBOY

2 MAJA 1992

00.58

1

Jak skasowaliśmy Jokera i resztę, to wiedzieliśmy, że ich ziomki się zjawią, tylko nie wiedzieliśmy kiedy, więc Fate kazał się jak najlepiej zabunkrować. Lu w pierwszej chwili nie była zachwycona, bo to jej dom miał być przynętą, ale się pogodziła. Wolała to i przeżyć niż coś innego.

Więc dwa dni wcześniej ruszyliśmy od drzwi do drzwi, żeby oczyścić ulicę trzy numery w obie strony. Głównie to ja, Fate i Apache, chyba że jakiś ziomek akurat mieszkał w jednym z tych domów, to wtedy on gadał ze swoją rodziną. Wytłumaczyliśmy ludziom, że to świetny czas na odwiedzenie krewnych i przyjaciół. Kilku nawet pomogliśmy zapakować się do odjazdu. Apache zaniósł jakiegoś *abuelo* do samochodu, bo staruszek nie mógł chodzić. W pierwszej chwili to się im nie uśmiechało, ale zrobili, o co ich poprosiliśmy, ulotnili się, i dobrze, bo Fate nie chciał mieć ich na sumieniu, jak by kule latały tak, jak przewidywał.

Lu nie poszła z nami, bo gdy wychodziliśmy, pokłóciła się z Lorraine, swoją dziewczyną. Najpierw zaczęło się w jej pokoju, coraz głośniej, potem drzwi prawie wyleciały z zawiasów i awantura przeniosła się do salonu. Były wrzaski i płacze, to

Lorraine, a w drzwiach zobaczyłem Lu pakującą do torby jej ciuchy i resztę. Powiedziała jej, żeby nie była kretyńską, histeryczną suką. Sekundę później Lorraine rzuciła w nią buteleczką z lakierem do paznokci, mocno. Lu oberwała w lewe oko, chociaż próbowała się uchylić, i prawie od razu wyskoczyła jej śliwa. Byłem zdziwiony, że Lorraine nie dostała za to po dupie, ale Lu wzięła na wstrzymanie i wtedy sobie uświadomiłem, że ma rację, że dobrze robi, że ją wyrzuca, że to dla jej bezpieczeństwa. Jak ją wyrzuca, to znaczy, że jej na niej zależy, ale niektórym ludziom nie wytłumaczysz, no i Lorraine nie skumała. Odjechała rozbeczana.

Właściwie to dobrze się złożyło dla Lu, bo zaraz potem przyszła Elena Sanchez, żeby podziękować za zabicie Jokera, i zamknęły się obie w pokoju. Najpierw myślałem, że jedna opowiada drugiej, jak poszło, chociaż wiem, że Lu się nie chwali takimi rzeczami. Nie wiem, może próbowała podpiąć ją do tamtej ekipy, nie byłbym zdziwiony, gdyby tak było. Lu to wyjadacz. Jakby mogła, toby tak zrobiła. Inna sprawa, czy Elenę byłoby na to stać, więc nie mogę stwierdzić, czy się dogadały. Siedziały zamknięte przez dłuższą chwilę.

Wyszedłem wcześniej, przed Eleną, bo Fate mnie potrzebował naprzeciwko. Dwóch starych wyjadaczy zaliczyło skok życia, pierwszego dnia rozruchów skroili urzędową miejską furę, taką wysoką i białą, z herbem miasta na drzwiach i dużą wysoką paką z półtora metra nad ziemią. Od tego momentu mogli jeździć, gdzie chcieli, ubrani w pomarańczowe kamizelki, bo psy i Gwardia Narodowa ich przepuszczali, no to krążyli po mieście i plądrowali, przeważnie kradli na placach budowy. Zgarnęli jakieś narzędzia i materiały zostawione bez dozoru, jak wszystkim odbiło. Sprzedali to ludziom na dzielnicy.

Zgarnęli też ileś arkuszy blachy stalowej i skrzyknęli małą ekipę kolesi, żeby to ściągnęli z placu i załadowali na pakę. To taka blacha, której miasto używa jako podłoża pod asfalt albo do przykrywania dziur w jezdni, których nie mają czasu naprawić albo nie naprawią nigdy. Ta blacha ma ponad centymetr grubości, a niektóre arkusze, zależy od wielkości, ważą ze sto pięćdziesiąt kilo. Zgarnęliśmy to prosto z paki i obłożyliśmy tym dom.

Kazaliśmy ziomalom wciągnąć blachę przez drzwi i wyłożyć nią ścianę od frontu. Na każdy arkusz trzeba było sześciu byków. Blacha była tak ciężka, że ściana z karton-gipsu po prawej i lewej stronie okna normalnie aż jęknęła pod jej ciężarem. Obłożyliśmy, żeby ochronić wnętrze, i jak ktoś chciałby strzelać, musiałby celować dokładnie w górne pięć centymetrów, żeby cokolwiek przeszło. Najpierw wszystko zakryliśmy szczelnie, ale potem spojrzałem i dotarło do mnie, że tak się nie uda, więc kazałem im to lekko rozsunąć, żeby przeświecało trochę światła, a potem poprawiłem zasłonkę, żeby blachy nie było widać z zewnątrz. Dla mnie to była najważniejsza część zasadzki. Żeby nam się udało, tamci muszą pomyśleć, że siedzimy w środku, więc włączyłem telewizor i sprawdziłem, czy blask widać z trawnika i ulicy.

– Jak nie rozpalisz ognia – odparłem, kiedy Apache spytał mnie, po co to zrobiłem – to nie przyciągniesz robali.

2

Skończyliśmy i pilnowaliśmy domu na zmianę z naprzeciwka, u naszego *compadre* Wizarda. Prowadzi u siebie małe kasyno, ale teraz go nie ma. Wrócił z żoną do mieszkania, które mają jeszcze z czasów, jak się osiedlili w Lil TJ, przy Louise, bo z niego lekki *paisa*, wsioch znaczy, ale jest w porządku, można na nim polegać.

Cały dom teraz pusty, jesteśmy tylko my. Właściwie tu nie ma salonu, takiego z kanapą i fotelami przed telewizorem. Pod ścianami stoją automaty do gry, a przed nimi małe brązowe krzesła, taka taniocha jak w barach, taka, co jak się rozleci, to nie szkoda.

Hazard to miła rzecz. Zdziwilibyście się, ile pieniędzy zgarniamy z tego co miesiąc. Osiedle nigdy nie ma dość. Przychodzą nawet ludzie z innych dzielnic, żeby spróbować, bo o tym usłyszeli. Ogółem mamy dwanaście automatów. Dziesięć bilardów elektrycznych i dwa z kartami. Nazywamy to Mini Vegas. W kącie z tyłu stoi nawet automat do rozmieniania pieniędzy, a obok deska do prasowania z żelazkiem i pudełkiem pergaminu, bo automat jest felerny. Czasem ludzie muszą wyprasować banknot, więc wkładają go między dwa kawałki pergaminu. Lu wpadła na ten pomysł i podziałało. Potem banknot jest gładki, no to wsuwa się go i automat wypluwa ćwierćdolarówki, i już można sobie zagrać w gorączkę złota, tam są mali poszukiwacze trzymający sita, albo w gwiaździsty sztandar, albo w coś innego. Teraz nikt nie gra, bo wczoraj oczyściliśmy dom, ale automaty stoją i migają. Po prostu siedzimy tu wszyscy: ja, Lu, Fate, Apache, Oso i paru żołnierzy. Nieźle wyposażeni. PCP jest dziś zakazane, Fate tak powiedział. Chce, żebyśmy byli przytomni, więc żadnych narkotyków. W tle Cypress Hill leci tak cicho, że z jamnika słychać właściwie tylko zsamplowane gitary i werbel.

No i tak czekaliśmy i czekamy. Lu siedzi bez słowa, patrzy przez okno, z małym obrzynem na kolanach. Pod okiem ma teraz fioletową śliwę. Po drugiej stronie pokoju Fate czyta książkę, *Betonową rzekę* Luisa J. Rodrigueza, a przerywa tylko po to, żeby przerzucić stronę albo łyknąć piwa, które stoi między krzesłem a kałasznikowem opartym o ścianę. Oso łazi w kółko, uważając, żeby nie wleźć na Apache'a, który leży na wznak na środku pokoju, kima trochę. Tak ma wyjebane. Pozostali dwaj trzymają wartę na krzesłach, patrzą na swoją broń.

Wszyscy mamy okulary przeciwsłoneczne zatknięte za koszule z przodu, nawet Apache, bo nam się potem bardzo przydadzą.

Normalnie to nie jesteśmy tak cicho, ale w tym pokoju sporo zawisło w powietrzu. Nie tylko się zastanawiamy, kiedy Trouble postanowi popełnić jakieś kretyństwo, ale jeszcze mamy pewność, że Lil Mosco już nie wróci, a to temat zakazany. Po takim zniknięciu obowiązuje milczenie, zawsze. Nie siada się z sercem na dłoni, żeby obgadać, co się dokładnie wydarzyło, a potem ci, co są winni, przepraszają, wszyscy zalewają się łzami i okazują zrozumienie, jak w telewizji. Tutaj jak człowiek chce przeżyć, to pewne sprawy pomija milczeniem.

Nikt mnie nie pyta, ale zniknięcie Lil Mosco nie za bardzo mnie boli. Nie powiem, że się cieszę, ale też nie rozpaczam. Za mocno brykał, nie można było na nim polegać, to prawda, ale wiem, że jeżeli stało się tak, jak myślę, to dlatego, że zrobiła się sytuacja typu albo on, albo my, coś za coś, prawie jak w baseballu. Oddajesz jednego kolesia i za to dostajesz innego. Fate dał ważniakom Lil Mosco i dzięki temu sam się uchował, a inny scenariusz to taki, że oddamy Lil Mosco i dzięki temu cała nasza ekipa się uchowa. Jestem prawie pewny, że była to jedna z tych dwóch opcji, więc sobie tłumaczę, że tak się to rozegrało i koniec, bo w tej chwili trzeba ogarnąć ważniejsze sprawy.

– Trouble nie przyjdzie – mówi Oso. – Wczoraj wieczorem nie przyjechali, nikt nie jest taki głupi, żeby tu wpaść i do nas strzelać. To znaczy… – Zamyka ryja, bo Fate rzuca mu spojrzenie i wskazuje Apache'a, przypominając, że należy liczyć się z innymi. Za późno. Obudzony Apache mruga oczami. Ziewa. – Sorry, Patch – wzdycha Oso.

Jest jedynym człowiekiem na świecie, któremu uchodzi nazywanie Apache'a w ten sposób. Chyba dlatego, że to krewniacy.

Apache wzrusza ramionami. Nie bierze tego do siebie. Oso, wielki durny miś, to jego kuzyn i jedyny spośród nas do dźwigania, jeśli wszystko pójdzie okej. Wszyscy wiemy, że jest spięty. Wszyscy jesteśmy, każdy po swojemu. Nigdy wcześniej nie brał udziału w takiej ustawce, a jak człowiek czeka, żeby zabić albo żeby go zabili, to takie czekanie targa nerwy. Można się zmęczyć filowaniem godzinami na dzielnicy. A to mi o czymś przypomina: no właśnie, zauważyliście, że najgłośniej słychać wtedy, jak człowiek stara się być najciszej? To dlatego, że się dostrajamy. Nasłuchujemy. Zachowujemy świadomość. Właśnie tak się zrobiło w Mini Vegas. I chyba dlatego Oso jest taki podenerwowany, bo gada, żeby gadać, żeby coś słyszeć oprócz ciszy.

– Ej, Patch, opowiedz jeszcze raz, jak oskalpowałeś tego kretyna.

Apache kręci głową. Nie ma mowy, żeby teraz o tym mówił. Nie dziwię mu się.

– No dobra, to... – Oso kłapie dalej dziobem, żeby uciec przed ciszą. – Słyszeliście, chłopaki, o tym weteranie, co sobie nożem wykroił z ręki krzyż Pachuco? Po prostu... – Składa dwa palce prawej dłoni i wbija je przy kciuku lewej. – Ahhh...

Ten to ma fioła na punkcie takich historii. Patrzę na Fate'a, Fate patrzy na mnie. Wiemy, że ta legenda krąży od początku świata. Ciągnie się za mną, i może dobrze, bo to o moim starym. Ale o tym wie tylko Fate. Inni myślą, że to o jakimś ziomku bez nazwiska, ale matka mi mówiła, że jak zostawił swoją ekipę w East Los, jak od nas odszedł, to wyciął sobie tę dziarę z ręki, żeby nikt nie wiedział, że był w branży. Rozstał się z nimi w zgodzie, bo na to zapracował i nie kłapał dziobem o niczym. Te pierdoły, co się słyszy, o zabijaniu tych, którzy chcą się wypisać, to właśnie to, czyli pierdoły. Jakimś cudem z wycięcia tatuażu zrobiła się wielka historia o kolesiu, który tak bardzo chciał zerwać z gangiem, że na oczach ziomków wykroił sobie skórę z dziarą, żeby pokazać, że nie żartuje. Ale było inaczej. Matka mówiła, że zrobił to w garażu, nożem kuchennym, który rozgrzał na piecyku.

Fate to wie. Patrząc na mnie, wie też, że nie mam ochoty słuchać znowu tego samego, w wersji Oso, więc mówi:

– Ej, a może opowiesz nam, jak to wtedy w pojedynkę poszatkowałeś Cripsów, gdy ci fura zgasła?

Oso się szczerzy i już gada, jak to tamtym razem sobie jechał i na czerwonym świetle na Imperial podjeżdża z boku wózek z pięcioma czarnymi w środku, no i oni popatrzyli na niego, on popatrzył na nich i ten wielki skurwiel za kółkiem zaczyna oblizywać się po japie, jak to robią wilki w kreskówkach, a Oso wdeptuje gaz, silnik mu gaśnie, i w tym momencie przerywa opowieść, jest cisza, suspens, ale ja akurat kicham. Nie specjalnie, nie. Nie mogę się powstrzymać. Dym mi źle robi na zatoki.

Oso się wzmaga.

– Cholera, ciągle kichasz? Żebyś mnie nie zaraził!

– Nie jest chory, więc cię nie zarazi. – Lu przychodzi mi na pomoc, nie odwracając się na krześle. – Ma alergię, dym mu się wpierdala do nosa, od kiedy miasto się fajczy.

– Aha – odpowiada krótko Oso i kończy historię nijakim, smutnym: – No więc wiecie, załatwiłem sprawę.

Lu kręci głową. Nigdy go nie lubiła.

– Wielki mi gangster, kurwa – mruczy pod nosem.

Znam rodzinę Vera, zwłaszcza Lu, jeszcze z czasów sprzed branży, więc to będzie prawie dwanaście lat, od kiedy byliśmy sąsiadami przy Louise Avenue, naprzeciwko Lugo Park. W sierpniu stuknie dwanaście lat, bo matka przeprowadziła się z nami z East L.A. w osiemdziesiątym roku. Z nich wszystkich to Lu zna mnie najdłużej. Od razu kliknęło między nami, więc trzymamy się razem przez te wszystkie lata. Jak się wpisałem, to ona też się wpisała.

Wiem, że różnię się od ludzi. Gdy ziomek zostaje skasowany, to nie tęsknię za nim, nawet jeżeli sporo razem przeszliśmy. Dla mnie jak gościa nie ma, to go nie ma. Nawet o tym nie myślę. Nie wiem, czy coś jest ze mną nie w porządku, może jest. Wiem, że Lu przeżywa teraz tak, jak ja nie umiem przeżywać ani nawet sobie tego wyobrazić. Dla mnie Ernesto też był starszym bratem, chociaż nie był, nie rodzonym. Zawsze byłem jedynakiem, a teraz ona z najmłodszej siostry stała się jedynaczką w ciągu kilku dni. Grubo.

Myślałem o tym i doszedłem do wniosku, że Lu wie, że Lil Mosco odpadł na zawsze. Wiedziała już na ulicy dwa dni temu, kiedy ostrzelała tę furę. Siedziała obok mnie z tyłu, obserwowałem ją, jak oddycha, jak to w sobie dusi, zagryzając wargę. Tę minę widziałem u niej już kilka razy: kiedy umarł jej ojciec, kiedy Fate jej powiedział, że dom jest za bardzo nagrzany, więc matkę trzeba gdzieś przeprowadzić, i wtedy, jak ją skroili, gdy szła do domu Wright Street. Robi taką minę, kiedy musi zaakceptować to, co się jej nie podoba, na co nie ma wpływu, a jak wstrzymała oddech, gryząc dolną wargę, jeszcze zanim wypuściła powietrze, to właśnie wtedy chyba oświeciło ją o Lil Mosco, bo powiedziała „kurwa". Właściwie szepnęła tylko, jakby to ostatecznie zaakceptowała. Chyba nikt oprócz mnie tego nie słyszał.

Dokładnie w tej chwili Lu wyprostowuje się na krześle przy oknie, jakby coś zobaczyła. Nachyla się, prawie przykleja nosem do szyby, plecy jej się napinają jak grzbiet drapieżnikowi, kiedy widzi zwierzę na swoim terenie.

– Są – mówi, ale tak jak ta przerażająca jasnowłosa dziewczynka w *Duchu*, przeciągając, a mnie serce wali w piersi.

Chwytam swoją berettę kalibru trzydzieści dwa, gotowy na wszystko, bo wiem, że przyszykowaliśmy się tak, jak tylko się dało, ale żyję już wystarczająco długo i wiem też, że różne rzeczy mogą się wydarzyć.

Coś zaplanujemy, ale to nie zawsze wychodzi tak, jak chcieliśmy.

3

Fate już jest na nogach, rzuca książkę na dywan jak frisbee, wciąga rękawiczki, wciska w nie mankiety i łapie kałacha. Tuż za nim jest Apache, gasi wszystkie światła. *Z pompką w ręku* cichnie, ledwo się zaczęło. Pstryk, automaty do gry gasną jak na komendę. Siedzimy po ciemku. Słyszę, że Oso odbezpiecza pożyczonego glocka, jakby grał w filmie czy coś; szarpie do oporu za suwadło i nabój wypada, bo przecież już siedział w komorze, leci na dywan i toczy się aż do listwy przy podłodze.

– Kurwa – mówi Oso i nurkuje, żeby go podnieść.

– Pięknie, kretynie – rzuca Lu.

Jestem już przy oknie, zaraz za Lu. Serce mi pracuje całkiem spokojnie na widok siedmiu bęcwałów skradających się rzędem z niezłymi zabawkami. Najlepsze jest to, że idą chodnikiem po drugiej stronie i są tak skoncentrowani, że nie zauważają przedłużaczy, które przeciągnęliśmy z tego domu do krawężnika i na pakę samochodu służb miejskich. Tego, co stoi teraz na wprost domu Lu i na którym są dwa rozgałęzione stojaki z podpiętymi lampami z budowy, megajasnymi. Na razie wszystko idzie zgodnie z planem, i dobrze, bo u tamtych naliczyłem cztery strzelby. Lu też.

Odchyla się i dźga palcem w szybę, a w tej samej chwili Oso rezygnuje ze znalezienia zgubionego pocisku.

– Ej, chwila – mówi Lu. – Czy ten na przedzie to nie Momo? Co on, kurwa, robi z nimi na takiej akcji?

Nie podoba mi się to. Skasowanie Momo może nie przypaść do gustu ważniakom, bo wiadomo, że taki facet płaci haracz, ale co robić – skoro tu przylazł, to nie dał nam wyboru. Jeżeli rozegra się historia podobna do tej z Lil Mosco, to jestem pewny, że Fate ma jakiś atut, że dogada się z ważniakami po tym, jak zrobimy co trzeba.

– Jest tylko jeden sposób, żeby się dowiedzieć – mówi Fate, szarpiąc za zasuwkę.

Otwiera drzwi, ale powoli, i wychodzi. Macha do ziomka leżącego na dachu z karabinem snajperskim. Ma ksywkę Ranger, bo był w wojsku, tylko go karnie wydalili, bo się pobił z członkami innego gangu w swoim oddziale. Byli z Detroit. Przez niego jeden z nich wylądował w śpiączce, więc go zapuszkowali na rok w Kolorado, ale już wyszedł. To nasz najlepszy strzelec i wie, że ma siedzieć cicho, dopóki światła się nie zapalą.

Nigdy wcześniej nie widziałem Trouble'a z tak bliska – nie było powodu – ale słyszałem o nim. Wszyscy słyszeli. Zasłynął różnymi porąbanymi akcjami, które urządzał, jak się piął w hierarchii. Był znany z tego, że wparowywał do domów i strzelał do ucholi na kanapach, w kuchniach, gdziekolwiek. Jednego razu skasował kolesia, jak ten załatwiał się w kiblu, siedział na sedesie i tak dalej. Krążą słuchy, że o tych akcjach zrobiło się głośno, zanim jeszcze wszyscy się dowiedzieli, kto to urządza. Ludzie mówili: „Słyszałeś o takim-i-takim?". Padała odpowiedź: „Taa, ten koleś, który ich załatwił, to jeden wielki *trouble*". I zaraz potem to do niego przylgnęło, z dużym T.

Są już na podwórku, cała siódemka, podnoszą broń, pewni, że siedzimy w środku, i w tym momencie czuję dumę, bo już wiem, że nasz plan się udał. Fate też to wie, bo puka mnie lekko w ramię. To nasza ostatnia chwila spokoju, zaraz zrobi się jasno jak w dzień.

Tamci zaczynają walić w dom, hałasując jak w Święto Niepodległości, tylko bardziej. Nie słychać trzasków fajerwerków wybuchających w powietrzu. Słychać jakby grzmot i koniec, mocne du-du, bo kule i śrut wbijają się w ściany i framugi. Szkło ze strzaskanych szyb fruwa na wszystkie strony, do tego dzyng! i bang!, bo tamci trafiają w kratę antywłamaniową i metal za oknami.

Przygarbieni biegniemy szeregiem do samochodu. Mały ziomek na pace wystawia głowę i nas dostrzega. W jego oczach odbijają się błyski z luf i widzę, że jest zesrany, ale to dobrze, ma tylko zapalić lampy na znak Fate'a. Jeszcze nie, jeszcze chwila.

Ziomek nie odrywa wzroku od Fate'a, a w tej samej chwili jeden z tamtych przestaje strzelać i podbiega do drzwi. To chyba Trouble, bo wszyscy idą za nim.

Dopada drzwi i krzyczy:

– Tak jest, cholera!

Kopie w nie mocno, aż się odbija, i przychodzi mi do głowy, że musiało go nieźle zaboleć, kopnąć tak w drzwi ze stoma kilo blachy po drugiej stronie. Gorzej niż przyjebać w głaz. Ale co tam, znowu kopie, bo za pierwszym razem nie skumał. I właśnie wtedy Fate zdejmuje okulary przeciwsłoneczne z koszuli i wkłada na nos, a my robimy tak samo.

– Co jest, kurwa?! – krzyczy ktoś inny tam na trawniku.

Wtedy Trouble chyba widzi blachę, bo wsuwa lufę strzelby w drzwi, a potem przykłada rękę i zaraz ją cofa, jakby się oparzył. Prostuje się.

Właśnie w tej chwili Fate daje znak ziomkowi na pace i ponadpółtorametrowe lampy z budowy zapalają się z trzaskiem za naszymi plecami. Prawie w tym samym momencie rozbłyskują światła w obu domach po sąsiedzku. Najszybszy jest Ranger. Trafia kolesia stojącego najbliżej idealnie w lewą brew i z tyłu głowy wytryskuje krwawa mgiełka, jakby ktoś rozpylił clin. Gość pada jak marionetka z przeciętymi sznurkami.

Trouble kuca, osłaniając oczy. Wrzeszczy do swojej ekipy, żeby wypierdalali, ale przekonująco to nie brzmi, poza tym jest za późno. Ja i Lu przyklękujemy, spluwy wsunięte w ogrodzenie, lufy w oka siatki.

Walimy w uciekających, na wysokości bioder. Lu rozwala jakieś rzepki kolanowe, przeładowuje, a potem powtórka z rozrywki. Ja celuję w Trouble'a, ale kula leci sporo nad jego głową, za mną jednak jest Fate, idzie, plując z kałacha. Choć to z metr ode mnie, to aż cały dygoczę, kiedy wypuszcza serię i siecze od frontu, ścinając ludzi z nóg. Wtedy ci, co jeszcze mogą, wrzeszczą i w Trouble'u coś pęka, bo się odwraca i idzie wyprostowany w naszą stronę.

– Strzelajcie w lampy! – krzyczy, przeładowuje pompkę i wali.

4

Śrut sypie się na samochód za moimi plecami i czuję gorące ukłucie w kark; przecieram ręką, ale nie ma krwi, więc wiem, że to nic. Bardziej obchodzi mnie strzelający Trouble. Wali wysoko, gasi jedną z lamp. Przeładowuje, ale nic się nie dzieje. Skończyła mu się amunicja, dobrze o tym wie.

– Chodźcie! Lepiej mnie zabijcie, zabijcie, skurwysyny jedne! Lepiej…

W tej samej chwili facet z tyłu robi krok do przodu, przystawia mu lufę do jednego z tych czarnych tatuaży i strzela. Pocisk wylatuje po drugiej stronie szyi i na długą chwilę zapada cisza, bo nikt się tego nie spodziewał, nawet Fate. Trouble wali się na glebę.

– Pierdolony Momo go skasował! – krzyczy Lu.

Zaraz potem jeden z ziomków Trouble'a, trafiony przeze mnie w bok, strzela cztery razy Momo w pierś. W ostatniej chwili swojego życia Momo uśmiecha się wrednie do martwego Trouble'a, jakby zawsze chciał zrobić to, co przed momentem zrobił; nogi się pod nim uginają i ucieszony pada prosto na tamtego. W tej samej sekundzie Ranger trafia w szyję tego, który załatwił Momo.

Postrzał szyi to najgorszy syf. W takim przypadku człowiek tylko kaszle, dławi się i wykrwawia. Tamten potyka się i pada, a następny strzał Rangera trafia w ścianę, w miejscu gdzie przed chwilą była głowa.

– Jezusie – mówi Apache, podchodzi, przystawia kolesiowi broń do czerepu i rozwala mu strzałem mózg.

Głowa podryguje i facet już nie żyje, ale przez chwilę jest tak cicho, że słychać krew pluskającą mu z szyi; Oso i dwaj inni żołnierze chodzą od zwłok do zwłok, odkopując broń. Kilku ciągle zipie, świetna okazja, żeby małolaty się dorwały i dokończyły robotę – strzał w głowę – zarabiając belki na pagony, ale ja już idę dalej, bo nie mamy czasu.

Niedługo przyjadą psy. Pewnie Vikingowie. Albo i Gwardia Narodowa. Mimo że przepędziliśmy mieszkańców z pobliskich domów, ktoś zadzwoni z doniesieniem. Żeby to zneutralizować, nasze ziomki dostały rozkaz grzać do Montgomery Ward, jak rozróba się zaczęła, i wpieprzyć się starym chryslerem w tamtejszą bramę. Było też sześć fałszywych alarmów pod 911 w sześciu różnych miejscach spory kawałek stąd.

5

Jeden z weteranów, którzy ukradli miejską furę, cofa ją teraz w naszym kierunku, przy krawężniku, przed poharatanym domem Lu, a kiedy samochód przestaje rzęzić, rzucam na pakę pistolet, trochę nie chcąc się z nim rozstawać, ale jeszcze bardziej nie chcąc dać się z nim złapać. Wszyscy, którzy strzelali, robią to samo. Takie wprowadziłem zasady. Najpierw broń Lu, potem Oso, Apache'a, żołnierzy, nawet karabin Rangera i kałach. Po kilku dodatkowych strzałach w niedobitków na pakę lecą też pistolety i sprzęt ekipy Trouble'a.

Lampy zostawiamy na pace, razem ze zwłokami ziomka, który je obsługiwał. Trouble rozwalił mu pół twarzy ostatnim strzałem, którym zgasił jedną lampę. Nawet nie znałem ksywki małolata. Lu nie spodobał się ten widok, chłopak półsiedzący, oparty o tylną burtę, jakby się bawił w chowanego i ciągle czekał, aż go znajdą.

Spluwa i mówi:

– Cholerny glut, chciał sobie popatrzeć. Czemu nie trzymał nisko jebanego łba? Uchowałby się. – Ale spokoju nie daje jej coś innego, mnie tak samo. Klamka, którą miał Momo, taka z plastrem na kolbie, wygląda identycznie jak ta, którą Fate dostał dla Lu od Lil Creepera. – Myślisz, że ta, z której stuknęłam Jokera, pochodziła z tej samej meliny? – pyta. – Też od Momo?

– Nie wykluczałbym, że Lil Creeper go obrobił – mówię i kicham. – Ale to nie znaczy, że Trouble o tym wiedział. Może to tłumaczy, dlaczego Momo z nimi przydrałował, a nawet dlaczego go puknął, jak miał szansę. Myśleli pewnie, że wcześniej nam pomógł, więc zmusili go, żeby się z nimi zabrał.

– Właściwie to teraz nie ma znaczenia. Jest skasowany.

Ma rację. Wzruszam ramionami i przesuwam się w bok, żeby zwłoki Momo, Trouble'a i jego ludzi wylądowały na pace. Oso, Fate i żołnierze bez problemu ładują całą siódemkę, rzucając ciała na tył, jakby to były wielkie zakrwawione worki kartofli. Teraz tylko dom od frontu świadczy o strzelaninie. Bo nie ma już trupów ani broni.

Apache, Lu i ja przysuwamy zza samochodu pojemniki na śmieci i je otwieramy. Smród obezwładnia, ale co tam, wyciągamy trzy prześcieradła, które moczyły się w benzynie od paru dni, i z pomocą jednego ziomka rozkładamy je na pace, przykrywając trupy. Chłopak wstrzymuje oddech przez cały czas, ale to nie pomaga. Zeskakuje, lekko odurzony. Oso, Fate i żołnierze już rzucają na to wszystko drewno na podpałkę z paki pikapa, który podjechał w nocy, a na samą górę tego przekładańca Lu daje jeszcze jedno prześcieradło.

Potem wszyscy się rozbieramy i wciskamy ubrania i buty do wielkiego czarnego worka na śmiecie, który trzyma Apache. Wolno nam zostać w bokserkach i *chonies*, chyba że jest na nich krew. Jak jest, to też idą w pizdu. Wszyscy na golasa dostają po kocu z pikapa z drewnem i ulatniają się, zanim przyjadą szeryfowie. Gdyby zostali złapani, mają skłamać, że skrojono ich do gaci. A jakby ich spytano, skąd wzięli koc, mają powiedzieć, że jakaś paniusia z sąsiedztwa się nad nimi ulitowała. Nie pierwszy raz zdarzyłoby się tutaj coś takiego. Poza tym nie mają daleko, najwyżej trzy przystanki.

Dla Fate'a, dla mnie, dla Lu i Apache'a są nowe ciuchy. Najpierw Lu, potem Apache. Jak już się pozapinał, bierze czarny worek z ciuchami i wskakuje do miejskiego auta. Rusza w kierunku MLK, za nim cutlass. Tego drugiego prowadzi Lu. Na razie nie słychać syren. Zostały może ze dwie minuty.

Wciągam nowe khaki i z radością widzę czterech małych ziomków, których naraiłem wcześniej. Kończą zacieranie śladów na trawniku: wieczka od pudełek po butach przywiązane do podeszew, gumowe szpitalne rękawiczki na rękach. Nie zostawiając żadnych odcisków palców, zgarniają jak najwięcej łusek w ciągu minuty, potem rozsypują inne, ze starej broni różnego typu, broni niepasującej do naboi, które psy powyciągają ze ściany domu.

Ziomki łażą po miejscu przestępstwa, zostawiając prostokątne ślady, których za cholerę nie da się zidentyfikować, bo nie ma żadnych odcisków butów. No dobra, gangsta osiedle, wiadomo, ale w tej sytuacji psy nie ustalą nic konkretnego. Odciski butów zniknęły, tak samo jak buty. Potem ziomki od tekturek podpinają szlauch z boku domu i leją porządnie na trawnik, żeby zmyć wszystką krew, i kurczę, prawie mi żal tego pechowca z dochodzeniówki, któremu trafi się ta sprawa.

Znam jednego profesora, Sturma, służył w wojsku i ciągle powtarza słowo RUIAN. W końcu musiałem go spytać, co to znaczy. No i odpowiedział, że to Rozjebane, Uwalone i Absolutnie Nieprzydatne. Jak pierwszy raz to usłyszałem, pomyślałem, że byłaby to dobra ksywka dla ziomala, ale Sturm używa tego określenia do sytuacji, kiedy naturalne okoliczności zacierają ślady przestępstwa, jakiś nieprzewidziany deszcz albo wiatr. Chyba nigdy nie przyszło mu do głowy, że słuchałem uważnie tych wykładów, bo wiedziałem, że pewnego dnia mogę wcielić się w taką naturalną okoliczność.

6

To Fate wpadł na pomysł, żeby zaczekać na ulicy na psy, więc muszę sprawdzić, czy nie ma na sobie żadnego gówna, kiedy się pojawią. Zdecydował się na to, bo nie chce, żeby zaczęli pukać do drzwi. Wie, że będą go szukać, że będą chcieli z nim pogadać, bo już po adresie się zorientują, że to on był celem, więc nie chce uciekać, skoro może to mieć z głowy. Nie pierwszy raz będą go przesłuchiwać.

Tak naprawdę to mamy nadzieję, że najpierw zjawią się ci z Gwardii Narodowej. Z nimi będzie bezpieczniej niż z Vikingami. Nigdy nie wiadomo, jak pograją szeryfowie. Są podstępni. I właściwie nigdy nie wiadomo, który z nich jest z gangu. Jasne, mają dziary, ale ja żadnej nie widziałem. No bo jak zobaczyć przez skarpetki, przez mundur? Właściwie zorientować się można tylko po tym, co robią, a wtedy już jest za późno.

Dlatego właśnie chcemy, żeby Fate się wystawił, z ludźmi dokoła. I tak nie ma gwarancji, że nie zrobią mu kuku, więc tym bardziej trzeba podziwiać ten odważny ruch. Ale zanim go wystawimy, muszę się upewnić, że nie ma żadnych śladów prochu na rękach.

Teraz w prywatnym kasynie jesteśmy tylko we dwóch, Fate i ja. Nie ma nikogo innego, bo nie mogę pozwolić, żeby mu sprzedali jakieś zanieczyszczenia, jak sprawdzam jego ręce. Mało prawdopodobne, że zostały ślady prochu, a jeśli tak, to je znajdę.

Kiedy broń wypluwa pocisk, w małych cząsteczkach prochu rozpylają się azotany i azotyny potasu. Ale to uproszczenie. Składniki chemiczne potencjalnie zawarte w tak zwanych pozostałościach powystrzałowych zależą od typu amunicji. Głównymi składnikami spłonki są ołów (Pb), bar (Ba) i antymon (Sb), które znajdują się w zasadzie prawie we wszystkim. Żeby się tego wykuć na pamięć, powtarzałem sobie zdanie: „Prawy but biednego astrologa skradł *beso*". Czy to ma sens, że prawy but faceta od czytania z gwiazd skradł (komuś) buziaka? Nie, ale dzięki temu nauczyłem się tych pierwiastków, więc coś w tym musi być.

Połączenia mniej powszechnie występujących pierwiastków zależą od wielkości pocisku (kalibru) i producenta (a nawet od regionu, w którym działa producent, bo niektóre pierwiastki są tańsze lub łatwiej dostępne w określonych częściach świata), więc mogą to być między innymi takie: glin (Al), wapń (Ca), miedź (Cu), potas (K), chlor (Cl) – „Albinos całuje cudzą kochankę Clarę" – oraz siarka (S), krzem (Si), cyna (Sn), a także stront (Sr), tytan (Ti), cynk (Zn). Czyli „Simon sika snami" i „Sraczką tiul znaczony".

W pustej kuchni podgrzewam trochę wosku nad palnikiem gazowym i nakładam to Fate'owi na ręce. Stęka, ale nic nie mówi. Zna ten dryl. Gdy wosk się ochłodzi, odlepię go, a razem z nim wszelkie pozostałości. To się nazywa zastosowanie materiału przylepnego, ale tak naprawdę to zwykła parafina. Jeśli coś mu zostało na rękach, bo przedostało się przez rękawiczki, teraz powinienem to usunąć – słowem, wszystko, czego psy uwielbiają użyć jako dowodu, że ktoś był na miejscu przestępstwa i strzelał.

Dawniej gliniarze tak by właśnie postąpili, a potem trysnęli odrobinę difenyloaminy i kwasu siarkowego na wosk. Tak właśnie robię. Jeśli się kolor zmieni na niebieski, to znaczy, że są azotany i Fate byłby załatwiony. Dziś większość techników używa wacików nasączonych pięcioprocentowym roztworem kwasu azotowego, a potem jazda z tym do laboratorium, ale nawet Sturm przyznał, że w najlepszym wypadku laboratoria są zawalone robotą albo wręcz przeciążone. Nie wyobrażam więc sobie, jak sytuacja wygląda teraz, w tym stanie chaosu.

– Ej – odzywam się, odwracając plecami do Fate'a – mam jakieś zadrapanie na karku czy co? Poczułem, jakby coś mnie trafiło.

– Masz czerwony ślad jak po oparzeniu. Ale skóra cała.

Kiwam głową i podsuwam wosk pod światło nad zlewem. Sprawdzam, czy pojawia się niebieski kolor, który wskazywałby na obecność azotanów w ilości pozwalającej na domniemanie, że Fate strzelał niedawno ze śmiercionośnej broni, ale barwa jest bardzo blada. W mojej ocenie to mocno niejednoznaczne, a jeśli dla mnie jest takie, to takie będzie dla każdego.

– Jesteś czysty – mówię.

Fate kiwa głową i wychodzi na dwór, żeby zaczekać na dalszy ciąg.

7

Lepiej nie mogliśmy tego zgrać. Nie mija nawet minuta, a na naszą ulicę wjeżdża Gwardia Narodowa, dwa humvee z obsadą, z sześciu ich. Nie mamy do nich żadnych wątów. Obserwuję, jak odcinają ulicę. Siedzę przy oknie w Mini Vegas, ze zgaszonymi światłami, uchyliłem tylko szybę, żeby słyszeć, co się dzieje.

– Jasny gwint – mówi jeden żołnierz na widok poszatkowanej ściany domu. – Tu była jakaś cholerna bitwa.

Dostrzegają Fate'a i biorą go na cel, każą mu podejść z rękami odsuniętymi na boki, bo chcą go zwiskać. Upewniają się, że nie ma broni, i pytają, co tu robi, siedząc po drugiej stronie ulicy, naprzeciwko miejsca przestępstwa.

– Czekam – odpowiada.

– Na co? – chce wiedzieć jeden z gwardzistów, niski czarny facet z wąsami.

– Na szeryfów.

– Och, taki kozak z ciebie? Mówisz, że znasz ten dryl? – Facet podchodzi do Fate'a. – Od dawna w gangu?

– Nie wiem, o czym pan mówi. Ja tu po prostu mieszkam.

– Jasne. – Gwardzistę wyraźnie świerzbią ręce, ale robi krok do tyłu. – No to siadaj z powrotem i czekaj grzecznie na organy ścigania. Na pewno chętnie cię przemaglują.

Fate się nie stawia i nie ma broni, więc brak powodu, żeby go zatrzymać, ale nadal kręcą się dokoła, tymczasem na ulicę wyłażą sąsiedzi, żeby podziękować Gwardii za szybką interwencję. Kazaliśmy im to zrobić, ale i tak wypadają szczerze, więc wychodzi z tego niezły kit.

Mniej więcej po minucie przyjeżdżają szeryfowie. Wjazd z pompą, na bombach i gwizdkach, otwierają drzwi i wysypują się na ulicę. Gdy zjawiają się ze trzy, cztery biało-czarne radiowozy, gwardziści odbierają kolejne wezwanie i kolumna odjeżdża w noc. Wtedy na ulicy jest już ze dwudziestu ludzi. Szeryfowie wytyczają obwód dokoła domu i odsuwają gapiów, i nagle podjeżdża nieoznakowane auto i wysiada z niego jasnowłosy facet.

Poznaję go, bo widziany był wcześniej w okolicy. Nazywa się Erickson i robi w zabójstwach. Już kiedyś zwinął Fate'a, żeby go przesłuchać. Znają go. Raz go nawet aresztowali. Najwięcej zwojowali, gdy udało im się nakłonić prokuratora, żeby wniósł oskarżenie o współsprawstwo w zabójstwie, ale sędzia oddalił z braku dowodów. Chcieliby go dorwać. Chcą od lat. Erickson podchodzi do ogrodzenia i patrzy na dzieło Trouble'a. Widzę, że Fate go dostrzega i wstaje.

Dziwne, że Erickson się tu zjawił, bo to wbrew procedurom. Normalnie by się pokazał dopiero wtedy, gdyby było zgłoszenie o zwłokach. Jasne, mieli doniesienia o strzelaninie, ale bez zgonu potwierdzonego przez funkcjonariuszy obecnych na miejscu przestępstwa nie ma powodu, żeby ściągać śledczych od zabójstw. I tak mają ręce pełne roboty, zwłaszcza w South Central. Więc na widok Ericksona przychodzi mi do głowy, że on coś wie. Bo za szybko przydyrdał. Widzę, że Fate myśli to samo, bo lekko przechylił głowę.

Nie wiemy, czy Erickson należy do Vikingów, ale nazwisko pasuje idealnie. Wygląda na zmordowanego, jakby nie schodził ze zmiany, od kiedy to wszystko pieprznęło, i nie przespał nawet pięciu minut. Zdjęty z krzyża, oczy zmrużone, dużo oblizuje wargi, jakby się odwodnił od picia kawy przez okrągły tydzień.

Włosy potargane, pognieciona kurtka, pogniecione dżinsy, jakby się od dwóch dni nie przebierał i nie brał prysznica.

Vikingowie zawsze kłamią na temat tego, czym dysponują, na temat świadków i zabezpieczonych dowodów. To nic nietypowego. Przedstawiciele organów ścigania mogą celowo wprowadzać w błąd, aby uzyskiwać zeznania i kolejne dowody, ale te neonazistowskie skurwysyny przekraczają wszelkie granice. Wielu z nich ciągle pamięta czasy, kiedy Lynwood było okolicą zamieszkaną głównie przez białych, więc wybiliby nas do nogi, gdyby tylko uszło im to na sucho. Niektórzy się nie wahają. Do tej pory z ich rąk padło sześciu naszych. Skrzyknęliśmy kilka rodzin, żeby wniosły pozew zbiorowy przeciw urzędowi szeryfa z powodu między innymi nieuzasadnionej wrogości na tle rasowym. Kiedyś się doigrają. Nie wiem kiedy, ale prędzej czy później taki dzień nadejdzie.

Jedno w tej chwili wiem: nikt nie przetrzepie Fate'a, bo jest za dużo świadków, a jeszcze lepiej, że nikt nie spróbuje go wrobić. Dobrze go przeszkoliłem. Wie, że ma powiedzieć swojemu adwokatowi, żeby zażądał podania dokładnych wyników, jeśli będą chcieli przeprowadzić testy na okoliczność użycia broni palnej. Jak będą próbowali go okłamać, twierdząc, że test wypadł pozytywnie – a ja już mogę zaręczyć, że takiego wyniku nie będzie – to wie, że ma powiedzieć adwokatowi, że gmerał przy samochodzie, przy okładzinach szczęk hamulcowych, bo stamtąd też mogą pochodzić cząsteczki znajdowane w pozostałościach powystrzałowych. Wie, że jeżeli nie założą mu torebek na ręce, będziemy mieć podstawy do stwierdzenia, że doszło do przeniesienia mikrośladów. W takim przypadku cząsteczki mogą pochodzić od policjantów obecnych na miejscu przestępstwa, a nawet z samego otoczenia.

Erickson dostrzega Fate'a kątem oka, owija się na pięcie i rusza szybko w jego stronę. Maszeruje tak, że chyba toczy pianę z ust. Fate jest sporo wyższy, ale Erickson poprawia pas na biodrach i wymierza pierdolony palec w jego twarz, zero szacunku.

– Bądź łaskaw mi powiedzieć, José, i to szybko, co tu się za pieprzone piekło rozegrało!

To niezbyt mądre zachowanie, sadzić się do faceta, który stoi sobie w swojej dzielnicy. Ale Fate nawet okiem nie mrugnie.

– Chcę adwokata – odpowiada tylko, a te dwa słowa na bank wkurwiają wszystkich policjantów na świecie, zwłaszcza w South Central. Bo w tej okolicy większość kretynów grzecznie gada z organami ścigania. Może nawet zrezygnują z przysługujących im praw. Ale nie my. Wiemy, że jest system, który nas chroni.

– Słyszycie?! – woła jakiś ćwokowaty szeryf przy rozpiętej taśmie. – Już się domaga adwokata. Jest winny jak Hitler!

Erickson posyła mu spojrzenie. Tamten grzecznie zamyka jadaczkę i pokazuje plecy.

– Posłuchaj, José – zwraca się Erickson do Fate'a. – Wiem, kto tu był i po co. Najprawdopodobniej w wypadku twoim i twoich kolesi to była obrona własna, no ale co, chcesz, żebym cię zwinął pod zarzutem uczestnictwa? Bo podejrzewam twój współudział? Chcę tylko, żebyś mi powiedział, co się stało.

– Adwokata – odpowiada Fate.

To ostatni raz, więcej tego nie powtórzy.

Erickson odwraca się zniesmaczony.

– Skujcie tego artystę – rozkazuje.

No i zakładają mu kajdanki, a to znaczy, że koncertowo spierdolili sprawę, bo nie użyli torebek na ręce. Jeśli chcieli, żeby wyniki testu na obecność pozostałości powystrzałowych mogły posłużyć za dowód w sądzie, powinni wykluczyć możliwość przeniesienia mikrośladów. Jedynym sposobem jest włożyć mu łapy w torebki, ale to amatorzy. Sadzają Fate'a na tyle nieoznakowanego samochodu Ericksona i odjazd.

Dopiero po dwudziestu trzech minutach zjawia się drugi śledczy, żeby dokonać oględzin. Mierzyłem czas. Po jego przyjeździe patrzę, jak łazi i gapi się na trawnik, na dom, a potem kręci głową. Widać, że mu się nie chce, co mnie cieszy. Wie, że może tylko wydłubać kule ze ściany, wszystko, co tam tkwi, ale zdaje sobie sprawę, że gówno ma.

Nie wiedzą, ilu ludzi tu było, ilu sztuk broni użyto, ilu kretynów oberwało, a co dopiero kto oberwał konkretnie, gdzie stał i czy postrzał był śmiertelny. Ślady zatarte, a bez zwłok, jeśli w ogóle były jakieś zwłoki, nie mają nic. Ciężko wycisnąć z tego cokolwiek dla prokuratora, jedna wielka strata czasu, ale facet dalej łazi po grząskim trawniku, kładzie numerki przy łuskach, które nie będą pasować do pocisków w ścianie, fotografuje dziury w tynku i tak dalej. Materiał dowodowy do niczego, będą musieli zwolnić Fate'a. Jedyną szansą byłoby zeznanie naocznego świadka, a tego nie mają i mieć nie będą.

Fate wyjdzie na powietrze za kilka godzin.

8

Czekam ponad godzinę, żeby szeryfowie w końcu się wynieśli, potem biorę małą dwudziestkę dwójkę Wizarda z półki w szafie i wymykam się tylnymi drzwiami w zaułek. Potrzebuję klamki na wszelki wypadek. Jestem prawie pewien, że gdzieś w okolicy czeka przynajmniej dwóch kierowców Trouble'a pod parą. Jest szansa, że może dali w długą, jak usłyszeli kałacha, a nikt z ich chłopaków nie wrócił. Ale nigdy nie wiadomo, ryzykować nie zamierzam.

Zaułek za Mini Vegas jest pusty, z wyjątkiem bezpańskiego psa, który obwąchuje słup telefoniczny na końcu uliczki. Nad garażami kiwają się powoli czarne sylwetki palm. Wiatru prawie nie ma, trochę. Wybieram się do mojej dziewczyny Irene, żeby przeczekać u niej w domu, aż Fate się zjawi i mnie zgarnie. Kicham i spluwam w biegu. Przez moment, tuż przed Boardwalk, czuję zapach magnolii, słodki i wyraźny, trochę cytrynowy, ale zaraz potem nos mi się zatyka i już koniec. To małe dobro, tylko dla mnie, przepadło.

Decyduję się iść naokoło. Muszę przejść obok zaułka, w którym skasowali Ernesto – upewnić się, że go zabrali. Byłem za bardzo zajęty, od kiedy zaczęliśmy planować akcję przeciwko Trouble'owi; nawet nie poprosiłem żadnego małolata, żeby tam pobiegł i sprawdził, a zżera mnie to, od kiedy skłamałem Lu w oczy, że go zgarnęli. Jak wyciągnęliśmy kierownika stacji z łóżka jego dziewczyny, żeby otworzył Unocal przy MLK, bo chcieliśmy ukraść benzynę do namoczenia prześcieradeł, to pomyślałem o Ernesto leżącym na asfalcie. I tak mi się przydarzyło parę razy w trakcie naszych przygotowań. Grzebię w tym miejskim aucie w poszukiwaniu przejściówki z trzema bolcami, żeby się upewnić, że możemy podłączyć lampy z budowy do sieci w domu, bo to inna wtyczka, i nagle mi się przypomina i ściska mnie w brzuchu, i chcę wiedzieć, czy on ciągle tam leży, ale zaraz potem trzeba zrobić sześć innych rzeczy i zapominam. To wszystko jest takie dziwne. Jak już mówiłem, nie mam w zwyczaju tęsknić za ludźmi ani myśleć o nich, kiedy odpadają, ale ta sprawa to co innego. Muszę wiedzieć, co się stało. Skręcam w zaułek, płuca mi się zatykają, spodziewam się, że ciągle tam leży, na wznak, z głową zakrytą koszulą Lu jak chustą.

Nie ma go.

Kicham w reakcji. Kiwam głową z ulgą, płuca mi się odblokowują. Podchodzę do miejsca, w którym Joker z ziomkami go dopadli, gdzie go pierwszy raz dźgnęli, i staję obok. Pewnego dnia Lu będzie gotowa i zachce dowiedzieć się wszystkiego. Będzie chciała wiedzieć, ile razy dostał nożem. Na moje oko z piętnaście, siedemnaście. Szarpany kształt dwóch ran utrudniał rozeznanie w świetle latarki, którą miałem: nie wiadomo, czy nóż został wyszarpnięty pod innym kątem, czy wszedł dwa razy prawie w tym samym miejscu. Będzie chciała wiedzieć, jak jeszcze oberwał, więc będę jej musiał powiedzieć o tym tępym przedmiocie podobnym do kija baseballowego.

Ze dwadzieścia kroków dalej, w otwartym garażu, trzecim z brzegu, z wyłączonym górnym światłem, rozbłyskuje i gaśnie pomarańczowa plamka. Zastygam. Ktoś pali papierosa, oparty o bagażnik samochodu. Wkładam rękę do kieszeni po klamkę Wizarda i podchodzę kilka metrów, aż nagle widzę, że nie ma się czym martwić, więc wyciągam rękę i opuszczam ją przy boku.

Z początku mnie nie dostrzega, za to ja od razu ją rozpoznaję, tę pielęgniarkę, która próbowała ratować Ernesto, tę, która opowiadała Lu, co widziała. Na imię ma Gloria. Wiem, bo marzeniem mojej dziewczyny jest zostać pielęgniarką taką jak ona. Irene zakumplowała się z jej młodszą siostrą, Lydią, obie chodzą teraz uczyć się pielęgniarstwa wieczorowo. Irene został jeszcze z rok.

Gloria przysiadła lekko na masce i wygląda na to, że chyba ciągle go tam widzi, bo wzrok ma wbity w ziemię. Myśli o środzie wieczorem, wiem to. Patrzy w to miejsce, gdzie Ernesto w końcu znieruchomiał, gdzie go znaleźliśmy, po tym jak go tam zaciągnęli i zdjęli mu drut z nóg. Ta pielęgniarka widzi to, co ja widzę. Przestrzeń, którą wcześniej zajmował człowiek. Przestrzeń, z której człowiek zniknął. Ale zarazem widzi Ernesto, wspomnienie o nim.

Hałasuję trochę, kopię ze dwa kamyki, i szurając nogami, podchodzę po skosie, ale nie za blisko. Nie chcę jej przestraszyć, ale i tak podskakuje lekko na mój widok, a samochód pod nią podryguje na osiach i znów zastyga pod jej ciężarem. Nie pokazuje niczego po sobie, więc nie wiem, czy poznała mnie jako jednego z tych, którzy byli tu wcześniej. Patrzymy na siebie, ale czy widzimy się wzajemnie? No może. To wzrok wyrażający zrozumienie, takie „wiem, też to widziałem", i nie mam pojęcia, co to właściwie znaczy, jeżeli znaczy cokolwiek, ale może chodzi o to, żeby ludzie wiedzieli, że nie są sami z tym parszywym uczuciem.

Kiwam do niej głową. Nie reaguje. Papieros wraca do ust i pomarańczowa plamka jaśnieje, bo Gloria się zaciąga. Żeby jej pokazać, że nie stanowię zagrożenia, odwracam wzrok i patrzę gdzie indziej. Potem podnoszę głowę.

Dziś wieczorem niebo jest bardziej ciemnofioletowe, nie takie czarne od dymu jak przez ostatnie dwie noce, co oznacza, że jest mniej pożarów. Prawie koniec, myślę, koniec tych rozruchów, tych dni wolności. Wysoko nad głową widzę błyskające czerwone światła samolotu. Będzie lądował, na LAX. Przychodzi mi na myśl, że to pierwszy samolot, jaki widzę od dość dawna, i znów zaczynam iść. Nie patrzę na pielęgniarkę. Przekazaliśmy sobie, co było do przekazania.

9

Muszę być u Irene, więc przyśpieszam. Nie mogę się tak włóczyć. Kicham i znowu patrzę na samolot, tuż przed tym, jak znika z oczu. Zastanawiam się, kto w nim siedzi i po co w ogóle ludzie przylatują do L.A. w takim okresie. Może tacy, co mają zaplanowane wakacje i już nie mogą ich przegapić. Że tacy ludzie istnieją, zorientowałem się dopiero, jak poszedłem na L.A. Southwest College łyknąć tej kryminalistyki. Wcześniej widziałem takich tylko w telewizji. Szkoła to całkiem inny świat, powaga.

Widząc to, ucząc się obracania w tym nowym świecie, żeby nabrać umiejętności, o których nawet nie wiedziałem, że ich potrzebuję, mam uczucie, jakbym był dwoma różnymi ludźmi. Jestem ja, tutejszy ziom Clever, pełne zaangażowanie, i jestem ja, student Robert Rivera. Pan Rivera, jak mówił do mnie Sturm. Między tymi dwoma jest mur. Jakbym prowadził podwójne życie.

Właściwie to wsiąkłem. Wyrastając na młodego ziomka, nabuzowany, żeby się wykazać, być kimś, kimkolwiek, rzuciłem szkołę w wieku trzynastu lat, bo Lu ją rzuciła. Dla mnie życie w szkole było za nudne i za powolne. Chwytałem szybko, a potem musiałem czekać, żeby pozostali załapali, o co chodzi. Matki w domu prawie nigdy nie było, ale to nie żadne usprawiedliwienie, fakt tylko. Wałęsałem się z Lu, żeby nie siedzieć samemu; robiliśmy najprzeróżniejsze idiotyzmy.

I pewnie byłoby tak dalej, gdyby Fate czegoś w nas dwojgu nie dojrzał, gdyby mi nie powiedział, że za bystry jestem, żeby wycinać takie numery jak inne ziomki. Że mam zrobić użytek z głowy, bo to groźniejsza broń. Załatwił, żebym zdobył świadectwo ukończenia szkoły średniej, a że w ogóle coś takiego istnieje, dowiedziałem się dopiero, jak mi o tym powiedział.

Załatwił mi korepetytorkę i resztę, żebym nadrobił zaległości. Tą korepetytorką była Irene. Siedziała ze mną cztery dni w tygodniu, aż w końcu zacząłem płynnie czytać, przygotowywałem wypracowania, pokapowałem się, że mówiony angielski różni się od pisanego, że nie mogę pisać byle jak, jeśli chcę się wyrażać sensownie; że są zasady. Nauczyła mnie nawet liczyć jak kalkulator. Gdyby nie ona i Fate, do dziś zdzierałbym buty na ulicach i nie stać by mnie było na nic innego. Dzięki nim zmieniłem swoje życie. Dużo im zawdzięczam. Wszystko im zawdzięczam.

Więc w zeszłym roku poszedłem na Southwest, bo tak chciał Fate i to on za to buli. Z początku się bałem, bo wcześniej nawet nosa nie wystawiłem z osiedla, ale potem zobaczyłem, że nawet mi się podoba. Zobaczyłem, że jestem dobry w te klocki. Może to nawet niebezpieczne, bo co jakiś czas się zastanawiam, jak wyglądałoby życie z daleka od dzielnicy albo co byłbym w stanie zrobić, żeby się wyrwać, ale nigdy tego nie powiedziałem ani Fate'owi, ani Lu.

Któregoś dnia przyłapałem się na myśleniu o tym, że może bym zorganizował jakąś chatę dla siebie i Irene, a nawet założył rodzinę. Może osiemnaście lat to za wcześnie na takie plany, ale znam piętnastoletnich kretynów, którzy się dorobili dzieciaka, niektórzy nawet szybciej. Nie wiem jednak, czy Irene by na to poszła. Jest dosyć samodzielna. Poza tym chyba musielibyśmy się chajtnąć. Jej rodzina to bardzo tradycyjni ludzie. Przyjechali do Lynwood z Tajlandii w siedemdziesiątym trzecim roku, kiedy miała dwa lata. Nie mówi za bardzo po tajsku, bo rodzice chcieli z niej zrobić stuprocentową Amerykankę. Starali się, żeby bariera językowa jej nie hamowała. Jest ode mnie starsza o trzy lata, najbystrzejsza dziewczyna, jaką kiedykolwiek poznałem. Skończyła Lynwood High rok wcześniej od innych i dostała się na uniwersytet stanowy, ale nie nie miała pieniędzy na studia, bo nie dali jej stypendium.

Zbliżam się do jej domu, zawijam od tyłu, mijając garaż na końcu; przeskakuję przez płotek i wchodzę na murek pod oknem Irene. Pukam cicho w szybę, wreszcie się budzi, mruga z łóżka tymi swoimi dużymi oczami. Metr sześćdziesiąt pięć, piwne oczy i długie czarne włosy, które czasem lubi upiąć w kok, wbijając ołówek. Aerobikuje się codziennie w swoim pokoju, przed magnetowidem, więc jest cała szczupła i umięśniona i widać to, jak otwiera okno szeroko, żebym wlazł.

– Wszystko w porządku? – pyta. – Słyszałam strzały.

Nigdy bym tego nie przyznał, ale jest piękna jak sztuka piękna. Zawsze, jak na nią patrzę, ciągnie mnie do niej, ale też trochę się boję, cykam, że nigdy jej całej nie zrozumiem.

– Też słyszałem – odpowiadam.

Postanawiam nie mówić, że widziałem dzisiaj Glorię. Musiałbym za dużo tłumaczyć.

Irene wzdycha, bo wie, że nie siedziałem na mszy w kościele, i cofa się, żeby mnie wpuścić do pokoju. Siadam okrakiem na parapecie i daję nura do środka. Od razu ściągam buty. Wewnątrz pachnie jak jaśmin, a przynajmniej ja tak czuję. Na jednej i drugiej ścianie ciągle wiszą plakaty z Janet Jackson i Boyz II Men, a na trzeciej plakat płyty Ice Cube'a *AmeriKKKa's Most Wanted*, chociaż jej mówiłem sto razy, że to nienormalne, że lubi czarną muzykę, ale wtedy ona mi wytyka Motown i gada o podwójnych standardach. Nie mam na to kontrargumentu, więc plakaty wiszą dalej, poza tym nie zdjęłaby ich, gdybym nawet miał kontrargument. Cała Irene. Lojalna.

Do zeszłego roku wynajmowała kąt z Lydią, ale potem jej ojciec został deportowany, bo pracował w warsztacie samochodowym, w którym kroili fury na części, o czym nie miał pojęcia, więc wprowadziła się z powrotem do matki i starszej siostry. Teraz obie córki w dzień pracują na kasie w Ralphs, a wieczorami robią tajski masaż w jednym miejscu w Carson, gdzie mogą sobie dobierać godziny. Irene nie jest w tym najlepsza, ale nie narzeka. Jej matka ma raka płuc i nie może pracować, więc utrzymują ją córki, próbując oszczędzać na naukę i na to, żeby jakoś ściągnąć ojca z powrotem.

– Jak twoja mama? – pytam. – Lepiej?

Kręci głową, ale się uśmiecha.

– Bierze teraz takie coś, co się nazywa Taxol. To nowość, z kory drzewa. Mówi, że od tego bolą ją stawy.

– Wie, że miałem dzisiaj wpaść?

Pani Nantakarn nie znosiła, gdy przychodziłem późnym wieczorem, a jeszcze bardziej, jak zostawałem na noc, ale od kiedy ma raka, a ja zacząłem studiować, przestała się sprzeciwiać.

Kilka miesięcy temu usłyszałem nawet, jak pyta Irene, kiedy będzie nasz ślub. Powiedziała, że przed śmiercią chce zobaczyć, że przynajmniej jedna córka wychodzi za mąż, ale Irene kazała jej przestać, powiedziała, że wyjdzie, kiedy będzie pewna i gotowa.

– Mówiłam, że może wpadniesz, więc kazała mi zrobić zielone curry na wszelki wypadek – wyjaśnia. – A skoro o matkach mowa, to twoja dzwoniła, szukała cię. Chyba się martwi.

Irene ciągle ma jak najlepsze zdanie o mojej matce. Bo nie zna jej tak jak ja. Bo prawda jest taka, że matka bardziej martwi się o nową działkę niż o mnie, a skoro dzwoniła, to znaczy, że potrzebowała pieniędzy albo szprycy, choć wie, że nie dostanie ode mnie ani jednego, ani drugiego.

Moja matka to weteranka. Wychowała się w East L.A. Była w gangu dawno temu, tak samo ojciec. Młodo się pobrali i młodo rozwiedli. Więc moja gangsterka, choć w innej ekipie, to jakby tradycja rodzinna. Matka chciałaby, żebym trzymał się od tego z daleka. „Jak grywasz, to przegrywasz". Mówiła to, jak jeszcze byłem dzieckiem. Wie z doświadczenia. „Nie zawsze będzie tak, jak ci się wydaje – powtarzała – i tak czy siak jakoś za to zapłacisz".

– Jesteś głodny? Jak nie chcesz curry, to mogę ci zrobić coś innego. – Irene ziewa i patrzy na mnie tym troskliwym wzrokiem, który nigdy mi się nie znudzi. – Chcesz coś?

Dwie ostatnie noce przespałem na podłodze w Mini Vegas i wszystko mnie boli, więc odpowiadam:

– Namówiłbym cię na masaż?

10

Irene nic nie mówi, tylko podchodzi do mnie, tak blisko, że jej głowa znajduje się tuż pod moim nosem. Właśnie taką jest kobietą. Zmęczona i dopiero się obudziła, a jednak troszczy się o mnie. Zastanawiam się, jakim cudem mam tyle szczęścia. Kicham, gdy pomaga mi ściągnąć bluzę, i kładę ją na małym krześle z maskotką pieska przy oknie. Podaje mi chusteczkę higieniczną i wydmuchuję nos, a potem mówię jej, żeby trzymała się z daleka od lewej kieszeni, krótko, bez wyjaśnień, bo mam w niej klamkę Wizarda i wiem, że nie spodobałoby się jej, gdyby ją zobaczyła. Rzucam chusteczkę do kosza. Irene pachnie jak cynamon i świeża pościel, ściąga ze mnie koszulę, kładzie ręcznik na dywanie, a na ręczniku kładzie mnie.

– *Mi corazón* – szepcze, bo wie, że jak mówi po hiszpańsku, to się roztapiam jak masło – może czas, żebyś się z tego wypisał, ale tak wypisał-wypisał?

Głos ma ciągle trochę ochrypły od snu. Przez chwilę czuję się winny, że ją obudziłem i poprosiłem o masaż, ale gdy zaczyna, wszystko jakby ze mnie spływa.

Od piętnastego roku życia nie mogę podnieść lewej ręki wyżej niż dziewięćdziesiąt stopni, bo pewnego dnia starliśmy się z bandą Bloodsów w Ham Park, jak się zjawili ze sprejem, żeby na naszych oczach zamalować nasze *placas*, jakby byli nie wiadomo jakimi twardzielami. Głupota. Wywiązała się awantura i jeden facet z małym okrągłym afro i twarzą jak ananas przewrócił mnie i chlasnął sześć razy tulipankiem. Pociął mi nieźle lewe ramię i lewy mięsień grzbietu. To Lu go ze mnie ściągnęła. Sama też miała rozbitą butelkę, no to dźgnęła go nią kilka razy w głowę. Za każdym razem, jak rozcinała mu skórę, tryskała krew, mocząc włosy. Bez kitu. Było też słychać przy tym wyraźny dźwięk, takie ciche flup!

Nigdy tego nie zapomnę. Nie da się. Z tego, co słyszałem, koleś przeżył, ale nie chciałbym oglądać jego łba, gdyby się golił na łyso, tyle mam do powiedzenia. Kiedy mnie wreszcie połatali, mój lewy mięsień grzbietowy skrócił się o dwa i pół centymetra, więc tę stronę mam słabszą. Dlatego właśnie

Fate nigdy nie każe mi dźwigać ciężarów, na przykład trupów. Szkoda, że nie widzicie blizn. Wyglądają jak małe brązowe gwiazdozbiory, wypukłe na skórze. „Galaktyki", jak powiedział Pint, gdy to zobaczył nie tak dawno temu, tatuując mi na klacie małą czarno-siwą sowę. Spodobało mi się to określenie. Dzięki niemu moje blizny nie wyglądały już tylko jak zagojone rany, stały się czymś większym, lepszym.

Irene każe mi się przekręcić na brzuch i zaczyna ugniatać stopy. Zgina mi lewą nogę w kolanie i napiera całym ciężarem ciała, rozciągając mi łydkę, udo, ścięgno stawu skokowego. Masaż tajski różni się od tradycyjnego. Przyzwyczaiłem się do niego dopiero po pewnym czasie, ale teraz innego już nie chcę. To bardziej jak rozciąganie i uciskanie, a to chyba jedna z zasad naszego związku, jak mi się wydaje. Irene zawsze mnie naciska i ciągnie w różnych kierunkach. Teraz też.

– Moglibyśmy wyjechać gdziekolwiek – mówi. – Wiesz, że ja nie muszę tutaj uczyć się pielęgniarstwa. Mogę się przenieść.

– Do tego potrzeba pieniędzy – odpowiadam. – A co z twoją mamą i siostrą?

– Mogłyby pojechać z nami, a z pieniędzmi coś się wymyśli.

– Moglibyśmy być drugimi Bonnie i Clyde'em – śmieję się. – Ja byłbym Clyde.

– Ze mnie byłaby niezła Bonnie. Tylko mogę się obejść bez karabinów. Przekręć się – dodaje.

No to się przekręcam.

Leżę na plecach, patrząc w sufit, a ona wciska prawą stopę w moją lewą pachę. Powoli naciąga słabsze ramię. Czuję, jak wszystko się napina aż do kręgosłupa i prawego biodra. Trochę boli.

– Nie mogę zostawić Fate'a – mówię. – Nie ma opcji. Potrzebuje mnie.

– A jak stanie się coś złego? Nie wszyscy są tacy sprytni jak ty, skarbie. A jak ktoś zrobi coś, co obciąży ciebie, albo nawet cię wsypie? A jak cię zamkną?

Myślę o Apache'u. Może nie jest najbystrzejszy, ale robi, co mu się każe, i zawsze się wywiązuje. Myślę o tym, że teraz jego zadanie to pojechać samochodem pod estakadę i go spalić. A jednak przez sekundę słowa Irene wwiercają się we mnie i czuję strach, że Apache skrewi, a wtedy co będzie z nami?

– Chcę tylko powiedzieć, że już się nasłużyłeś. Przecież wiesz, że nie możesz gangsterzyć do końca życia. Niedługo skończysz studia. Możesz znaleźć pracę. Kiedyś mógłbyś nawet mieć rodzinę – mówi Irene.

– Za nic nie pracowałbym w organach ścigania. Za nic, cholera.

– Ale przecież nie musisz. Zastanów się. To jak na korepetycjach, nie? Nie mówię ci dokładnie, co masz robić, tylko proszę, żebyś to przemyślał i coś zdecydował.

– Chodzi ci o to, żebym się wypisał jak mój ojciec? – To, jak jestem wściekły, dociera do mnie dopiero, gdy słyszę własne słowa. – Zostawił żonę z dzieckiem i się spulił. Założył nową rodzinę gdzie indziej.

Irene milczy przez moment, ale dalej porusza rękami. Czuję, że myśli o wszystkich naszych wcześniejszych rozmowach, o szczegółach. O tym, że nie cierpię mówić o matce, która dostała pierdolca na punkcie narkotyków po tym, jak ojciec odszedł, kiedy nie miałem nawet dwóch lat. O tym, że nie pamiętam, jak on wygląda, bo matka spaliła z wściekłości cholerne zdjęcia, ale jak tylko dowiedziała się, że zamieszkał gdzieś w Lynwood czy Compton, pożyczyła hajs od rodziców i przeprowadziła się ze mną tutaj, przez co byłem nowy w miejscu, w którym niełatwo być nowym, spuszczali mi wpierdol prawie codziennie, aż wreszcie Ernesto zlitował się nade mną i dopilnował jak starszy brat, żebym do szkoły chodził z rodzeństwem Vera, a narkotyki tak bardzo wessały moją matkę, że nawet nie chciało już się jej szukać ojca, tylko codziennie próbowała się znieczulić na ból. Cały ten syf. Ale Irene ciągle porusza rękami.

– Nie jesteś jak twój ojciec – stwierdza kategorycznie, jakby to był koniec rozmowy. Koniec na zawsze. Powiedziała to ostro, jakby była gotowa się kłócić, gdybym zaprzeczył.

Jęczę, ale nie z powodu tego, co mówi. Jęczę, bo rozciąga mnie mocniej niż kiedykolwiek i czuję, jakby od tego szarpania kość ogonowa miała mi wyjść na wierzch. Wie, że siedzę w branży nie od wczoraj, ale szczegółów nie zna, bo nigdy jej nic nie mówię. Zwierzenia w łóżku nie popłacają. Tak naprawdę Fate'a czy innych spotyka tylko z okazji żarcia, jakiś grill czy coś, a wtedy nikt nie rozmawia o robocie, po prostu szamiemy.

I tak to idzie. Ona naciska. Ona ciągnie. Obrabia mnie całymi swoimi jakimiś pięćdziesięcioma pięcioma kilo. Boli, jeśli chcecie wiedzieć. Mówi, że sam decyduję o swoim życiu. Że to mój wybór. Jej ojciec nie miał takiej możliwości, a mój przeszarżował, natomiast ja mogę robić to, co chcę. Ciężko mi czasem, jak tak gada. Nie wie, co robiłem. Nie ma pojęcia o całokształcie. Pochodzi z dobrej rodziny. Ja nie.

Byłem zapienionym gówniarzem z kluczem na szyi, wdawałem się w bójki, żeby dowieść, że jestem twardy, że w ogóle mnie nie rusza, że jestem sam. To Fate spowodował, że teraz stałem się kimś innym. Irene nie rozumie, że ta gra zaczęła się dla mnie już dawno temu. Teraz nie można wstać od stolika i odejść. Usiadłem przy nim, jak dostałem swoją ksywkę, Clever. Dobra, okej, wiem, są tacy kolesie, którzy się wypisali. Wyprowadzili się z dzielnicy, dochowali dzieci, ale to było przed tym, jak skasowaliśmy Jokera, Trouble'a i Momo. Teraz w Lynwood nie ma żadnych historii, tylko my i jacyś Cripsi, ale z nimi jest układ. Porozumienie. Niedużo wiem o kartach, ale przynajmniej tyle, że trzeba grać tymi, które się dostało w rozdaniu.

Czasem jednak jest tak, jakby ręce Irene nie przyjmowały sprzeciwu. Ma najmocniejszy uścisk ze wszystkich ludzi, jakich znam. Im więcej mnie ugniata, tym dobitniej mówi, że jestem też Robert, że ja to Robert i Clever, obaj. I może na tym polega problem, bo zaczynam się otwierać na myśl, że moje życie mogłoby wyglądać inaczej. To wina studiów. I wina Irene. A ona dalej ciągnie i naciska, pokazuje mi palcem dobre rzeczy i przy tej okazji jakoś się rozwijam. Zawsze tak z nami było. Dlatego skończyłem szkołę. Dlatego wylądowałem na studiach. I dlatego pewnego dnia może będę robił coś innego. To jedyny sposób, żeby tak się stało. Równocześnie po tych wszystkich złych rzeczach, których narobiłem, wcale nie jestem pewien, że zasługuję na szczęśliwy finał w życiu, ale Irene pragnie dać mi coś takiego i dalej ciągnie i naciska.

GABRIEL MORENO
AKA APACHE

2 MAJA 1992

1.22

1

W reputacji dobre jest to, że trzeba się popisać tylko raz i postarać, żeby ktoś to widział, a potem fama już sama idzie między ludzi. Dobra, oskalpowałem gościa, ale to nie było takie ostre, jak wszystkim się wydaje. Bo ten kretyn już nie żył, zrobiłem to dopiero po tym, jak wsadziłem mu dwudziestkędwójkę w nos i pociągnąłem za spust.

Dobrze poszło, tylko spaliło mu wszystkie włosy w lewej dziurce, znaczy się strzał. Cała reszta, czyli jak kula wyleciała z lufy i kipnął, wszystko trwało sekundę, bo kaliber był mały, więc ołów został w głowie. Mózg mu tylko rozbełtało jak jajecznicę, więc nie bolało go ani nic. Poszło szybko.

To była moja trzecia robota dla Fate'a, chyba cztery lata temu, w lecie. Ten don bambo, pół Meksykanin, pół czarny, facet z dzielnicy, zwany Milioner, podprowadzał hajs własnej ekipie, konkretnie podpierdalał kasę z Mini Vegas, pewny, że nikt się nie pokapował. Bo to nie zawsze Wizard prowadził domowe kasyno. Najpierw robił to Milioner. To był jego pomysł. Ale potem się okazało, że podprowadza kasę, bo miał te dwie niunie, którym lubił dawać prezenty. Lubił je zabierać do centrum handlowego w Baldwin Hills na zakupy. Popisywał się, jakby ksywka nie wystarczyła, żeby każdy myślał, że jest ważniak, a przecież był nikim. Nazywaliśmy go Srylioner. Pamiętam też, że strasznie dbał o swój wygląd. Kiedy jedna z jego byłych puściła info na miasto, że on łazi do tej kliniki włosów, bo chociaż był młody, to już łysiał, to już wiedziałem, co muszę zrobić. No więc jednego dnia wraca do siebie, a ja tam czekam z moim krewniakiem Cricketem (śp.) i z Cleverem, bo przewalczyliśmy zamek, no i patrzą sobie, jak odciągam zasłonę i grzecznie proszę Milionera, żeby wlazł pod prysznic, bo muszę zrobić, co mam do zrobienia, on włazi, a ja robię swoje i po krzyku. Nikomu nie mówiłem wcześniej, że chcę go oskalpować. Cricketowi i Cleverowi powiedziałem tylko, że miałem przy sobie nóż, więc tak mnie naszło pod wpływem chwili, ale to nieprawda. Zaplanowałem to. Ale podziałało jak trzeba, zyskałem rozgłos. Zyskałem też respekt, bo tylko Cricket i Clever wiedzieli, że zrobiłem to po, a nie przed. Nikt poza tym nie wie. Ludzie tworzą najprzeróżniejsze historie o tym dniu. Ale to Clever wymyślił dla mnie ksywkę Apache. I od tej pory wszyscy mnie znają jako Apache'a.

Mówię o tym, żeby było wiadomo, że nie mam żadnych złudzeń. Wiem, że jestem wojownik, a nie wódz. Robię, co mi każą. Dostaję zadanie, to je wykonuję. Jak teraz.

Ten weteran, co prowadzi miejski wózek i teraz skręca z MLK w Wright Road, to Sinatra. Nie wiem, skąd ta ksywka. Jest stary jak cholera, ma chyba ze czterdzieści lat, czterdzieści pięć, i pali cygaro z niezdjętą banderolką przypominającą obrączkę. Takie z tych cienkich, *cigarillo*, no i luz, bo mu pasuje.

Jest chudy, ale nie jak Clever z tym jego mizernym dupskiem, tylko inaczej. Sinatra jest chudy jak patyk. Ta. Ma wielkie oczy. Jedno zielone, drugie brązowe, za duże do nosa. Ma też mały zarost, włoski jakby ostre kreski, prawie jak narysowane. Cienki, plackowaty zarost, który znika kompletnie tuż przy uszach. Nie dosięga włosów.

Zapamiętuję w głowie, żeby go później narysować. Ołówek numer dwa do naszkicowania, potem poprawię czarnym długopisem, a ołówek wytrę i zostanie tylko tusz, no może małe kawałki tam, gdzie za mocno docisnąłem ołówek. Czasem to lubię, jak widać ołówek pod spodem, jak się dobrze przyjrzeć.

Worek z ciuchami, które Clever kazał mi spalić, siedzi po bożemu między nami. Trzymam na nim rękę, przygniatam od góry, żeby widzieć Sinatrę.

– Coś mam na gębie? – pyta, nie odwracając głowy. Patrzy przed siebie.

– Nie, po prostu cieszę się, że to nie ja prowadzę. Nigdy nie jechałem takim dużym wózkiem. Widzisz coś w ogóle w tych wszystkich lusterkach tak dziwnie poustawianych?

Lusterka boczne ma podwójne, jedno na drugim. Górne jest okrągłe i wypukłe, pokazuje więcej świata, ale w sposób zniekształcony. Dolne jest płaskie i widać tył, ale nie za dużo. W obu widzę Payasę jadącą moją furą w odstępie za nami.

– Się człowiek przyzwyczaja – odpowiada Sinatra.

On i jeden Bluebird skroili ten samochód pracownikowi miejskiemu we Florence w środę mniej więcej pół godziny po tym, jak wybuchły rozruchy. Facet wyjechał na miasto i pewnie zamiast słuchać radia, włączył sobie taśmę z Hallem i Oatesem, więc nie wiedział, co się dzieje. Wykonywał swoją pracę, kiedy Sinatra i Bluebird doskoczyli do niego z klamką i wyciągnęli go z szoferki. Zerwali mu kamizelkę, dali kopa w zęby i odjechali. Sinatra nastał grubo przede mną, chyba nawet przed Fate'em. Teraz właściwie mało się angażuje, ale ponieważ wszystko tak się popieprzyło, to okazja zbliża ludzi.

Oprócz nas na Wright Road prawie nie ma samochodów, jeden jedzie w przeciwną stronę, a potem to już nic, tylko menel idący złą stroną po poboczu. Tutaj nie ma niczego, co warto by chronić, sklepów ani nic, więc Clever pomyślał, że nie natkniemy się na żadnych szeryfów czy gwardzistów, na nikogo właściwie.

Jak wjeżdżamy w Cortland, wyciągam z kieszeni zapałki od Clevera. Sześć osobnych paczek, na wszelki wypadek. Ta okolica kojarzy mi się z Milionerem. Skalp zostawiłem w zlewie, żeby go znalazła któraś z jego dam, ale zwłoki wyrzuciłem niedaleko stąd, w miejscu, które wszyscy nazywają Lil Texas, w bok od Cortland, wśród nieczynnych magazynów. Ale teraz, do tej roboty, nawet Lil Texas jest za małe. Clever powiedział, że musimy spalić wszystko, a jedynym sposobem, żeby dać ogniowi dość czasu, to zrobić to pod estakadą, żeby nikt za wcześnie nie zobaczył dymu. Tak mówił Clever. Z tego miejsca widzę już stopiątkę.

Przez chwilę myślę o Lil Creeperze, bo często przepalaliśmy razem i gadaliśmy o tym, jak się będzie po niej jeździło, jeszcze zanim ją zbudowali; chcieliśmy być pierwsi, no wiecie? Żeby ją rozdziewiczyć, zobaczyć, jak wygląda miasto tam z góry, gdzie jechalibyśmy tylko my, widok byłby tylko nasz. Ta. Żeby była jasność, ten kretyn to świr, ale bywa śmieszny, właśnie taki koleś, z którym warto przejechać po niedokończonej jeszcze autostradzie.

Jesteśmy już prawie w miejscu, do którego wysłał nas Clever, i Sinatra tarabani się pod most, na łagodny nasyp pod rusztowaniem, które wygląda jak szkielet zwierzęcia z drewna, jakbyśmy wjeżdżali mu w paszczę.

Kiedyś miałem kota. Kotkę, nazywałem ją Tycia, bo była strasznie mała, jak ją dostałem. Często ją rysowałem przez te wszystkie lata, jak rosła. Mam cały szkicownik tylko z jej rysunkami. Ruda pręgowana, umięśniona. Potrafiła wskoczyć naprawdę wysoko. Zielone ślepka jak mokre kamyki. Wesoły głosik. Najsłodszy kot na świecie. Czasem nazywałem ją „psot", w sensie pół pies, pół kot, bo bawiła się ze mną w aportowanie.

Lubiła gonić za kulkami zgniecionej folii aluminiowej, bo dają taki charakterystyczny dźwięk, a jak rzucałem, to je przynosiła. Lubiła też gryźć. No i jednego dnia, w połowie zabawy w aportowanie, zaczyna pluć krwią i miauczy, jakby umierała. Dopiero po godzinie wylądowałem z nią u weterynarza, żeby ją obejrzał, no i usłyszałem, że nic nie da się zrobić, bo połknęła kulkę takiej folii i poharatała sobie wnętrzności, a przez całą drogę do kliniki popłakiwała i miała drgawki, i pluła krwią, przestała dopiero, jak lekarz dał jej zastrzyk. To miło z jego strony, wiadomo, bo nie musiała cierpieć. Nikt na to nie zasługuje. Tycia umarła spokojnie na moich rękach, z zamkniętymi ślepkami, jakby spała. Tak jak należy.

Nie lubię patrzeć na cierpienie. Niczyje. Jak trzeba odwalić robotę, to się ją odwala, no dobra, biznes to biznes, ale nie warto tego przedłużać ani opóźniać. Na przykład ten facet przed domem Payasy. Ranger trafił go w szyję, no dobra, trzeba było strzelać, oberwał z dystansu, więc się nie wściekam, ale teraz leży na ziemi i cierpi. Po co czekać i patrzeć, jak umiera jak ryba wyjęta z wody, trzepocząca skrzelami? Trzeba było to zakończyć, więc się wmieszałem. Szybkość to miłosierdzie. Nie wiem, gdzie to słyszałem, może od Clevera, ale mi się podoba. Pasuje mi. Złe rzeczy się dzieją, to prawda, ale skoro musi tak być, to szybko załatwmy sprawę, tak będzie lepiej dla wszystkich.

No i widzicie, w momencie kiedy Sinatra gasi silnik, auto zastyga, a on nachyla się, żeby wysunąć kasetę z odtwarzacza w połowie piosenki o tym, że zbrodnia popłaca, przystawiam mu pistolet do skroni i pociągam za spust.

Huk w szoferce jest tak głośny, że w uszach mi dzwoni, a za jego głową szyba robi się czerwona i pojawia się dziura. Sinatra podryguje lekko, ale to tylko reakcja układu nerwowego. Już po nim.

Otwieram drzwi, wysiadam i zamieniam się z Payasą dwiema paczkami zapałek na butelkę najtańszej wódy na świecie. Odkręcam i rozlewam całą zawartość po szoferce, po wszystkim, głównie po tablicy rozdzielczej, kierownicy i wykładzinie, po której potoczyło się kopcące *cigarillo*, ale Sinatrę też częstuję, spływa mu po tej cienkiej brodzie i teraz już wiem, jak go narysuję. Czarnym flamastrem, bez żadnego szkicowania. Szybką, krótką kreską.

Tak trzeba, powiedział Fate. Sinatra pokazywał swoją gębę po całym mieście. Te samochody mają numery. Są w ewidencji i w którymś momencie pójdzie doniesienie o kradzieży, o ile już się to nie stało; w którymś momencie zaczną szukać tego wózka, jak już się na ulicach uspokoi na tyle, że ludzie bardziej zainteresują się skradzionymi samochodami niż rozruchami, a facet, który nim jeździł, rozpoznałby Sinatrę, bo pajac nie włożył maski ani nic, a to byłoby dla nas niezdrowe, bo Sinatra nas zna i wie, co robiliśmy dziś wieczorem. Jest jeszcze coś, poszła fama, że w czwartek wieczorem Sinatrę poniosło w awanturze z byłą żoną. Postrzelił ją w plecy, ale przeżyła. Leży w szpitalu. Może nie wiedział, że wiemy, ale wiemy. Słyszymy o wszystkim i działamy jak trzeba. Psy w końcu by do niego przyjechały, więc musielibyśmy mieć pewność, że nie będzie chciał niczego przehandlować, jak go zgarną. A takiej pewności nie było. Jedyne wyjście to skasować Sinatrę, więc został skasowany.

Podłoga już porządnie się nasączyła, no to zapalam zapałkę i rzucam ją na siedzenie. Czarny foliowy worek z ciuchami strzela płomieniem i się marszczy. Odkręcam trochę okno, żeby ogień miał tlen. Zamykam drzwi i podciągam się do góry, żeby spojrzeć nad burtą na Payasę rozpalającą ogień na pace. Wrzucam tam broń, rękawiczki i kolejną zapaloną zapałkę, tak na wszelki wypadek, wreszcie zeskakuję na ziemię z zaciśniętymi dłońmi, uważając, żeby niczego nie dotykać palcami. Potem wsiadamy do mojego cutlassa, tym razem ja za kółkiem, robię zawrotkę, przodem do MLK, zatrzymuję się na poboczu i oglądam pożar w lusterku wstecznym.

Jak się wyrabiałem, to jednym z moich zadań było stanie na czujce, gdy *veteranos* palili skradzione samochody. Najczęściej kazali mi czekać do chwili, jak wypadał blok silnika, ale gdy było bezpiecznie, gdy nikt nie nadjeżdżał, to czekaliśmy aż do wybuchu. Samochody nigdy nie wybuchają tak, jak się pokazuje na filmach. Może gdyby coś wrzucić do baku, ale jak się tylko podpala w środku, to trzeba chwilę poczekać. Oceniłbym, że przeważnie z dobre piętnaście minut, żeby ogień dotarł do paliwa i buch!, a siła wybuchu zawsze zależy od tego, ile benzyny zostało. Nie spojrzałem na wskaźnik w miejskim wózku Sinatry.

Ale nawet przy takim układzie sterczeć tutaj dłużej z Payasą byłoby głupotą. No dobra, Clever nagrał ludzi, żeby narobili hałasu w Watts i dzwonili pod numer alarmowy, ale wyraźnie kazał czekać tylko do momentu, aż się zrobi fajerwerk.

Wpatruję się w ogień. Płomyczki, można by powiedzieć. Ta. Patrzę, jak pomarańczowy kolor pnie się po tych lampach z placu budowy, jak żywa winorośl czy coś. Najpierw strzelają okna szoferki, szkło frunie na wszystkie strony. Zaraz potem klakson zaczyna napieprzać non stop, a potem, jak już jest gorąco, idą w cholerę żarówki lamp z budowy. W tej chwili mocno już dymi pod mostem, aż się beton robi czarny, prawie jakby go ktoś sadzą pomalował.

– No to kiedy...? – pyta Payasa.

Bang! Głośno, i jeszcze raz, no więc wrzucam bieg i spokojnie, grzecznie wciskam pedał gazu, odjeżdżamy, a za nami słychać, jakby walnęło jeszcze parę fajerwerków, dwa porządne wybuchy i dwa słabe trzaski na pace, bo ogień już szaleje, walnęły naboje w broni, te, co zostały.

2

W mojej furze ciągle śmierdzi surowym mięchem, a w ogóle to jeszcze żeśmy tego nie usmażyli. Małolaty, którym Fate kazał wyczyścić samochód, nie spisały się za dobrze. Trzy godziny się uwijali, na zapasie nie ma żadnych plam ani nic, ale wykładzina w bagażniku ciągle jest brudna i zaczynam myśleć, że już nigdy nie będzie czysta, że już zawsze będę czuł surowe mięso na hamburgery. I wtedy postanawiam, że muszę mieć nowy samochód. Ten pora opchnąć jakiemuś nieogarniętemu kretynowi. Ale w tej chwili to niczego nie zmienia, więc opuszczam szybę do połowy, żeby wpuścić trochę świeżego nocnego powietrza.

– Masz PCP? – pyta Payasa, spoglądając na mnie.

Fate kazał nam odłożyć to gówno na dzisiejszy wieczór. Ale mam trochę. Tyle że do tej pory nie skorzystałem.

– Fate zabronił – odpowiadam.

– Tak, ale przed robotą, nie po.

– Bo po nie ma sensu. Tylko przed.

Przez chwilę patrzy na wprost. Nigdy wcześniej nie pierdzieliłem się z akwarelami, ale teraz niebo jest takie jakby mokre, chociaż nie jest, że zachciało mi się spróbować, ta czerń taka miękka dokoła twarzy Payasy, a żółte światło z latarni dotyka jej nosa z profilu, naprawdę ładnie. Ładna jest, wiecie? Nie w sensie erotycznym, ale jakbym mówił o młodszej siostrze, a dopiero co straciła starszych braci, więc teraz jesteśmy jakby rodzeństwem. Ja, Fate, Clever, wszyscy.

Przerywa milczenie:

– Fate każe mi się wprowadzić do matki i trochę wyluzować. Nie rozumiem, dlaczego chce mnie tak ukarać. No bo chyba dobrze się sprawiłam z Jokerem, nie?

Z początku nic nie mówię. Odpuszczam na moment i jedziemy dalej. Payasa też siedzi cicho. Walimy do mojego krewniaka Oso, żeby tam zaczekać na sygnał od Fate'a albo Clevera.

W końcu odpowiadam:

– Może to nie takie głupie.

Od razu reaguje:

– Jak to?

I zerka na mnie wrednie.

– Spisałaś się super. Nie wiem normalnie, kiedy widziałem taką akcję. Przeważnie to ludzie w gówno mogą trafić, jak im adrenalina skoczy. Widziałaś, ile było pudeł przed twoim domem, nie? Tona. Ale ty to nie twój brat, wiesz?

– Który brat? – pyta ciężkim głosem, jakby użalała się nad sobą. Cholera, nie to, żeby nie miała powodu, ale jednak.

– Wiesz który – odpowiadam. – Chodzi mi o Lil Mosco. Już bardziej przypominasz Ernesto – dodaję. Szczerze mówiąc, nie lubię, jak robi to co ja. To nie jest zajęcie dla kobiet. Można mnie nazwać seksistą albo kimkolwiek, ale większość ludzi chyba przyznałaby mi rację. – Grubo pojechałaś – mówię. – Zrobiłaś co trzeba. Wymierzyłaś sprawiedliwość.

– Tak myślisz?

– Tak, tak myślę. Ale myślę też, że ty to nie ja.

Ma wściekłą minę, jakbym ją traktował bez szacunku albo coś, i pyta:

– Co chcesz przez to powiedzieć?

– To, co powiedziałem. Ty to nie ja. Chodzi mi o to, że możesz teraz dać sobie spokój, nie musisz leźć w to dalej. Nie musisz robić tego co ja, Payasita.

Nadyma się i odpowiada:

– Odradzasz?

Przez chwilę patrzę na niebo za szybą, na tę całą popielatą czerń. Kiwam głową, ściskając lekko kierownicę, jakbym był pałkarzem, trzymał kij przy bazie i miał uderzyć.

– Powiem ci coś, Lil Clown Girl.

Czasami ją tak nazywam, bo to właśnie znaczy Payasita *en español.* Ale tylko jak jesteśmy we dwoje. To jakby czułe słówko. Ta. Nikt inny tak na nią nie mówi, a gdyby próbował, tobym zainterweniował. Bo to tylko nasze. W tej chwili tak ją nazwałem, bo chcę, żeby to jej szesnastoletnie dupsko zaczęło słuchać.

– Jednego razu – mówię – stałem przy Josephine, tak? Po drugiej stronie, przy parku. Miałem pewnie z rok mniej niż ty teraz. Ale od jakiegoś czasu już byłem ożeniony z klamką. Coś tam robiłem i myślałem, że jestem ostry, bo starsze ziomki mi tak mówiły, i jeszcze twierdzili, że się wyrabiam. No to dawali mi małe kontrakty tu i tam, żebym pilnował spraw, no wiesz. Tamtego razu czekałem na jednego uchola, na którego mówili Booger, żeby wyszedł ze swojego domu naprzeciwko parku. Stałem tam, bo miałem się nim zająć. Ale na jego widok tak się nakręciłem, że mi odpaliło. Dobiegłem pędem do krawężnika i zahamowałem, bo nie chciałem wpaść na jezdnię, i wrzasnąłem: „Ej, Booger, Booger!". Spojrzał na mnie i zobaczyłem w jego oczach, że mnie widzi, i wycelowałem. To Fate dał mi klamkę, uwielbiałem ją. Chyba dziewięć milimetrów, smith and wesson sześćset pięćdziesiąt dziewięć, właściwie to spore działo dla takiego małolata jak ja, ale wtedy się tym nie przejmowałem. Jak zobaczyłem Boogera, w pośpiechu wyszarpnąłem broń z bluzy i bang, bang, bang w niego, ale w tej samej chwili, jak zacząłem strzelać, zasłonił go przejeżdżający samochód. – Słyszę, że z ust Payasy dobiega cichy jęk, coś jakby „o kurwa", ale opowiadam dalej: – Wiesz, byłem tak nakręcony, że nawet nie zauważyłem tego samochodu, wszystko stało się za szybko. Pamiętam tylko tylne szyby, znaczy tylne boczne, roztrzaskujące się w tym kombi, razem, tttszsz, tttszsz, bo kula przeszła przez obie. Na drugą stronę.

Robię przerwę, nie dla efektu ani nic, tylko dlatego, że muszę.

Chyba za długo to trwa, bo Payasa pyta:

– I co?

– Z tyłu było siedzonko, wiesz? Fotelik dla dziecka.

– O kurwa. I?

– I nie dorwałem Boogera. Kretyn zwiał.

– Pierdolić Boogera! Co z dzieckiem?

– Nie wiem.

– Jak to nie wiesz?

– No bo tylko usłyszałem płacz, ale taki naprawdę głośny, wrzaski stamtąd, samochód dał gazu zygzakiem, a ja tylko myślę o tej strzaskanej szybie, wiesz? – Kręcę głową na to wspomnienie. – Tylko o tym szkle.

Payasa jest jakby wnerwiona.

– A dowiedziałeś się? No czy nic się nie stało?

– Nie. Nie dowiedziałem się. Nawet próbowałem, ale nikt nie słyszał o rannym dziecku, a ja już nigdy potem nie widziałem tego kombi.

– Kit mi wstawiasz. Nigdy? Naprawdę?

– Czasem śnią mi się dzieci – odpowiadam. – Całe pochlastane.

– Teraz to już gadasz jak porąbaniec.

– No tak, ale ja zachowałem się jak porąbaniec. A mówię ci o tym, żebyś wiedziała, że takie gówno się do ciebie przykleja. Żebyś nie patrzyła na mnie i nie myślała, że spływa. Tylko o to mi chodzi, Lil Clown Girl. Tylko.

Potem Payasa się ucisza, a ja nie wiem, co jeszcze mógłbym dodać ani czy nawet dobrze się wyraziłem, więc czekam przez chwilę, a potem mówię:

– Może to nie jest taki zły ruch, jeśli Fate na poważnie mówi o tej przeprowadzce. Odetchniesz chwilę od dzielnicy. No bo co byś wtedy robiła? Myślałaś o tym?

Wciska potylicę w zagłówek i patrzy w sufit. Po krótkiej chwili uśmiecha się, lekko, ale wyraźnie, więc pytam:

– Co jest?

– Nic. Taka tam głupota.

Żadna głupota, mam ochotę powiedzieć. Pierwszy uśmiech na jej twarzy, od chwili jak zobaczyliśmy Ernesto leżącego między garażami. Ale tylko czekam. Daję jej czas. Próbuję zapamiętać ten uśmiech na jej twarzy. Większy niż u Mony Lisy. Nos jej się trochę od tego marszczy, u góry, między brwiami.

– Przyszło mi do głowy, żeby może zobaczyć się z Eleną.

– Czekaj – mówię, bo muszę mieć jasność – z tą, co chciała, żebyśmy utrącili Jokera i powiedzieli mu, że to pozdrowienia od niej? Z tą?

– Z tą – odpowiada Payasa i oblizuje usta odrobinę, jakby myślała o zrobieniu z nich użytku. Dobrego użytku.

– No i masz. Szalona miłość.

Całuje się językiem w zęby z takim głośnym cmok.

– Chwila, nie powiedziałam, że to miłość.

– Jak chcesz. Ona jest *loca*, ale ładna jak cholera. Ten jej tyłek... – dodaję, lecz potem się zawieszam, bo myślę o tym, jak świetnie Elena wyglądała w tych dżinsach i jak miło byłoby ją wziąć w łapy, no i wciąga mnie trochę ta fantazja na moment, i już nie potrafię dokończyć zdania, tylko: – O rany.

Ale mówię to dla efektu. Payasa wie, o co mi chodzi, i parska śmiechem. Dlaczego to robi, nieważne. Cieszę się, słysząc jej śmiech. Payasa ma między innymi tę zaletę, że nie trzeba uważać i gadać z nią jak z dziewczyną. Można mówić, co się, kurwa, chce, nie ma ciśnienia. Taki z niej ziomek.

– Taa – odpowiada. – „O rany" to w sam raz. Zabrałam się za nią.

To mi znowu momentalnie uruchamia wyobraźnię i odlatuję na długą chwilę.

– Cholera – rzucam, bo nic innego nie przychodzi mi do głowy, ale uznaję, że może powinienem podpuścić Payasę do gadania o Elenie, bo dzięki temu nie myśli o smutnych rzeczach. – Liczysz, że przestawiłaby się z facetów? Dlaczego?

– Zawsze jest taka szansa. Zwłaszcza jakbym się jej teraz pokazała jako jej opiekunka.

– W sensie rycerz w lśniącej zbroi? – Zerkam na nią, a ona kiwa lekko głową do góry i znów się uśmiecha tajemniczo, tylko tym razem to znaczy, że wie o kobietach to, o czym ja nie mam pojęcia, a jest tak pewna siebie, że nie mam żadnych wątpliwości. – Będziesz strzegła jej honoru i tak dalej?

– Kobietom zależy na takim gównie. Potrzebują poczucia bezpieczeństwa.

– Mówisz, jakbyś sama nie była kobietą.

Podjeżdżam do krawężnika przy Louise, przed dom Oso. W środku pali się światło i w oknie kuchni dostrzegam krzątającą się ciotkę, pochyloną nad zlewem, jakby myła warzywa czy coś. Widząc ją taką, z włosami spiętymi do tyłu jak do spania, wiem, że Oso zerwał ją z łóżka. Ona bardzo go rozpieszcza, od kiedy zginął Cricket, pozwala mu jeść o każdej porze dnia i nocy, gdy tylko jest głodny. Nieważne, kiedy mu się zachce, ona wstaje i coś mu robi.

– Ja nie jestem kobietą tak jak Elena – mówi Payasa, gdy gaszę silnik. – Taka dziewczyna jak ona potrzebuje kogoś, kto się nią zaopiekuje. Taka dziewczyna jak ja potrzebuje kogoś, kim mogłaby się zaopiekować. Tak to jest. Taka jest natura. Te role wcale nie zmieniają się tylko dlatego, że obie jesteśmy *chicas*. To gówno jest zakorzenione. To gówno to natura ludzka.

Wzruszam ramionami, bo muszę jej uwierzyć na słowo, i otwieram drzwi, ale jak błyska lampka sufitowa, Payasa łapie mnie za ramię i widzę, że nie skończyła gadać, więc zatrzaskuję drzwi i światło gaśnie.

– Czy to koniec, ale taki koniec-koniec? – pyta. – Uspokoi się teraz, jak Joker, Trouble i Momo są skasowani?

– Nie wiem – odpowiadam, bo naprawdę nie wiem.

W reakcji na moje słowa cofa podbródek i marszczy brwi i stąd się orientuję, że wcześniej trafiłem. Bo ona chce, żeby to był koniec. Lil Mosco nigdy by tak nie myślał. Chciałby długiej wojny, chciałby okazji, żeby szaleć. Podskakiwałby z radochy. Ale Payasa? Ona nie. Wychyliła się tylko, bo musiała zrobić to, co było do zrobienia.

– Ktoś zawsze jest z kimś spokrewniony, nie? – mówi zmęczonym głosem, jak babcia. – Albo ma z kimś przyjaźń.

– Chyba tak. Ale wiesz, jak nie chcesz przegrać, to nie powinnaś w to grać.

Może się wydawać, że to bezduszne powiedzieć coś takiego komuś, kto właśnie stracił dwóch braci i cały front domu, ale ona wie, że to prawda, a ktoś musiał jej o tym przypomnieć. Więc równie dobrze mogę to być ja. Patrzę, jak buja się lekko w fotelu, i uchylam drzwi, żeby białe światło znowu odsłoniło jej twarz, i myślę, że może machnąłbym jej portret, ołówkiem i tuszem. No wiecie, pędzelek modelarski i farbki, takie, co nawet jak wyschną, to błyszczą.

No więc mówię do mojej Lil Clown Girl:

– Głodna jesteś? Ciotka chyba coś tam pichci, a możesz mi wierzyć, że jak robi *enchiladas*, to nie chciałabyś ich przegapić.

– Mogę spróbować. Ale może potem odwiózłbyś mnie do *mi mamá*?

Nie jestem wodzem, tylko wojownikiem, uznaję jednak, że raz mogę zrobić wyjątek. Dla niej. Tylko ten jeden raz.

DZIEŃ 5
NIEDZIELA

POLICJANCI MÓWILI TEŻ CZŁONKOM GANGÓW, ŻE GWARDIA NARODOWA TO PRAKTYCZNIE O WIELE, WIELE WIĘKSZY GANG. UWAŻALI, ŻE TYLKO W TEN SPOSÓB TRAFIĄ IM DO PRZEKONANIA.

GENERAŁ JAMES D. DELK,
DOWÓDCA ODDZIAŁÓW GWARDII NARODOWEJ

ANONIM

3 MAJA 1992

15.22

1

Jedno wymaga wyjaśnienia: jestem Duży Zły Wilk, a ci, którzy się proszą, żebym ich pogryzł, nawet nie wiedzą o moim istnieniu. Dziś otrzymaliśmy rozkaz zaatakowania lokali mieszkalnych powiązanych z gangami i wyznam szczerze, że sprawi mi to przyjemność. Z powodu nadzwyczajnego charakteru tej operacji nie mogę jednak wyjawić, kim jestem ani gdzie pracuję. Właściwie to nawet nie mogę wyjawić, czym się zajmuję w rozumieniu codziennych obowiązków, ale ponieważ mamy do czynienia z wyjątkowymi okolicznościami, to opiszę krok po kroku to, co robię, a resztę sami sobie dopowiecie. Najpierw jednak nakreślę tło.

W tej chwili dowodzę szesnastoma ludźmi w dwóch transporterach jadących na południe po suchym jak pieprz korycie rzeki Los Angeles. Dotarliśmy tam podziemnym kanałem pod mostem przy Szóstej Ulicy. Wybetonowane przez wojska inżynieryjne na przestrzeni lat, począwszy od 1935 roku, dno bardziej przypomina drogę niż rzeczne koryto, a dziś posłuży nam za tylne wejście na South Central. Jesteśmy w drodze do lokalu, w którym mieszkają i prowadzą nielegalne działania gangsterzy dobrze znani organom ścigania. Do czasu tej operacji mój oddział pozostawał w pogotowiu i – w mojej opinii – dopiero godzinę temu ktoś z góry zdobył się na odwagę, żeby wysłać nas do akcji. Zachowując pełną gotowość, dotąd zbijaliśmy bąki w punktach dowodzenia policji i służb ratunkowych.

Było to frustrujące dla mnie i mojego oddziału, bo w całym mieście policja i Gwardia Narodowa zaangażowały się w starcia i potyczki z lokalnym przeciwnikiem, bardziej obeznanym z zasadami miejskiej wojny partyzanckiej niż większość bojowników w innych krajach. Nie jest to pogląd, który znajdzie publiczny wyraz, ale to pogląd właściwy. Do takich sytuacji dochodzi dlatego, że miasto jest skutecznie zbałkanizowane. W Los Angeles mamy szczególnie toksyczną mieszankę ludzi o odmiennym pochodzeniu kulturowym i przekonaniach religijnych, ale przede wszystkim mamy wysoce zatomizowaną populację gangsterów liczącą około stu dwóch tysięcy osób. (Usłyszawszy tę liczbę na pierwszej odprawie, powiedziałem do przełożonego: „To nie statystyka, to istna armia"). Tylko w 1991 roku ta rzesza odpowiedzialna była za siedemset siedemdziesiąt jeden zabójstw – to daje ponad dwa zabójstwa dziennie.

Sytuacja się pogarsza: gdy wybuchły rozruchy, policja dostała rozkaz chronienia sklepów z bronią w całym mieście. Nie sprostano temu zadaniu. W ciągu pierwszych dwóch dni skradziono ponad trzy tysiące sztuk broni (w większości półautomatycznej, ale trafiły się też karabiny w pełni automatyczne). Liczba ta, choć zweryfikowana, nie została podana do publicznej wiadomości, podobnie jak następujący fakt: bardzo niewiele odzyskano z tego arsenału. Dlatego wymogiem operacyjnym jest świadomość, że czarne i latynoskie gangi na tym obszarze uzbrojone są po zęby.

Gdy używam słowa „czarny", to nie używam go na wyrost. Jak mawiał mój wychowany na Południu ojciec: „Czarnym się urodziłeś i czarnym zemrzesz". Skąd się wziąłem? Dorastałem w Watts, przed rozruchami w 1965 roku i potem, a dzisiejsze

Los Angeles bardzo się różni od Los Angeles z tamtych czasów. Urodziłem się w Lynwood w kwietniu 1956 roku, w szpitalu św. Franciszka, bo w Watts nie było wtedy szpitala. Gdy miałem dziewięć lat, moja dzielnica zbuntowała się w reakcji na aresztowanie i pobicie „tego chłopaka Frye'a", jak nazywała go moja matka, bo znała jego matkę, Renę, z kościoła. W tamtym okresie Lynwood ciągle uznawano za miłą okolicę dla białych, a matka jeździła tam autobusem, żeby sprzątać po domach. Podawanie innych szczegółów z mojego dzieciństwa uważam za zbędne, powiem tylko, że w 1974 roku wysłali mnie do Wietnamu, gdzie zaliczyłem dwie zmiany. Potem zostałem w wojsku na zawodowego, po czym odszedłem na wcześniejszą emeryturę, żeby się starać o pracę w pewnej instytucji państwowej, której nazwy nie wolno mi w tej chwili wymienić. Więcej o sobie powiedzieć nie mogę, uważałem jednak za istotne wyjaśnić, że przebiegiem tej operacji jestem osobiście zainteresowany. Leży mi to na wątrobie, że tak to ujmę.

Nie należy myśleć, że ta sytuacja powstała z dnia na dzień. Z doświadczenia wiem, że po rozruchach w Watts niczego nie poprawiono, ani ekonomicznie, ani w żaden inny sposób, i nie będzie przesadą, gdy stwierdzę, że siedzimy na większej beczce prochu niż wtedy. Miasta zamieszkanego przez ponad trzy i pół miliona ludzi – w hrabstwie zamieszkanym przez ponad dziewięć milionów sto tysięcy – pilnuje tylko siedem tysięcy dziewięciuset policjantów i szeryfów. (Z liczbą funkcjonariuszy należy zestawić sto dwa tysiące czynnych gangsterów). To najgorszy wskaźnik między przestępcami a organami ścigania ze wszystkich dużych ośrodków miejskich w tym kraju, a robi się jeszcze mniej wesoło, gdy weźmiemy pod uwagę wielkość obszaru, którego należy pilnować. Hrabstwo Los Angeles to koc plażowy. Płaskie, rozciągające się na osi północ–południe z portu obejmującego San Pedro i Long Beach aż do wzgórz w okolicy Pasadeny i San Fernando Valley, a na wschód i zachód od pustyni San Gabriel Valley po plaże w Santa Monica.

Dla porównania: rozruchy w 1965 roku objęły cztery osiedla w mojej dawnej dzielnicy Watts. Skutecznie ograniczono obszar. W trakcie obecnych niepokojów społecznych już pierwszej nocy pożary ogarnęły sto pięć mil kwadratowych miasta i terenów podmiejskich w South Central. W rezultacie godzinę policyjną wyegzekwowano tak samo skutecznie jak dawniej prohibicję, bo pilnowanie tak wielkiego obszaru, zamieszkanego przez tak liczną populację gangsterów, jest zadaniem tytanicznym nawet w normalnych warunkach. A co dopiero, gdy wybuchają zamieszki, jakich kraj dotąd nie widział w najgorszych koszmarach? To po prostu niemożliwe. Do tej pory serwowałem złe wiadomości, ale oto jest dobra: dziś sytuacja się zmieni.

W trakcie pobytu w terenowym punkcie dowodzenia rozmawiałem z weteranami z Wietnamu, w większości gwardzistami, ale byli wśród nich także policjanci z drogówki i prewencji. Prawie wszyscy mówili, że emocje są bardzo podobne do tych z czasów, kiedy służyli „za morzem" ponad dwadzieścia lat temu. Wspomnieli o niewiadomych. Przyznali, że mają trudności z rozpoznaniem wroga. Rozumiem jedno i drugie, ale zadanie mojego oddziału nie polega na ochronie centrów handlowych. Mamy do wykonania konkretną robotę, działając w oparciu o wytyczne uzyskane od naszego łącznika z wydziału zabójstw w biurze szeryfa, dysponującego wyjątkową wiedzą operacyjną i wiarygodnymi informatorami w gangsterskim świecie South Central. Wybiera dla nas cele, a my przystępujemy do realizacji. Słowem, rewanżujemy się.

– Bez obaw – powiedziałem weteranom, gdy staliśmy w kolejce po żarcie zorganizowane dla nas przez zacnych ludzi z leśnictwa. – Wiem, kim jest nieprzyjaciel. Nie tylko połamię mu żebra, ale jeszcze popatrzę w oczy, jak będę to robił.

Ta postawa, muszę przyznać, zyskała poklask. Każdego dnia i każdej nocy powiązani z gangami bandyci zagrażają Gwardii Narodowej i gliniarzom w całym mieście. Nie spotkałem dotąd żadnego gwardzisty, który nie opowiedziałby tej historii w takiej czy innej wersji: gangsta przejeżdżają obok samochodem, z wyeksponowaną bronią, i wskazując palcami ludzi w mundurach, wołają: „Wrócimy po ciemku i was zabijemy".

W moim świecie to się nazywa „groźba terrorystyczna" i zasługuje na natychmiastowy odwet. Z takiej właśnie perspektywy należy podejść do obecnej sytuacji, bo nadzwyczajne okoliczności wymagają nadzwyczajnych środków. W centrum dowodzenia operacyjnego już słychać pomruki, że sytuacja w mieście została na tyle opanowana, że jutro można znieść godzinę policyjną, więc nasza operacja musi się odbyć tej nocy i tylko tej nocy. Mamy niespełna dwadzieścia cztery godziny, żeby wysłać dobitny przekaz.

Zaletą chaosu w ostatnich pięciu dniach jest, co następuje: nie ma możliwości, aby to, co zamierzamy zrobić, odbiło się nam czkawką. Ruszamy w teren, dajemy brutalom nauczkę, żeby wiedzieli, kto jest silniejszy i bardziej zły, i się zwijamy. Obyczaje troglodyty, owszem, ale to jedyny język, jaki rozumie gang.

Obowiązują nas dwa parametry operacyjne: po pierwsze, w każdym lokalu możemy spędzić najwyżej sześć minut, po drugie, możemy zastosować wszelkie środki, jakie uznamy za stosowne, ale ogień otwieramy dopiero w odpowiedzi na ostrzał. Przystałem na oba warunki podczas odprawy w centrum dowodzenia, ale pozostaję realistą. Gdy idziecie w teren, jednego możecie być pewni: okoliczności się zmienią. Mimo to nie mogłem się powstrzymać od komentarza, kiedy przed akcją jakiś dopiero co wyciągnięty zza biurka oficer piechoty morskiej z pełnymi pagonami i pustą głową stwierdził, że od gangów odróżnia nas właśnie to, że strzelamy wyłącznie w odpowiedzi na ostrzał.

– Odróżnia? – powtórzyłem, zaglądając mu w śmiertelnie poważną twarz. – My też jesteśmy gangiem.

Szkoda, że nie widzieliście, jak mu szczęka opadła. Facet nie jest moim dowódcą, więc nie muszę mu składać meldunków. Poinformowano go o naszej operacji tylko w akcie dobrej woli. Metafora gangu zawsze wydawała mi się zupełnie oczywista, ale widocznie taka nie jest.

W tym transporterze jedzie doborowy, świetnie wyszkolony oddział. Wszyscy mamy identyczne zielone mundury taktyczne i hełmy. Naszym celem jest „wjazd za próg" (jak się mówi w żargonie) i przypomnienie im silnymi środkami perswazji, gdzie leży granica. To coś, co same gangi zmuszone są robić od czasu do czasu. I dany teren, i postępowanie zawsze wyznacza jakaś granica, nawet u przestępców, a w czasie takich niepokojów społecznych, jakich ten kraj nigdy dotąd nie widział, ludzie mają skłonność do zapominania, gdzie ta granica przebiega.

Do tego momentu. Bo teraz granica zostanie ponownie wytyczona. Teraz jesteśmy groźniejsi niż wcześniej, bo nie mamy nadzoru i, co najlepsze, rano nie będziemy musieli wypełniać papierków. Żadnych procedur. Żadnych relacji. Żadnych raportów w trzech egzemplarzach. W przypadku operacji służb państwowych nie może być lepiej, bo sprawa jest idealnie prosta, a nasza operacja ani jej przebieg nie zostaną oficjalnie odnotowane.

Na naszych mundurach nie ma przyszytych plakietek z nazwiskami. Jesteśmy anonimowi jak wiatr. To, co robimy, zachowa się wyłącznie w pogłoskach przekazywanych szeptem. Tylko przestępcy będą wiedzieli, co zrobiliśmy, a oni się nie liczą.

Wydaję jeden jedyny rozkaz: celować tak, żeby okaleczyć, i to okaleczyć na zawsze. Mówię to moim ludziom, po czym koryguję parametry operacji, a nasz transporter najeżdża na wertep i rozkołysany toczy się dalej.

– Nie czekajcie, powtarzam, nie czekajcie, aż zaczną do was strzelać. Jak tylko któryś podniesie na was broń, wybijcie mu natychmiast ze łba pierdolony Cinco de Mayo.

2

Mając na uwadze to, co ujawniłem wam na swój temat, prosiłbym, żebyście zrobili jedno. Musicie się sprężyć. Weźcie głębszy wdech, jeśli trzeba. Moja rada: nie wolno być miękkim, gdy robimy to, co należy zrobić. Pierwszym warunkiem jest postrzeganie naszych potencjalnych celów nie jako ofiar ani ludzi, ale jako zasługujących na karę przestępców, którym zaaplikujemy dawkę jedynego leku mogącego poskutkować w ich przypadku. Serdecznie odradzam użalanie się nad nimi. Przestępcy, których wzięliśmy na cel, zapracowali na to od dawna. A najważniejsze, że mają świadomość, że sami są sobie winni.

Tuż za zbiegiem Rio Hondo z rzeką Los Angeles jest wyjazd prowadzący na Imperial Highway. Właśnie tam odbijamy, z koryta rzeki skręcamy w dojazdówkę i dalej przez ogrodzenie na ulicę. Potwierdzam u kierowców adres przy Duncan Avenue przekazany nam przez łącznika z wydziału zabójstw. Domagałem się, aby łącznik został przydzielony do mojego oddziału, ale spotkałem się z odmową. Chciałby, sam tak powiedział, zwłaszcza że pragnąłby zobaczyć miny tych „małych meksykańskich skurwieli", kiedy zostanie im wymierzona sprawiedliwość, ale nie może ryzykować, że ktoś go rozpozna. Był pod tym samym adresem zeszłej nocy, przesłuchał jednego z bandytów. Wyjaśnił, że nadal będzie musiał strzec tam prawa, a my tylko „wpadamy z wizytą". Odpowiedziałem, że rozumiem.

Ponieważ zamierzamy wykorzystać element zaskoczenia, w takim przypadku standardową procedurą jest wjazd od frontu. Ale i tak mamy oczy dookoła głowy, zwłaszcza że dostaliśmy informację, że na patio na tyłach domu jest jakieś zgromadzenie. Wiemy ponadto, że podjazd graniczy z posesją od północy. W takiej sytuacji poleciłem czteroosobowemu pododdziałowi opuścić drugi transporter w połowie ulicy i zakraść się z flanki, z bronią gotową do strzału, aby zablokować teren od tej strony i w razie czego zapędzić uciekających z powrotem na patio, podczas gdy drugi pododdział z tego samego pojazdu wykona atak frontalny, a dwa pododdziały z mojego transportera odetną boczną drogę ucieczki.

Pierwszy pododdział nadchodzący z flanki natyka się na potencjalnego gangstera przecinającego chodnik, oddalającego się od celu naszej akcji. Należy domniemywać, że właśnie opuścił zgromadzenie, więc następuje interwencja. Mężczyzna natychmiast podnosi ręce do góry, nie próbując uprzedzić nikogo o naszej obecności. Otrzymuje polecenie, żeby położyć się na trawie i rozsunąć ręce i nogi, po czym zostaje przeszukany na okoliczność posiadania broni. Jest czysty. Otrzymuje drugie polecenie, aby pozostać na miejscu. Kiwa głową, dając znak, że rozumie, a pododdział rusza dalej.

Mam hełm najnowszego typu, model niemiecki, do którego wciąż się przyzwyczajam, do tego nakolanniki, ochraniacze na uda i kamizelkę z kevlaru – jestem obudowany prawie jak futbolista. W prawej ręce trzymam pałkę teleskopową z hartowanej stali, też niemiecki model i produkcja. Pełna długość wynosi sześćdziesiąt sześć centymetrów. Waży sześćset pięćdziesiąt jeden gramów i we wprawnych rękach okazuje się zaskakująco skuteczną bronią. Przez chwilę, zanim pojazd się zatrzymuje, a my podskakujemy, czuję się niezwyciężony.

Na mój rozkaz wysiadamy i rozbiegamy się w szyku, gdy nagle jeden z przestępców krzyczy:

– Cyborgi! Wypierdalamy!

Uśmiecham się na to określenie. Słowo „cyborg" dość dobrze nas opisuje.

Wkraczamy na patio i wtedy porcje żywności i napoje walą się na beton. Talerze i szklanki lądują na ziemi, gangsterzy usiłują uciec. Na patio znajduje się grill na propan i dwa małe stoliki piknikowe z doczepionymi ławkami. Teren jest wybetonowany, ma kilka metrów kwadratowych powierzchni. Od tyłu styka się z metalowym ogrodzeniem wysokim na mniej więcej półtora metra. Dalej ciągnie się ogródek przed frontem sąsiedniego domu, usiany blisko rosnącymi drzewami. Bandyci usiłujący przesadzić ogrodzenie zastygają na jego szczycie na widok luf kilku M-16 wystających spomiędzy liści. Gramolą się z powrotem na patio. Teraz są moi.

Zatrzymujemy dziewiętnastu przestępców. Większość z nich wygląda jak przerażone króliki, gotowe śmignąć przy pierwszej okazji, ale jest w tej grupie także kilku wyluzowanych klientów, co mnie cieszy. Bo to oznacza, że najprawdopodobniej pozostają w przekonaniu, że przyjechaliśmy ich aresztować i że odbędzie się to zgodnie z procedurami. Nic bardziej błędnego.

Wszystkich moich szesnastu ludzi ma broń boczną, dodatkowo ośmiu takie pałki jak ja, a reszta jest uzbrojona w M-16. W wiadomościach sporo się mówiło o dodatkowych przerywaczach zainstalowanych w broni na wyposażeniu Gwardii Narodowej, uniemożliwiających ogień ciągły. Zapewniam, że w moim oddziale nie ma takich ograniczeń. Jeśli zajdzie konieczność, możemy strzelać ogniem ciągłym. I strzelać będziemy. Zgodnie z wcześniejszym rozkazem jeden z moich ludzi wyjmuje pudło z transportera stojącego na podjeździe i otwiera wieko.

– Ułatwmy sobie sprawę – mówię. – Ci z was, którzy mają broń, wkładają ją w tej chwili kurewsko szybko do tego pudła. Zabezpieczoną, jeśli jest inaczej.

Spełniają polecenie. W niespełna minutę dwaj moi ludzie zabierają pudło i umieszczają je w jednym z transporterów. Teraz zaczyna się zabawa. Mamy pięć minut, żeby im zepsuć imprezę.

Podchodzę do szefa. Tego stojącego przy grillu. Nasz łącznik wytypował go jako prowodyra.

Kiedy całujemy się czubkami butów i pokazuję mu, że góruję nad nim siedmioma centymetrami i dziesięcioma kilo, od najbliższego stolika zrywa się dwóch gangsterów. Jeden jest chudy jak kij od szczotki, ale drugi to kark, wygląda na Indianina i zapaśnika. Mój zastępca robi krok do przodu, odcinając mnie od nich, i przeładowuje broń. Grzechot pocisku wprowadzanego do komory broni automatycznej to dźwięk robiący niezwykłe wrażenie. Wymusza posłuch.

Dwaj twardziele się wycofują, chociaż wyraźnie niechętnie. Widzę, że za plecami chudzielca chowa się śliczna Azjatka. Nie mam pojęcia, co taka dziewczyna robi w tym miejscu. Ale informacje wywiadowcze mówiły, że gang nie wzbrania się przyjmować kobiet, więc po prostu odnotowuję obecność tej osoby.

Z powrotem skupiam się na prowodyrze. Patrzy na mnie wzrokiem, który absolutnie nic nie wyraża. W prawej ręce trzyma metalową łopatkę, zastygłą nad grillem, z powierzchnią zbrązowiałą od skrobania mięsa. Z łopatki skapują strużki przeźroczystego tłuszczu, skwierczą na węgielkach.

– Ty – mówię. – Panie Big Fate. Masz przestać zabijać ludzi, kurwa twoja mać.

Nie odpowiada, ale nie musi. Kiwam głową do swojego zastępcy, a on robi krok do przodu, trzymając broń w gotowości. Sto dziewięćdziesiąt osiem centymetrów wzrostu i sto cztery kilo mięśni – to maszyna skonstruowana w jednym tylko celu: żeby sprawiać ból. Kiedy Big Fate (za skarby świata nigdy nie zrozumiem powodów nadawania tych ksywek) odwraca się, żeby spojrzeć na mojego zastępcę, ten wali go kolbą w głowę. Mogę uczciwie powiedzieć, że pan Big Fate ląduje na betonie szybciej niż spadochroniarz bez spadochronu.

Nachylam się nad jego zakrwawioną twarzą i mówię:

– Masz przestać zabijać ludzi.

Powtarzanie to jedyny sposób, żeby dotrzeć z jakimś przesłaniem do tych zwierząt. Wiem, bo sam jestem takim zwierzęciem. Wszystkiego, czego się nauczyłem z biegiem lat, nauczyłem się dlatego, że powtarzałem to dziesięć tysięcy razy. Spytajcie moją obecną żonę, a skoro już o tym mowa, to przy okazji spytajcie też dwie byłe.

Teraz, gdy pan Big Fate już leży, mój zastępca bierze na cel jego prawe ramię. Jest całe wytatuowane w meksykańskim stylu. Po kolejnym, szczególnie siarczystym ciosie łopatka wypada z ręki i z brzękiem ląduje na betonie. Mój zastępca znowu wali w to miejsce, grzmocąc kolbą w tę samą serpentynę tuszu. Obiera ją za cel za każdym razem, gdy wypowiadam jedno słowo.

– Big – zwracam się znowu do prowodyra.

Uderzenie kolbą to miły sposób przekazywania niemiłych informacji.

– Fate.

Miły sposób unieszkodliwienia przeciwnika.

– Masz.

M-16 z pełnym magazynkiem waży cztery kilogramy. Trzymany właściwie, potrafi wygenerować dość siły, żeby bez trudu złamać kość.

– Przestać.

Mój zastępca wali w największą kość górnej połowy ciała, dokładnie w to samo miejsce, raz za razem.

– Zabijać.

W normalnych okolicznościach potrzeba mnóstwa siły, żeby złamać kość ramienną. Zazwyczaj dochodzi do tego w wyniku kraksy samochodowej albo upadku z wysoka.

– Ludzi.

Mój zastępca uderza tak dużo razy, że wreszcie ramię pęka; a potem wali w to pęknięcie, aż gruchocze całą kość z trzaskiem tak głośnym, że słychać, jakby pałkarz trafił z rozmachem w piłkę drewnianym kijem baseballowym, tak wyraźnie to brzmi, i ramię pana Big Fate'a wygina się w złą stronę, a on sam wyje, ale to jeszcze nie koniec, bo mój zastępca postanawia nadepnąć na część ramienia zwisającą teraz bezwładnie. Dociska podeszwą wojskowego buta, całym ciężarem, sto czterema kilo. Wydaje się wam, że jesteście twardzi? Nikt nie wytrzyma takiego bólu. Pan Big Fate nie stanowi wyjątku. Traci przytomność pod butem mojego zastępcy i bezradnie wali potylicą o beton.

Wtedy rozpętuje się piekło.

3

Kark rzuca się na mojego zastępcę, a chudzielec na mnie, obaj rozjuszeni. Kiedy sekundę później lądują na ziemi, wygląda to prawie komicznie. Kark nadziewa się na chwyt dżudo, który mój zastępca doprowadza do finału, czyli wyrywa mu ramię ze stawu, aż słychać suche chrupnięcie. Co się tyczy chudzielca, to walę go pałką po żebrach i kończę stuknięciem w czaszkę. Powietrze z niego uchodzi, facet się składa, najpierw w kolanach, a potem wali się bezwładnie na beton. Z tyłu jeden z moich ludzi przewraca Azjatkę i uderza ją pałką w nadgarstek. Nawet z tej odległości słyszę, jak pękają kości. Dziewczyna wyje z bólu, a ten chudy, z twarzą zalaną krwią, woła:

– Irene!

A przynajmniej wydaje mi się, że tak woła. Trudno się zorientować, bo jeśli wcześniej nikt nie uciekał, to uciekają teraz. Pryskają w podskokach jak antylopy, do ogrodzenia i hop na drugą stronę, inni do domu. To chaos, ale dla nas ten chaos jest korzystny, bo czas zabrać się dalej do pracy.

Ścinam trzech z nóg, gdy próbują mnie wyminąć, i dobiegam do drzwi. Walę w gardła, po uszach, we wszystko, co się nawinie jako najbardziej wrażliwy cel.

Mój zastępca staje nad swoimi dwoma delikwentami i ryczy tak głośno, że nie trzeba megafonu, aby usłyszano go w całej dzielnicy.

– Wiemy, że plądrowaliście miasto! Wiemy, gdzie pochowaliście fanty!

Nasz plan jest prosty. Celujemy głównie w stawy i drobne kości. Łamiemy nogi w kostkach i kolanach. Łamiemy ręce w łokciach. Nie jesteśmy wybredni. To w zasadzie kwestia taktycznego pragmatyzmu, tego, co się nawinie, gdy ktoś słabo znający sztuki walki albo nieznający ich w ogóle próbuje stawić opór. W takim przypadku jest wiele możliwości: osoba może się odwrócić i rzucić do ucieczki – wtedy podcinamy ją pałką i walimy w kostkę; osoba może próbować nas kopnąć – wtedy robimy unik i uderzamy w kolano albo kostkę tej nogi, na której stoi; osoba może do nas doskoczyć – wtedy markujemy uderzenie w głowę, przeciwnik instynktownie unosi ręce, żeby się osłonić, więc grzmocimy po palcach, nadgarstkach, łokciach.

Powiedziałem moim ludziom, że to w zadziwiający sposób przypomina fast food. Cap i już nas nie ma. Wyginasz coś w przeciwną stronę i czekasz na wrzask, a potem szarpiesz, aż chrupnie. I znowu. Jak się zrobi raz, to potem łatwiej powtórzyć. Dwóch ludzi na dziesięciu potrafi wytrzymać tak silny odruch bólu. Pozostali pękają. Kiedy osoba zaliczy już pozycję horyzontalną, wtedy walimy w żebra, żeby mieć pewność, że odtąd przy każdym głębszym oddechu pomyśli o nas i o tym, jak mocno oberwała. Będą o nas pamiętać przez resztę swojego krótkiego życia. „Naznaczcie ich życie" – powiedziałem swoim ludziom, zanim zrobiliśmy wjazd. Czasem najlepszą nauczką są złe doświadczenia, a dziś właśnie takie mamy im zapewnić.

Śmierdzi przypalonym mięsem, a ja postanawiam zrobić coś jeszcze dla przykładu. U moich stóp leży ten kark, czołga się w stronę pana Big Fate'a, a dziewczyna ze złamanym nadgarstkiem owija się wokół chudzielca.

Chwytam karka za nogę i ściągam mu ze stopy but bez sznurówek. Przekręca się na bok, żeby na mnie spojrzeć, wybałuszając oczy, bo moja pałka właśnie spada na jego palce, zamieniając je wszystkie w obwisłe zakrwawione kikuty na końcu podbicia. Nigdy nie słyszeliście takiego wrzasku. Gdy jest po sprawie, jego palce wyglądają jak wydrylowane wiśnie, których sok przesącza się przez białą skarpetkę. Potem uderzam po żebrach, łamiąc je po kolei, a wtedy po jego twarzy ściętej szokiem spływają łzy. Zatrzymuję się przy szóstym. Jak Bóg dopuści, to ten mały potwór już nigdy nie będzie mógł biegać ani odetchnąć pełną piersią. I dobrze. Nieporadni przestępcy to korzyść dla wszystkich.

Jęczy mi i charkocze, ten kark.

– Zamknij mordę, kurwa – mówię, dysząc nad tym mazgajem. – Jak grasz, to przegrywasz. Nie trzeba ci przecież tego tłumaczyć. Masz szczęście, że nie odstrzeliłem ci tej pierdolonej giry. Wyobraź sobie tylko! Z takim kikutem co byłby z ciebie za przestępca? Następnym razem nie dałbyś nawet rady mi uciec.

Zagryza wargę. Cierpi w najgłośniejszym milczeniu, jakie kiedykolwiek słyszałem. No dobra, sprawdzam czas. Pięć minut. Nasza wizyta dobiega końca.

Na patio mocno się przerzedziło. Według mojego rozeznania dwóch uciekło, a to o dwóch za dużo. Mięso na grillu już sczerniało, też się kopci na swój własny sposób. Co za idealny mikrokosmos, myślę sobie, Los Angeles jako niepilnowany grill, przypalające się pechowe mięso.

Doliczam się siedemnastu gangsterów leżących na betonie. Każdy po swojemu jęczy, wierci się albo dyszy. Właściwie zasłużyli na dwa razy więcej, ale dostaliśmy wyraźny rozkaz, żeby zrobić szybki wjazd i wyjazd, więc zarządzam odwrót.

– Wrócimy, kiedy tylko będziemy chcieli – mówi mój zastępca do karka, który patrzy wszędzie, byle nie na resztkę swojej stopy. – Skonfiskujemy fanty, które skradliście, ale nie zgarniemy was, o nie, i nie postawimy przed sądem. Następnym razem was powystrzelamy, kurwa.

Macha ręką na pożegnanie w najbardziej makabryczny sposób, ten mój zastępca. Przysuwa facetowi dłoń do twarzy i rozczapierza palce, jak to robił mój syn, gdy uczył się do mnie machać.

Dla waszej informacji: chciałbym, żeby to, co powiedział, było prawdą. Ale nie jest.

To największe kłamstwo w tej naszej operacji: nie wrócimy, mimo że im tym zagroziliśmy. Już siedzimy w transporterach i ruszamy do następnego lokalu, żeby zająć się kolejnym siedliskiem komórek rakowych. Trzeba się nimi wszystkimi zająć dzisiaj, tej nocy, zanim oficjalnie zostanie przywrócony porządek i zniesiona godzina policyjna. Naszym zadaniem w tym momencie jest ich naprostować. Wiemy, że zabijali, ale ślady przestępstw w mieście są naruszone, pozacierane albo wręcz nie istnieją. Na tym etapie nie ma mowy o aresztowaniu i wniesieniu oskarżenia. Dlatego właśnie najlepszą drogą postępowania z punktu widzenia prawa i porządku jest mocne danie po łapach – takie, po którym wymagane jest długotrwałe leczenie, a może nawet leczenie jest bezskuteczne, jeśli się porządnie do tego przyłożyliśmy.

Dziś w nocy uderzamy na wszystkie siedziby i meliny gangsterskie zasługujące choćby na klapsa, bo brutalna prawda jest taka, że pudła pękają w szwach od przestępców. Zakłady karne już wcześniej były przeciążone, a gdy w ciągu czterech dni aresztowanych zostaje ponad osiem tysięcy osób, to mamy do czynienia z sytuacją, której nie oddaje nawet słowo „przepełnienie". Każdy system ma swoją pojemność. W tym przypadku punkt krytyczny osiągnięto trzeciego dnia.

Jak rozumiem, naszymi działaniami zaoszczędzamy teraz miejsce dla brudów szczególnego rodzaju, głównie dla zabójców durnych na tyle, że dali się złapać na gorącym uczynku. Dla podpalaczy, o ile ich pochwycimy. Dla tych, w przypadku których można zebrać materiał dowodowy i wytoczyć proces. Wszystkich innych – którzy figurują u nas jako znani przestępcy i o których mamy informacje lub ich nie mamy, czy to będzie cynk, czy zeznanie uchola – odwiedzimy dzisiejszej nocy. Będą to wspaniałe imprezy z niespodzianką. Za mało, owszem, bo zasługują na więcej, ale zawsze coś, a przy odrobinie szczęścia zapamiętają to do grobowej deski.

JEREMY RUBIO
AKA TERMITE
AKA FREER

3 MAJA 1992

16.09

1

Pierwsze to pająki wbijające szczęki w moje gałki oczne. Drugie to zostaję zrzucony z estakady siedemsetdziesiątki i tak mocno spadam na brzuch w koryto rzeki L.A., że łamię sobie naraz wszystkie kości. Trzy to jest szansa na zaliczenie lejapu, bo widzę dziewiczy autobus, na którym nikt jeszcze nic nie nabazgrał ani nie narysował, ale nie mam przy sobie żadnej farby, żeby psiknąć swoją ksywkę, nie mam nawet wrednego mazaka, niczego. Moja kuzynka Gloria mówi, że cierpię na, jak to się nazywa? Wybujałą wyobraźnię. Ma rację.

Ale o co mi chodzi? Bo to są trzy rzeczy, których boję się mniej niż wizyty u Big Fate'a, żeby złożyć kondolencje Rayowi i Lupe z powodu Erniego, i przez cały czas mam koszmary jeden, dwa i trzy.

Może ciągle mnie jeszcze kopie od rana. Ale i tak za długo się migam. Bo szczerze mówiąc, w ogóle nie mam ochoty. Ale jakbym nie przyszedł, zostałoby to odnotowane. Poza tym muszę się dowiedzieć, kiedy będzie pogrzeb, bo nikt nic nie wie, a ciotka już dwa razy mnic pytała, czy zrobią po katolicku.

No więc jestem, stoję na trawniku przed domem, w którym mieszkał Ernie, gdzie z jakiegoś powodu śmierdzi spalenizną, i patrzę na ścianę, w której jest więcej dziur po kulach, niż potrafię zliczyć. Od samego gapienia robi mi się niedobrze, kręci w głowie. Jak on mógł tu mieszkać?

Wiem, że Ernie oberwał gdzie indziej, ale i tak nogi się pode mną uginają, bo mam przed sobą niezłe gówno, a jeszcze na dodatek w moim walkmanie zgrzyta coś jak ka-ka, brzmi to jak pociąg na szynach, bo się włączył autorewers, przeskoczyło ze strony B na A mojej składanki część szósta.

Strona B to same rapsy, strona A to muzyka filmowa. Ściszyłem mocno, bo to taki teren, na którym człowiek nie chciałby dać się zaskoczyć. Dziury po kulach pokazują, co tu się działo. Nawet próbuję je policzyć, ale pierwszy numer ze strony A już wciska mi się w uszy i normalnie mnie rozwala, bo wiem, co to jest, chociaż zapomniałem.

To kawałek z *Gwiezdnych wojen* o spalonym domu Luke'a. Wujek Owen nie żyje. Ciocia Beru nie żyje. Teraz ta scena kojarzy mi się z Erniem, bo ta muzyka, jak to powiedzieć, to rzewna trąbka, a potem wchodzą smyczki, głośniej i szybciej, jakby przejmując inicjatywę. Muszę teraz zrobić mały przypis: John Williams robi najlepsze gówno. To fakt.

Przez sekundę, naprawdę jedną sekundę, mój mózg się przestawia i myślę o tym, jak ciężko byłoby napisać moją ksywkę takimi seriami z karabinów. Pewnie niemożliwe.

Wciskam stop, ucinając muzykę, i słyszę ludzi na tyłach, więc idę na podjazd i zaraz za rogiem widzę tłum na patio. Trzeba uważać, powtarzam sobie w duchu. Muszę zachować czujność, okazać szacunek i wykręcić się z tego najlepiej, jak da się wykręcić.

Na mój widok Clever mówi:

– Patrzcie, kogo tu mamy. Tager przyszedł.

Chodziliśmy razem do szkoły dla trudnej młodzieży w Vista, ja i Clever. No, do chwili, kiedy stamtąd wyleciałem.

– Cześć – mówię i ściągam słuchawki z głowy, chociaż nie ma już w nich muzyki, bo inaczej byłoby chamsko, a tutaj nie wolno wyjść na chama. Nigdy.

Mówiąc tager, Clever jakby traktuje mnie z góry, jakby tagerzy byli ostatnim gównem, jakbym był szczylem zgrywającym dorosłego.

Teraz piszę FREER. Dawniej pisałem DOPE. Ale potem usłyszałem, że ktoś w Hollywood pisze to samo, to pomyślałem, że to pierdolę, dałem spokój. Potem przerzuciłem się na ZOOM, tak na dwa tygodnie, i znowu przestałem, ale nie dlatego, że ktoś też to pisał, tylko dlatego, że nie podobał mi się wygląd moich zet, a pisanie podwójnego „o" było nudne. Dla mnie dwa „o" zawsze wyglądały jak gigantyczne oczy z kreskówki. Oczy Garfielda.

Od tamtych o wiele bardziej wolę FREER, bo w dwóch „R" i podwójnym „E" jest mnóstwo radochy i zakrętasów, ale też dlatego, że to słowo coś znaczy. Kiedy mi to pierwszy raz przyszło do głowy, dostałem świra i myślałem sobie tak: spójrz na mnie, skurwysynu, mogę szaleć jak ostatni pojeb, bo jestem wolny, bardziej wolny, niż ty kiedykolwiek mógłbyś być. To jak manifest. Gdybym nie był wolny, to jakim cudem pisałbym na mieście swoją ksywkę za każdym razem, kiedy mam ochotę?

Ludzie na ulicach znają FREERA, bo FREER ma wszystko najgłębiej w dupie. No, może jest jeden czy dwa wyjątki. Może bardziej ma CHAKA albo SLEEZ. Ci faceci działają na innym poziomie. Szczerze mówiąc, nie wszystko mam w dupie. Zwłaszcza jak jestem na tym osiedlu.

– Chciałem złożyć kondolencje z powodu Erniego – mówię. – Z powodu Ernesta – poprawiam się, bo może tylko tak go tutaj nazywali.

– Kondolencje chciałeś złożyć? – pyta wielki facet, na którego chyba wołają Apache.

Siedzący we mnie FREER chce go zgasić, że przecież właśnie to powiedziałem, ale tylko kiwam głową.

Big Fate obsługuje grilla, wbija termometry w mięcho, przesuwa kiełbaski, nakłada burgery na bułki, rozdaje talerze. Przed nim uformowała się taka jakby luźna kolejka, ludzie czekają, żeby coś zgarnąć...

Przez moment myślę: Oni są jak jego Układ Słoneczny. On jest Słońcem, oni krążą dokoła. Pewnie powinienem wyciągnąć notes i to zapisać, bo mi się spodobało, ale ręce ciągle trochę mi się trzęsą i czuję, jakby mi coś wierciło dziurę w brzuchu, jakiś głodny borsuk się wżerał albo przetrząsał szafki, szukał jedzenia.

FREER nigdy nie czuje żadnych borsuków w brzuchu. FREER zapisuje swoje myśli, kiedy tylko ma ochotę, cholera jasna. Wiecie, FREER to nawet taki facet, który powie ludziom, żeby zaczekali moment, bo musi zanotować jakieś gówno. Taki jest FREER. A ja trzymam łapy w kieszeniach i pytam tylko:

– Jest Lupe?

Fate mierzy mnie wzrokiem i odpowiada:

– Nie ma.

– Hm. A wolno spytać, gdzie jest? Zaczekałbym, jeśli ma zaraz wrócić.

– Siedzi u matki – mówi Apache.

– A gdzie to? Nie chcę się wpychać, po prostu wypada złożyć jej kondolencje.

– Nie mogę ci powiedzieć.

Kiwam głową.

– No dobra – mówię – a Ray jest? Chcę tylko złożyć rodzinie wyrazy współczucia z powodu Ernesto.

Może ciągle jestem trochę przymulony, ale dałbym sobie głowę uciąć, że jak wymieniam imię Raya, to w powietrzu płyną dziwne wibracje. Robi się duszno. Apache zerka na Clevera, Clever zerka na swój talerz, jakby hamburger wymagał dokładnych oględzin. Big Fate rzuca kotleta na grilla, mięso pluje tłuszczem i skwierczy.

Wreszcie mówi:

– No to wiesz, że chyba dojdzie do połączenia, co?

Jasne, musi zmienić temat, wywołać taki, którego boję się najbardziej. Bardziej niż igieł pod paznokciami. Bardziej niż jedzenia świerszczy maczanych w szczurzym gównie. Nie mam zamiaru być gangsta tylko dlatego, że moja załoga zostanie połknięta przez ekipę Big Fate'a. Naprawdę nie mam zamiaru.

– Ta, słyszałem – odpowiadam.

– Czyli zdecydowałeś coś czy jak?

Jak mnie pyta o decyzję, to chodzi mu o to, że albo kończę z graficiarstwem i znikam, albo rysuję dalej i się przyłączam. Ale mówi to tak, że nie ma mowy o żadnej mojej decyzji. Chce, żebym się przyłączył, i tyle. Zero dyskusji. Staram się nie panikować, nie pocić się bardziej, niż już się pocę, więc wyjeżdżam znowu ze szkołą. Wcześniej w ten sposób zyskałem trochę czasu u Big Fate'a.

– No wiesz, chodzę znowu do tego liceum dla…

– Nie chodzisz – przerywa mi Clever.

O rany, ale mnie przyciął. Patrzę na niego, on patrzy na mnie i wzrusza ramionami. Ta ładna chińska niunia stojąca za nim też patrzy na mnie jakby ozięble, jakby myślała, że zasłaniając się szkołą, zagrałem jak kretyn, ale przez chwilę mam to gdzieś, bo chętnie bym ją bzyknął.

Big Fate nawet nie podnosi wzroku znad grilla.

– Nie chodzisz? – pyta.

Przytomnieję. Wraca skupienie.

– Zapisałem się na następny semestr – odpowiadam. – Planuję znowu zacząć. Miałem mały problem, który najpierw musiałem załatwić. Ale staram się robić co trzeba. Skończyć naukę, dostać świadectwo.

Big Fate ma to gdzieś.

– Czas ucieka – mówi. – Do tej pory miałeś odpuszczone z powodu starego, ale układ się zmieni, jak się spotkamy następnym razem.

Ojca zamknęli w San Quentin, kiedy miałem jedenaście lat, czyli sześć lat temu. Matka mówi, że był z niego ważny gość, że rządził w tej okolicy. Wprowadził Big Fate'a, tak jakby wyszkolił go w robocie. Ludzie mówili, że miał łeb na karku. Ale Big Fate ma chyba większy, hę? No bo nie odsiaduje dożywocia.

Ale ja to nie mój ojciec, nawet nie próbuję nim być. Ani Big Fate'em. I nie chcę mieć nic wspólnego z tą ekipą. Nie obchodzi mnie, że ksywkę mam od ojca, że jak byłem mały, to mówił, że przeżrę się przez wszystko. Że jestem termit. Teraz to już nie ja. Wyrosłem z tego. Teraz jestem FREER.

Wszyscy, którzy mają w sobie jakiś talent, którym zależy na wyglądzie liter, którzy wynajdują nowe style, a nie są skończonymi wandalami odstawiającymi tylko jakiś punkowy wyjebanizm, wszyscy tacy uchodzą za nerdów i wyrzutków. Wszyscy. Ja też. Kręci mnie *Cheech Wizard* Bodēgo. Kręcą mnie *Gwiezdne wojny*. Do dziś mam wyblakłe plakaty z myśliwcami kosmicznymi. Regularnie przeczesuję tandeciarnie, nałogowo łykam cztery-longplaye-za-dolara. Nieważne, czy winyl jest porysowany, spierdolony, cokolwiek. Takiej ceny warte są choćby same okładki. Przypinam je u siebie w pokoju pinezkami. Herb Alpert & The Tijuana Brass, ludzie! Martin Denny. Henry Mancini. Wszystkie moje składanki pochodzą z tych płyt. Przegrałem je ze starego adaptera ojca na kaseciaka, bo jemu już na pewno się nie przyda. Taki właśnie jestem. Ale każdy wrajter ma jakiegoś zajoba. Wszyscy jesteśmy bystrzy popierdoleńcy, którzy się urodzili w nieodpowiednim miejscu.

No, to nie do końca tak. Nie wszyscy jesteśmy bystrzy. Niektórzy są tylko jebnięci albo przećpani, ale fiksujemy się na punkcie różnego gówna. To chujowy układ, kiedy jedyny sposób na wyrażenie siebie to psikać sprejem po świecie. Żadnej przestrzeni oprócz przestrzeni ulicy, w świecie, w którym liczy się tylko sława, to, czy człowiek jest biały i czy piszą o nim na wielkim billboardzie albo czy występuje w kinie i telewizji. Dla mnie takie drogi są odcięte. Jestem Meksykanin, *raza*, niewidoczna rasa.

Niewidoczna, chyba że jesteś Cheech Marin albo Jimmy Smits z *Prawników z Miasta Aniołów*. A ja nie jestem. Nikogo nie obchodzę. Moja twarz nigdy nie będzie znana. Ale mam swoje litery. Pięć liter, a jak ludzie je widzą, to jakimś cudem widzą moją duszę i zdają sobie sprawę, że ten, kto to napisał, się nie pierdzieli. Że ten facet robi porządną robotę. Moje napisy mówią coś jeszcze. Że jestem tutaj, wiecie? Mówią, że to ja zrobiłem. Że istnieję.

Ktoś otwiera moskitierę na tyłach domu i woła do Big Fate'a, że jest telefon, a on odpowiada tamtemu, żeby odebrał wiadomość, ale tamten tłumaczy, że dzwoni ktoś z domu parę numerów dalej.

– No to przeciągnij tutaj – mówi Big Fate do kolesia, a potem do mnie: – Możesz iść. Ale jak się następnym razem widzimy, to masz się, kurwa, zdecydować. Nieważne, kim jest twój stary. Dobrze byłoby cię mieć wśród nas. Zostałoby w rodzinie.

– Dziękuję – odpowiadam, choć nie bardzo wiem, za co mu dziękuję.

Już trzyma telefon w ręku, więc się wycofuję, kiwając głową do Clevera, unikając wzroku Apache'a, obchodzę dom bokiem, szybko walę na podjazd i dalej na ulicę.

Gdybym wcześniej nie wiedział, to teraz nie miałbym wątpliwości, że wlazłem w sam środek gangsterlandii i muszę się jak najszybciej ulotnić. Może nawet z miasta. Wyjechać do Arizony czy gdzieś. Siostra mojej matki jest współwłaścicielką pralni chemicznej w Phoenix. Zawsze pisze, żebym przyjechał, zostawił to życie, i w tej chwili ten pomysł cholernie mi się podoba.

Ale na to potrzeba pieniędzy.

Spisuję szybko w głowie listę swoich wierzycieli. Lista zaczyna się i kończy na Listo. Mógłbym sprzedać co nieco, Fat John i Tortuga by kupili. Może nawet zgarnąłbym Glorię ze sobą. To byłoby coś.

No dobra, czas pozałatwiać sprawy. Najpierw legal. W zeszłym tygodniu przepracowałem trzy dni w Tacos El Unico, ale potem zaczęło się to całe gówno i zamknęli furgonetkę. Stoisko za to działa przez całe rozruchy, pełną dobę, tylko że szef jakoś mnie nie wzywał do roboty. Ale coś o nim wiem. I niedługo facet się dowie, że wiem.

Tak właśnie pograłby FREER.

2

Wciskam play, znów ta taśma ze składanką, wraca John Williams, no, końcówka. Idę dalej, powoli się uspokajam, oddycham głęboko i tak dalej i nagle dociera do mnie, że w tej chwili okolica to miasto widmo. Nie ma nikogo na ulicy. Nikogo. Okna pozamykane. Nikt nie podlewa, nie strzyże trawników. I chyba nie ma sensu się nad tym zastanawiać, ale dlaczego Fate i pozostali urządzili sobie grilla?

Przecież nie dlatego, że kombinują, jak przygarnąć graficiarzy. Tego należałoby się bać. Idę przez moment w milczeniu, jest mi ciężko. Aż mi odpala na myśl o tym, jak rozwinęło się graficiarstwo w L.A. Zaczęło się w korycie rzeki jeszcze w latach trzydziestych, kiedy betonowano; proste skrobanie i bazgroły smołą robione przez trampów. Z dawnych czasów są też *placas* po bikiniarzach. Z całym szacunkiem dla Wschodniego Wybrzeża, ale tam gówno wynaleźli. CHAZ robił *Señora Suerte*, gdy w Nowym Jorku dopiero uczyli się pisać własne ksywki na ścianach, jak dzieci uczą się szlaczków w szkole. W L.A. zawsze byliśmy bardziej do przodu. Ale potem świat zwariował. Pojawiło się moje pokolenie i narodziło się graficiarstwo.

Dawniej to się pisało swoją ksywkę i już. Zdarzały się wąty, jak ktoś przekreślił czyjąś i napisał na niej swoją, ale później przeszło to w coś zupełnie nowego, w dżunglę normalnie. Teraz scena graficiarska to Dziki Zachód, bo na ulicach rządzi moje pokolenie. To już nie pionierzy, dłubacze, faceci, co chcą rysować nieszkodzące nikomu duże litery, które pokolorują w środku. Gówniarze w moim wieku pochodzą przeważnie ze złych miejsc, nie lubimy, jak nam się nie okazuje szacunku. I tak właśnie do graficiarstwa weszła przemoc. Kiedy psikanie zrobiło się niebezpieczne, ludzie zaczęli się skrzykiwać, żeby działać w grupach, a z czasem te grupy się rozrosły, usztywniły, zmieniły w załogi, a jak załoga była odpowiednio duża, stawała się ekipą mającą oddziały w całej okolicy.

W ten sposób tagowanie stało się nowym zębem w widelcu tutejszego graficiarstwa. Zmieniło się w coś zupełnie nowego, w dziwne połączenie graficiarstwa z gangsterką, a granica między tymi dwoma coraz bardziej zaciera się i zaciera. Graficiarz noszący spluwę dla samoobrony albo po to, żeby stuknąć kogoś, kto nie okazał mu szacunku? Proszę bardzo, na porządku dziennym. Sam mam taką zabawkę, tandetną dwudziestkędwójkę, którą łatwo skitrać. Nie wziąłem jej ze sobą, bo tylko tego było mi trzeba, żeby Big Fate kazał mnie przewiskać, i co bym wtedy zrobił? Musiałbym się tłumaczyć? Nie, dzięki.

Głęboko w żołądku mam takie uczucie, jakby moje życie miało się zmienić już na zawsze. Jakbym połknął garść gwoździ, które się teraz we mnie obracają. No bo wiadomo, że jest źle, że sprawy wymknęły się spod kontroli, skoro taki nerd jak ja nosi klamkę. I nie jestem wyjątkiem. Tak się wymknęły, że wszyscy zdążyli to zauważyć. Zapalono zielone światło na graficiarzy. Jest presja ze strony starych wilków ulokowanych kilka pięter wyżej niż Big Fate, żeby załogi tych renegatów graficiarzy postawić do pionu, bo niektórzy i tak robią gangsterkę, odstrzeliwują ludzi z powodu rywalizacji o tereny do sprejowania.

Pomysł, żeby ich sprowadzić do parteru, nie jest taki głupi, bo niektóre załogi tak się rozrosły, że właściwie stały się gangami na własnych prawach. Rozrosły to znaczy czterysta głów. Nie można pozwolić, żeby tylu ludzi biegało po dzielnicy samopas. To zakłóca pieprzone interesy. Jestem pewny, że tak to widzi Big Fate. W każdym razie dla wszystkich będzie bezpieczniej, jak się to trochę ureguluje w ramach gangsta systemu, i jak to komuś odpowiada, to w porządku, ale nie mnie. Nie, cholera. Nie zamierzam wyrzec się wolności. Nie zamierzam dać się zmusić do gównianej gangsterki tylko dlatego, że lubię malować.

W słuchawkach robi się cicho na moment i słyszę obracające się wałki, takie ciche łysk-łysk, i zaraz potem wchodzi temat z *Za garść dolarów*. To moja muzyka na spacery, ludzie. Słowo. Wybrałem to, bo w tym jest więcej trąbek. Ostatnio kręcą mnie trąbki. Nie wiem dlaczego. Przemawiają do mnie, coś we mnie budzą. Jakby się szczenięta łasiły do moich żeber. Takie dobre ciepło. Tak właśnie to czuję, jak mi zagra czysta trąbka.

Ale to uczucie natychmiast wypływa ze mnie przez stopy, bo widzę jakieś takie dziwne jakby czołgi nadjeżdżające ulicą. Takie wielkie wozy opancerzone. Dwa. I rany, ludzie, ale zapierdalają! Staję jak wryty, bo co innego, kurwa, miałbym zrobić? Modlę się, żeby przejechały bokiem, dalej, przed siebie, nie zauważyły mnie. Gówno.

Kurwa, zatrzymują się!

Ściągam słuchawki z głowy i słyszę pisk hamulców, chyba otworzył się jakiś czarny właz, bo grzmotnęło metalem, widzę czterech facetów i…

O w dupę jeża! Kolesie w hełmach i ciężkim rynsztunku celują do mnie. W życiu się tak nie bałem. Fikam do przodu na kolana i wystawiam ręce do góry. Najwyżej, jak się da, bo przecież nie ma mowy, żebym im spieprzył. Wrócił borsuk, rozszarpuje mi pazurami żołądek, aż serce wariuje, wciska się do gardła, żeby uciec, siedzi tam, wali jak zwariowane, dławiąc mi grdykę.

– Na ziemię! – rozkazuje jeden z nich zza tego, jak to się nazywa? Widzę wielki karabin, którego nazwę znam, ale zapomniałem, bo lufę mam kilka centymetrów od twarzy. W każdym razie wojskowy. Taki długi, z uchwytem u góry.

A mówi to tak spokojnie i cicho, że robię się jeszcze bardziej zesrany. No więc się kładę, na środku czyjegoś trawnika. Przed nosem mam kępkę dmuchawców z tymi białymi puszystymi kwiatkami, a obok leży sobie stary psi balas, więc odwracam głowę w drugą stronę, żebym nie musiał tego oglądać ani wąchać.

– Nogi i ręce szeroko! – mówi ten sam głos i chyba za wolno rejestruję, bo właśnie w tej sekundzie twardy metal rozsuwa mi mocno uda i ręce na boki i wtedy dociera do mnie, że robią to lufami karabinów, że mnie nimi dotykają, i o mało nie rzygam na trawę, bo jakby któremuś palec się omsknął na spuście, to co?

W gardle sucho, ale udaje mi się wystękać:

– Błagam, nie zabijajcie mnie.

– Masz broń? – pyta głos.

Kręcę głową, że nie. Ale i tak mnie wiskają.

Nie jeden, chyba dwóch, bo czuję jakby dwie pary rąk.

Niczego nie znajdują i wtedy ten sam głos mówi:

– Masz zostać w tej pozycji na ziemi, aż doliczysz do dwustu. Zaczynaj.

Kiwam głową.

– Jeden, dwa, trzy…

Moja szyja słucha *Wszyscy chcą rządzić światem* z *Prawdziwego geniusza*. Orientuję się po gitarach i syntezatorach. Nic więcej nie słyszę. Taki cichy rytm w trawie. Przez sekundę aż mi odpala na myśl, jak to się kurewsko dziwnie zgrało, ale potem moją uwagę przyciąga coś innego.

Nie podnoszę głowy, tylko słyszę buty biegnące dalej, a potem, że te dwa wozy znowu ruszają. Wtaczają się w moje pole widzenia, suną w głąb ulicy. Pierwszy, o kurwa jego mać, pierwszy skręca na podjazd, z którego właśnie zszedłem. Chcą uderzyć na chatę Big Fate'a! O kurwa Jezu Chryste. Niedobrze. Naprawdę niedobrze.

– Dziewiętnaście, dwadzieścia, dwadzieścia jeden…

Ten drugi wóz zatrzymuje się na ulicy, wysiada z niego czterech innych z karabinami maszynowymi i walą do domu. Dwaj nacierają ramieniem na drzwi wejściowe, które wylatują z takim jakby jękiem i głośnym trzaskiem, a tamci wpadają do środka z podniesioną bronią.

– Trzydzieści, trzydzieści jeden, trzydzieści dwa…

Przestaję liczyć. Rozglądam się dokoła i nie widzę nikogo w pobliżu. Żadnych żołnierzy, nikogo. Mankiet mam w psim gównie. Ble. Wstaję powoli, spokojnie. Żadnych okrzyków. No więc daję w długą, skoro nikt mnie nie zatrzymuje.

O kurwa, ludzie. Słuchawki mi podskakują na szyi, więc łapię je i wciskam na głowę, i wypierdalam ulicą, bo wpadłem w niezłe gówno. Dosłownie wpadłem w gówno.

Kurwa, z każdej strony to samo. Wszyscy się przypierdalają. Ciotka mi ciągle truje, że skończę martwy jak Ernie, jak nie przestanę bazgrać, i nie chce słuchać, jak jej mówię, że Ernie nie malował, nie psikał ani nic. Ale to do niej nie dociera i nigdy nie dotrze.

Z drugiej strony Big Fate dokręcający mi śrubę, żebym się przyłączył i że kończy mi się czas na decyzję. A teraz z drugiej-trzeciej strony mam co? Żołnierzy, kurwa, którzy mnie dopadli, rzucili na ziemię. Żołnierzy wjeżdżających Big Fate'owi za próg, pokazujących mi czarno na białym, dlaczego bycie gangsta to chujowy pomysł, bo w tym świecie zawsze jest ktoś silniejszy i bardziej zły, ktoś, kto cię zajebie szybciej, niż myślisz.

Kurwa. Mocniej niż do tej pory czuję, że powinienem wypierdalać z L.A.

3

Człowiek dostrzega, że dzień jest cudowny, dopiero jak mu się wydaje, że zaraz umrze. Teraz spoglądam do góry po kilku zaczadzonych dniach i okazuje się, że w odstępach między chmurami znowu widać niebo i to niebo jest niebieskie! No, szaroniebieskie. W dodatku zrobiło się ciepło. Chyba ponad dwadzieścia stopni. I pod tym niebem u zbiegu Atlantic i Rosecrans, na dachu tego budynku z małym centrum sklepowym, w którym jest stoisko Tacos El Unico, widać faceta w ciemnych okularach i kamizelce kuloodpornej, z karabinem w rękach.

To Rudy. Z Gwatemali. Ale jest w porządku. Robi u nas za ochroniarza. Jednak nigdy wcześniej nie widziałem go z takim sprzętem, nie wiem, skąd to skołował. Trochę denerwujące, jeśli chcecie znać prawdę. Macham do niego, ale on tylko kiwa głową. Zastanawiam się, czy długo tam sterczy. No bo El Unico jest ciągle otwarte, nawet po godzinie policyjnej. Pewnie się z kimś zmienia, myślę sobie.

W drodze do drzwi mówię cześć do bezdomnego Jamesa, bo stoi na parkingu, wsparty na lasce. James to świr, ale wyluzowany. Często przychodzi. Ernesto zawsze dawał mu żarcie, bez pytań. Za to gówno też musiał sam bulić, więc mu powtarzałem, że w ten sposób to ciężko coś zaoszczędzić. Odpowiadał, żebym się o to nie martwił. Że jedno czy drugie taco dane komuś za darmochę nie powstrzyma go przed realizacją marzeń, w dodatku to pomaganie ludziom, więc warte zachodu. Na samo wspomnienie tej jego gadki kręcę głową.

– Ej – pyta mnie James – wiesz, gdzie się podziewa Ernesto?

Wyłącza się, bo mówię, że nie wiem. Czuję się nie w porządku, że mu nie powiedziałem, co się stało, i tak dalej, ale nie chcę, żeby ten bezdomny koleś się smucił. Okropnie lubił Ernesto i wiem, że życie ma ciężkie, więc nie chcę mu dokładać ani brać na siebie odpowiedzialności za karmienie go od tej pory, jak to robił Ernesto, skoro planuję wyjazd z miasta. Rzucam cześć na pożegnanie, on to samo, i walę do wejścia.

W środku Gwardia Narodowa siedzi i się posila. Pytają mnie, co słychać, więc od razu przychodzi mi do głowy, że coś przeskrobałem. Ale witają tak każdego, kto tu zagląda. Gadam z nimi. Nie każdy tak robi. Mówią, że zaliczyli darmowe żarcie, w dodatku jest taaakie dobre. Najlepsze taco i burrito w ich życiu, tak mówią, no i to chyba prawda, bo w większości to biali i czarni, i nie wiadomo jeszcze jacy, w każdym razie widać, że w domu nikt im nie gotuje po meksykańsku.

Mówią, że są z kompanii C, stacjonującej w Inglewood. Trzeci batalion, sto sześćdziesiąty pułk piechoty. Siedzą tu przez prawie cały czas i nagle wskazują na drugą stronę ulicy. Patrzę w tamtą stronę na sklep 7-Eleven i na rogu widzę worki z piaskiem i inne rzeczy, i jeszcze czterech gwardzistów i ciężko powiedzieć z oddali, ale nawet w mundurach dla mnie wyglądają jak *cholos*. Chodzi o to, jak stoją. Gwardziści w centrum handlowym nie wytrzymują, mówią, że nieźle ode mnie wali, i w pierwszej chwili nie wiem, co to znaczy, ale potem przypominam sobie psie gówno, więc grzecznie przepraszam i daję nura pod ladę.

Kiwam głową do krzątającego się kucharza i zabieram się do czyszczenia mankietu mydłem i wodą tak gorącą, że trochę parzy. Ręce też porządnie myję, bo w tym miejscu przypomina mi się Ernie, to, jak mi wytykał różne rzeczy i tak dalej.

Tutaj nie pracowaliśmy za często, głównie robiliśmy w furgonetce, ale raz na jakiś czas lądowaliśmy razem na tym stoisku, a on bez końca mi pieprzył nad głową, że nie myję rąk. Farby w spreju ciężko się pozbyć. Zawsze potem myłem ręce, kolory schodziły, ale zostawały resztki pod paznokciami. Szorowałem, szorowałem, ale w końcu rezygnowałem i szedłem kroić. Pomidory. Mięso. Sałatę. Wszystko. Ale on najpierw zawsze oglądał mi ręce i od razu na mnie wskakiwał.

– Co jest, do cholery? – pytał. – Czemu nie umyłeś łap?

– Umyłem – odpowiadałem. – Są czyste.

– Czyste? To jakim cudem masz niebieskie pod paznokciami?

– Czyste.

– Posłuchaj, ktoś podaje ci talerz upapranymi rękami. Chciałbyś jeść z czegoś takiego? To ohyda, człowieku. Nie rób tak. Nieprofesjonalne.

A wtedy ja coś w rodzaju:

– A co ty wiesz o profesjonalizmie?

– Posłuchaj – odpowiadał, ale inaczej, spokojniejszym tonem. – Nie jestem twoim ojcem. Nie mówię ci, co masz zrobić ze swoim życiem. Chcesz malować w czasie wolnym, nie ma sprawy. Świruj na całego. Baw się dobrze. Ale jak będziesz miał osiemnaście, dziewiętnaście lat, to może przyjdzie ci do głowy, żeby dać sobie spokój z tym gównianym graficiarstwem, bo za to się idzie siedzieć, a w pierdlu takich nie lubią.

Ernie był zawsze moim głosem rozsądku, zawsze sprowadzał mnie na ziemię. Nie chciałem słuchać tych jego połajanek, wiadomo. Teraz go nie ma, więc chyba będę musiał sam to wziąć na siebie, a to niełatwe, bo nie za bardzo mam ochotę. Ciężko jest.

Wycieram ręce papierowymi ręcznikami, a potem zawijam jeden na mankiecie, żeby wyglądało, że rękaw jest biały na końcu. Przez kilka sekund patrzę w umywalkę, wreszcie idę na tył i proszę szefa, żebyśmy razem przysiedli na moment.

W kantorku ma małe biurko. Z niego jest niezły *paisa*, lubi siadać za biurkiem i brylować. Nie wiem, skąd się wzięło to słowo. Może zapożyczyliśmy z włoskiego *paisano* i zrobiliśmy z tego hiszpańskie określenie albo coś. Dla nas to znaczy to samo, co „świeżo z łodzi" znaczy chyba dla tych ze Wschodu. Czyli kogoś ze starego kraju, kto zachowuje się, jakby ciągle tam był, kogoś, kto nie jest jeszcze Amerykaninem i może nigdy nim nie będzie.

Mój szef to w porządku gość. Czasem wystarczy mu przypomnieć, żeby taki był. Za plecami nazywamy go Listo-Listo, bo zawsze pyta, czy jesteśmy gotowi, jeszcze przed rozpoczęciem zmiany, i to w taki mocno wkurzający sposób, w rodzaju *Listo, listo?*

Powtarza się tak bez przerwy. Tak bardzo, aż zaczynacie myśleć, że nie wierzy, że jesteście gotowi do pracy, dlatego ciągle o tym przypomina. Sam nie wiem. Siedzę naprzeciwko i się uśmiecham. Lubi, jak mu się mówi *jefe*, więc tak właśnie zaczynam:

– *Jefe*, przepracowałem przedostatni tydzień i potem poniedziałek i wtorek w zeszłym tygodniu, a w środę wysłał mnie pan i Ernesto do domu, więc...

Odpowiada po hiszpańsku, że bardzo mu było przykro, gdy usłyszał o Ernesto, ale to nie jego sprawa, a skoro o tym mowa, to sytuacja jest teraz ciężka, bo banki się pozamykały. Mówi, że może jutro mi zapłaci.

Widzę jednak wyraźnie, że kłamie. Przepracowałem tutaj dość długo, żeby wiedzieć, że większość transakcji przeprowadzamy w gotówce, taka obowiązuje zasada, jak się serwuje mnóstwo żarcia ludziom, którzy może mają karty kredytowe, a może ich nie mają, więc wiem, że płynność nie stanowi problemu. Jeśli już, to w sejfie siedzi za dużo sałaty, bo banki są zamknięte, a facet zrobił się nerwowy. To by tłumaczyło obecność Rudy'ego z karabinem na dachu.

Najspokojniej w świecie pytam go o żonę, a on odpowiada, że wszystko u niej okej, a wtedy pytam o jego dziewczynę, więc zastyga, bo wie, do czego nawiązuję. Jednego wieczora ze dwa miesiące temu wylazłem, żeby wyrzucić śmiecie do kontenera, i zobaczyłem akcję w jego samochodzie. Najpierw myślałem, że ktoś próbuje go skroić, więc się podkradłem i zobaczyłem coś, czego nie chciałem zobaczyć, ale w sumie cieszę się, że tak się stało. No bo skąd miałem wiedzieć, że będzie pieprzył jakąś dziewczynę na pieska na tylnym siedzeniu?

A jeszcze lepiej, że wiedziałem kto to. Cecilia Jakaśtam. Nazwiska nie znam, ale widywałem ją w okolicy, najczęściej z tym kudłatym kolesiem z podziurawioną gębą o ksywce Momo. Ten facet to kłopot na bank. Zawsze zamawia taco lengua. Uwielbia ozorki wieprzowe utopione w *salsa verde*, tak bardzo, że taco mu się rozpada w łapie, a wtedy zgarnia czipsami. Nie pytajcie dlaczego.

Daję Listo do zrozumienia, że może to Momo załatwił Ernesto, no i co by mógł jeszcze zrobić, gdyby się dowiedział, że mój szef puka jego dziewczynę? Rzucam to jakby w powietrze, a on główkuje i przełyka ślinę.

Nie czuję się dobrze z taką zagrywką, ale myślę, że Ernesto by się nie gniewał, bo jego też Listo próbował wydymać na kasę.

– Nie wiem, o czym gadasz – odpowiada szefuńcio, ale oczy ma spanikowane.

– Skoro pan tak mówi, *jefe*. Wierzę panu, jak rany.

Nie podoba mu się to, ale wychodzi z kantorka i zaraz wraca, przynosi dwieście dziewięćdziesiąt jeden dolarów w gotówce.

Tłumaczy, że musiał odliczyć podatek i coś tam. Nie kłócę się. Dziękuję i wychodzę. Nie mówi, że mam nigdy nie wracać. Ale jego milczenie jest wymowne.

Spoko. Właśnie spaliłem za sobą most, i to na skwarkę, ale to dopiero początek. Ziarnko do ziarnka czy jakoś tak.

4

Tortuga, Fat John i ja stoimy w garażu mojej kuzynki, bo tam się właśnie czasem spotykamy przed akcją. Otwieram kluczem, który Gloria chowa za rogiem w małej dziurze w tynku zatykanej kamieniem. Powtarzam jej, żeby tego nie robiła, że to niebezpieczne i któregoś dnia ktoś skroi jej samochód, ale nie słucha. Człowiek myślałby, że dziewczyna zmądrzeje, ale czasem ludzie mądrzeją dopiero, jak dostaną po dupie.

– Po co nas tu znowu ściągnąłeś? – pyta Fat John. – Chyba nie żebyśmy się czule przywitali z twoją kuzynką i jej słodkimi cyckami?

– Chwila – odpowiadam, za bardzo skupiony, żeby się wściec z powodu gadki o cyckach, ale zanim zdążę wyjaśnić, Tortuga klepie mnie w ramię i kiwa głową.

– Myślałem, że przyszliśmy, bo na mieście wszyscy dostali pierdolca – mówi. – Słyszałem, że kumpel twojego kuzyna, ten Puppet, podpalił jakiegoś jebanego bezdomnego menela! Normalnie oblał go benzyną, zapałka i buch!

Kurwa. Sleepy prowadza się ze świrniętym ćpunem o ksywce Puppet. Poznałem go. Ludzie, ten facet to jeden wielki chodzący problem. Patrzę przez chwilę na Tortugę, a w głowie mam obraz Jamesa strzelającego płomieniami. Grube kurewstwo. Aż mi się żołądek wywraca. Całemu miastu kosmicznie odjebało. I znowu wiem, że muszę stąd wypierdalać. Teraz. Dziś.

– Gówno prawda – prycham. – Poza tym nie przyszliśmy tutaj, żeby sobie opowiadać historie i plotkować jak banda dziwek. Mamy robotę.

Spodziewałbym się, że Gloria nie wróciła jeszcze z pracy, ale jej mały geo metro stoi już grzecznie w garażu, czerwony jak skurwysyn, tarasując mi trochę drogę, więc gramolę się na bagażnik, wgniata się lekko pod moim ciężarem, ale zaraz odgniata, jak złażę po drugiej stronie i daję nura pod półkę z narzędziami wbudowaną w ścianę, gdzie Gloria nawet się nie zbliża, i wyciągam stary zgniłozielony worek wojskowy mojego dziadka, wyższy ode mnie. Pobrzękuje w nim i stuka, jak go ciągnę po betonie.

– To to, co myślę? – pyta Tortuga.

Przepycham wór nad bagażnikiem i stawiam go na uwalanej smarem podłodze, rozsuwam zamek i mówię:

– Zajrzyjcie do środka!

– O w mordę… – Fat John robi minę, jakby nie mógł uwierzyć własnym oczom. – O cholera, człowieku!

– Stary, jesteś legendą – mówi Tortuga.

– O tak, o tak – potwierdza Fat John.

Przez moment stoimy i liczymy puszki. W tym worku jest czterdzieści siedem puszek farby w spreju, a wcześniej tyle to chyba ludzie widzieli tylko w sklepie. Głównie to krylon – srebro i czerń, barwy Raidersów. Tych mam trzydzieści. Reszta to minipuszki testor – czerwień, niebieski i biały.

Chomikowałem to, żeby zakończyć z wypierdem. To oczywiste.

– O w dupę, teraz już wiem, co robiłeś, kiedy wszyscy pochowali głowy – mówi Tortuga. – Normalnie kroiłeś puszki.

Właśnie tak, kradłem farby. Zrobiłem skok na Ace Hardware, skitrałem do plecaka tyle, ile się dało, i w nogi. Do tej chwili Fat John i Tortuga nie mieli o tym pojęcia.

Nie jestem taki głupi, żeby normalnie pokazywać tym zajobom tyle farby na raz. Jasne, kumplujemy się, ale wydymaliby mnie, gdyby mogli. Upiliby się i wybili szybę, gdyby któryś był na tyle chudy, żeby przeleźć do środka i dmuchnąć cały worek. Dlatego nie powiem im, że muszę wypieprzać z miasta, bo im mniej ludzie wiedzą, tym lepiej.

– Mam też końcówki – mówię i wyciągam małą torebkę pełną żółtych, niebieskich i fioletowych nakładek ze spryskiwaczy do szyb.

Natyka się coś takiego na puszkę, żeby malować różnym stylem i techniką.

Jedna z nich jest marki Windex, wbiłem w nią kilka szpilek, więc przy użyciu farba świetnie się rozpyla. Wyjmuję ją i wkładam do kieszeni. Tej nie dostaną. Jest ekstra. Długo się uczyłem, jak się tym posługiwać.

Fat John czasem sprzedaje zielsko. Wiem, że ma przy sobie gotówkę.

– Dolec za puszkę – mówię. – Dorzucam parę końcówek za darmochę.

Patrzą na mnie, jakby mi odbiło. Tortuga pyta, czy mam wredny mazak, ale mówię, że nie, są tylko spreje. Kiwa głową, że niby okej, a potem zaczyna liczyć w głowie, więc czekam.

Wybieram puszki, które chcę zachować. Dziesięć w ulubionych kolorach Ernesto: czerń i srebro. Potem szybko dzielimy resztę. Fat John bierze dwadzieścia, a Tortuga zgarnia pozostałe. Fat John musi kopsnąć Tortudze trochę kasy, ale zgadza się dopiero, jak ten obiecuje, że mu odda w przyszłym tygodniu, plus dorzuci jakieś ciastka i coś z *panadería* jego matki, jak już ją otworzy, a to uczciwy układ.

Zgarniam trzydzieści siedem dolarów, dodając do puli z El Unico, co razem daje mi w sumie trzysta dwadzieścia osiem dolarów. Interes dobity, więc Fat John pyta, co będzie z naszą załogą, jak dojdzie do połączenia z ludźmi Big Fate'a. On też się tym martwi.

My trzej jesteśmy częścią załogi, która jest częścią większej ekipy. Ekipy, która powstała daleko stąd i która czuje się teraz jeszcze bardziej oddalona. Tagerzy nietagerzy – nie obronią nas przed połknięciem przez gang. Szczerze mówiąc, bladego pojęcia nie mam, jak żołnierze robiący wjazd na chatę Big Fate'a zmieniają ten układ. Może zmieniają, a może nie. Nie chcę chyba sterczeć dłużej w mieście, żeby się przekonać.

– Albo dojdzie do połączenia, albo nie dojdzie – odpowiadam. – Innego wyjścia nie ma.

– A nie możemy się skontaktować z gurusami? – pyta Tortuga.

– Chyba wrzucili pagery do rzeki, mają akcję w Northeast, ale mnie się wydaje, że to i tak nie miałoby znaczenia. My mieszkamy w Lynwood. A oni nie.

– Faktycznie – odpowiada Fat John.

– No więc sprawa się odwleka, aż ewentualnie odkleimy się od ekipy i damy wchłonąć? – pyta Tortuga.

– W zasadzie tak.

– Na pewno nie chcesz się przyłączyć? – pyta Fat John. – Mimo że to dzielnica twojego ojca i tak dalej?

– Ej, nie będę tego robił do końca życia, ale na razie robię. A w ogóle to po co twoim zdaniem latam z puszką po mieście? Bo nie lubię, jak mi ludzie mówią, co mam robić. I co, mam się przyłączyć do Big Fate'a, a potem banda skurwysynów będzie mi mówiła, co powinienem robić i jak żyć?

– No niby tak – odpowiada Tortuga. – Nie chcesz skończyć jak twój stary, gnijący w celi dwadzieścia trzy godziny na dobę i ruchający słoninę.

Nie odszczekuję się. Posyłam tylko Tortudze spojrzenie, coś jakby „dobra, skurkowańcu, masz zrobionego loda za darmo, niech ci będzie". Co się tyczy słoniny, to chyba nie chcecie wiedzieć. Bo gdy ja się dowiedziałem, to pożałowałem, że wiem.

Więc zmieniam temat. Mówię im, że wszyscy znają mnie z bombienia, ale chcę też trochę ładnie malować, ale na nielegalu.

Kiwają głowami, jakbym ich nauczał, ale potem Tortuga pyta:

– A jak chcesz to robić, jak zapalili na nas zielone światło?

– Mam plan.

– Jaki plan?

– Później wam powiem. Teraz muszę iść się zobaczyć z kuzynką.

– No jasne – odpowiada Fat John, chwytając się za krocze.

Walę go w brzuch, na żarty, ale dość mocno. Niech wie, że nie może rzucać takich gównianych aluzji bezkarnie. Tortuga się śmieje i się rozchodzimy. Oni znikają, a ja odczekuję z dobre pięć minut, potem wyglądam przez okno w drzwiach garażu, żeby się upewnić, że nie kręcą się obok ani nic, żeby podejrzeć, czy mam więcej skitranych farb.

Nie mam. Ale mogą tak pomyśleć.

Później wrzucam dziesięć puszek na cześć Ernesto do plecaka i wyjmuję z wora coś jeszcze, czego tamci nie widzieli.

To moja tandetna klama, czarny rewolwer, kaliber dwadzieścia dwa, bo ostrożności nigdy za dużo. Wciskam go porządnie z tyłu spodni, naciągam koszulę, dopinam pasek i wchodzę do środka, żeby złożyć Glorii niezapowiedzianą wizytę.

5

Gdy wchodzę od tyłu, Gloria rozmawia przez telefon, owijając sznur na palcu jak wstążkę czy co innego. Podskakuje na dźwięk zatrzaskiwanych drzwi i spogląda na mnie, jakbym jej nadepnął na koniec sukni albo coś.

Telefon wisi na ścianie w salonie, a ona próbuje zrobić krok do przodu i przepędzić mnie z kuchni, ale sznur jest za krótki, szarpie nią do tyłu, co wywołuje u niej wściekłą minę, zwłaszcza że uśmiecham się szeroko i zaglądam do lodówki, żeby coś zszamać.

Widzę pizzę z serem zawiniętą w folię, bo kuzynka Gloria jest nudziarą i nie lubi dodatków do pizzy, widzę jakąś chińszczyznę w małych białych pojemnikach i w końcu widzę coś wartego zobaczenia. *Tamales* pozostałe po tym, co jej matka upichciła na Boże Narodzenie.

Gloria chyba to rozmroziła, ale nie dojadła, leżą tam, gdzie przeważnie trzyma jaja. Biorę jeden i modlę się, żeby był ze słodką kukurydzą, *queso* i z jalapeño, ale gdy się wgryzam, okazuje się, że to mdła wieprzowina.

Gloria macha do mnie gwałtownie, żebym się wynosił, i jest wyraźnie rozczarowana, że nie słucham. Pochłaniam *tamale* dwoma gryzami, nie używając talerza. Patrzy na mnie wściekła, a potem ścisza głos do słuchawki, szepcze do osoby po drugiej stronie, niby że przeprasza, ale musi kończyć, że niedługo się zobaczą, no i w końcu się rozłącza i rusza na mnie, podnosząc rękę.

Bierze zamach, ale chybia, a ja się śmieję i to jest błąd, bo robi poprawkę i trafia mnie prosto w pysk. Całkiem mocno. Takie plask! Widzę kilka rozbłyskujących gwiazdek i pocieram piekącą szczękę.

– Ej, niełado – mówię. – Tak się damy nie zachowują, wiesz?

Bierze kubek, pociąga łyk i syczy:

– Mam to gdzieś. Nikt cię tu nie zapraszał.

– Przecież jesteśmy rodziną. – Wzruszam ramionami. – No co by powiedziała twoja mama, jakbym się jej poskarżył, że mnie uderzyłaś?

– Że pewnie zasłużyłeś.

– Ciocia nigdy by tak nie powiedziała.

– A właśnie że tak.

Mierzymy się wzrokiem. Zaraz potem pytam ją, czy ma jakieś pieniądze, które mogłaby mi dać.

– Nie mam ani grosza – mówi.

– Na pewno masz. Przecież zbierałaś na telewizor i tak dalej.

Spuszcza głowę.

– Te pieniądze wyszły, Jermy – odpowiada.

Nazywa mnie tak, kiedy sprawa jest poważna, więc trochę odpuszczam. Moczy ścierkę i przeciera podłogę w miejscu, gdzie jadłem *tamale* i coś mi chyba skapło. Wrzuca ją do zlewu. Tłumaczy, że wydała wszystkie pieniądze, musiała, ale nie chce powiedzieć na co. I że pewnego dnia zrozumiem.

Potem daje mi dziesięć dolarów, mówiąc, że więcej nie ma, że trafiła w zdrapki na spółkę z koleżankami z pracy. Widziałem, że grzebała w torebce i tak dalej, więc nie kłamie. Faktycznie miała tylko dziesięć dolców. A teraz ja mam trzysta trzydzieści osiem, a to chyba akurat tyle, żebym pojechał do Phoenix i się zahaczył. Tak mi się przynajmniej wydaje.

Gdy biorę pieniądze, Gloria pyta:

– Widziałeś Aurelio czy coś?

Jej młodszy brat jest ode mnie dwa lata starszy, ale Aurelio to przestałem na niego wołać, jak wyszliśmy z piaskownicy. Kurczę, to jest Sleepy. Sleeps. Sleep Machine. Sleepertón, tak też czasem go nazywam. Ale nie Aurelio. W życiu.

– Nie widziałem Sleepy'ego i nic nie wiem. Bo co? Myślisz, że coś odpierdala na mieście czy jak?

Wzrusza ramionami, co jest jakby potwierdzeniem, bo nie tylko tak myśli, ale jeszcze się martwi. Bez przerwy.

Postanawiam zmienić temat, żebym nie musiał tego słuchać przez następne dwadzieścia minut.

– Gdzie Lydia? Gdzie mały?

– Wyszli razem. Zabrała Mateo do Chuck-e-Cheese, żebym chwilę odetchnęła.

– Ej, a mogę pożyczyć twój wózek? – pytam, znowu zmieniając temat.

Posyła mi długie, powłóczyste spojrzenie znad białego kubka z herbatą, którą popijała chyba przez całą rozmowę telefoniczną. Jest na nim napis: GILROY CZOSNKOWA STOLICA ŚWIATA. Do tego mały rysunek główki czosnku. Kontury na zielono.

– Po co?

– A tak.

– Żeby bazgrać bez sensu?

– Nie – odpowiadam i wydaje mi się, że wychodzi dobrze, całkiem przekonująco, choć auta potrzebuję właśnie po to, żeby „bazgrać bez sensu".

Jasne, że po to.

– Niestety, *primo*. Nie możesz. Mam randkę.

Nie miała randki, od kiedy pamiętam, więc pytam:

– Z kim? Z Ciasteczkowym Potworem?

Jaja sobie robię, wiadomo, bo Ciasteczkowy Potwór jest z osiedla i waży sto pięćdziesiąt kilo plus minus kilka hamburgerów. Gloria rzuca we mnie bananem z miski z owocami stojącej na blacie, ja robię unik i zalicza trafienie w drzwi do garażu. Banan spada na podłogę.

Podnoszę go i odkładam na miejsce, dociskając, żeby mi powiedziała, z kim się umówiła; podpytuję z bite trzy minuty, ale strasznie spoważniała i za nic nie chce powiedzieć. Jednocześnie uśmiecha się pod nosem, owijając kosmyk włosów na palcu jak przedtem sznur od telefonu.

Wreszcie ucina:

– Muszę wziąć prysznic. Jak wyjdę z łazienki, ma cię tu nie być.

Kiwam głową, bo to akurat da się zrobić, a gdy Gloria znika, przetrząsam jej torebkę i wyjmuję kluczyki, te z talizmanem z Matką Teresą na kółku. Czuję się nie w porządku, że zabieram jej furę, ale nie aż tak bardzo. Zrozumie, jak już wyląduję bezpiecznie w Phoenix i wytłumaczę, że zrobiłem to, bo nie chciałem być gangsta. Ucieszy się. Nie dziś, ale pewnego dnia. Wiem, że się ucieszy. Przecież mnie kocha. Przecież nie chce, żeby mi się coś stało.

6

Skończonym dupkiem to nie jestem. Sporym, wiadomo, ale nie totalnym. Najpierw wyjmuję fotelik Mateo z tylnego siedzenia i kładę go na podłodze, z daleka od plam oleju. Potem podnoszę drzwi garażu, najciszej jak się da, wrzucam wolny bieg, wypycham samochód na zewnątrz, zamykam drzwi, wkładam klucz z powrotem do dziury zatykanej kamieniem, wsiadam, włączam zapłon i odjazd. Muszę być u ciotki, żeby się spakować, zanim Gloria zorientuje się, że zabrałem auto, i zadzwoni do matki, bo wtedy obie urządzą mi piekło. To trochę skomplikowane.

Mieszkam z rodzicami Glorii i jej bratem Sleepym, ale ojciec jest w domu tylko z osiem dni w miesiącu, bo jeździ ciężarówką, a Sleepy'ego też ciągle nie ma, więc przeważnie jesteśmy tylko ja i ciotka Izel. Ona i Gloria żyją jak pies z kotem, bo Gloria nie ma męża i urodziła w grzechu dziecko ćpuna, więc w tej chwili ona i mój mały kuzynek przedszkolaczek mieszkają z Lydią w domu, który zostawiła im babcia. Ja siedzę z ciocią Izel, bo moja mama wróciła do Meksyku. Zostawiła mnie w Kalifornii, uznała, że tutaj będę miał większe szanse niż tam. Ciotka w Phoenix. Mówiłem wam o niej? To siostra matki. No, w każdym razie, jak już powiedziałem, sprawy są skomplikowane.

Jak tylko włączam zapłon, wali muzyka z głośników, a co gorsza, wiem, co to jest, bo Gloria już wcześniej kazała mi tego słuchać, tej piosenki *America* z *West Side Story*. Mówi, że to bardzo inteligentne i świetnie napisane i że powinienem to docenić, zwłaszcza że pochodzę, skąd pochodzę, ale dla mnie to kurewsko pedalskie.

Wysuwam kasetę i rzucam ją na tył, tam gdzie był fotelik Mateo. Nie chciałbym, żeby się zgubiła w ciuchach, które zostawiła Gloria. Ta gówniana fura to szafa na kółkach. Trzy różne płaszcze jeden na drugim, kilka par butów, wszystkie białe, na słoninie, z wyprofilowanym podbiciem, kurna.

Wbijam swoją składankę do odtwarzacza. *W samo południe* Texa Rittera, z Garym Cooperem, się kończy, urywa nagle, bo spierdoliłem to przy nagrywaniu i uciąłem, zanim kawałek sam się wyciszył.

Na tych kasetach z giełdy ulicznej jest tylko pół godziny grania po jednej stronie, poza tym chciałem tu mieć *Szybki zmierzch*, numer, który dla mnie ma dodatkowy sens akurat dzisiaj, tego dnia ze wszystkich dni. Bo to o chujowym dniu i pragnieniu, żeby się skończył, więc przywołujemy noc. To jest porządna muzyka Huga Montenegro, kompletnie niedoceniana. Zaczyna się lekko niesamowicie od gitary i nucenia, a potem wchodzi duo, wzbiera normalnie jak fala i na końcu bucha całym chórem. Prawie uduchowione. No, przynajmniej według mnie.

Postanawiam jechać Wright Road do stopiątki, żeby się zorientować, czy mogę pomalować estakadę, jeśli jej już nie obrobili kompletnie.

W tagowaniu zakochałem się jednego dnia, kiedy stałem na Rosecrans w kierunku siedemsetdziesiątki, a wszystko w moim polu widzenia było zbombardowane czarnym sprejem. Mam na myśli krawężnik przede mną, chodnik, prawie każdy centymetr kwadratowy muru wysokiego na chyba dziesięć metrów, pierdoloną palmę obok. Ludzie, wyglądało to jak robota armii ninja. Tego dnia zmieniło się moje postrzeganie świata. W sensie, że już nie widziałem jakiegoś betonu. Już nie widzę ścian ani nawet budynków. Widzę możliwości, wiecie, o co mi chodzi? Miejsce, żebym zostawił swoje piętno. Widzę wielkie nieustające płótna czekające na zapełnienie…

Oho, uwaga, z przodu to ja teraz widzę szeryfów i wozy strażackie, wygląda, jakby kierowali ludzi na Fernwood. W pierwszej chwili nie wiem, o co chodzi, bo sterczy tam duży wysoki jeep w kolorze gówna, z przebitą oponą przyklejoną do pleców, ale nagle odbija w Fernwood i wtedy widzę, że nie da rady przejechać.

Pod estakadą stoi taki duży samochód służb miejskich, totalnie zjarany, tak samo beton nad nim. Już mam skręcać, ale akurat dwaj strażacy otwierają tylną klapę. Opada. Popiół bucha wszędzie wielką czarną chmurą, a śpiew w *Szybkim zmierzchu* cichnie i zaczyna się nowy kawałek, jeden z tych nieźle porąbanych numerów na mojej składance.

To starocie z *Ulicy Sezamkowej*, *Be Kind to Your Neighborhood Monsters* z totalnie genialnego i tak samo totalnie niezauważonego albumu *We Are All Earthlings*, i zawsze mnie miota między dygotem a śmiechem, jak to słyszę, bo ten numer nabiera nowego znaczenia dla mnie, który mieszkam tam, gdzie mieszkam. To znaczy jak to słyszę, nie wyobrażam sobie fioletowych kosmatych potworków, tak to ujmijmy. Wyobrażam sobie wytatuowanych kolesi, *cholo*, ogolone łby, podciągnięte skarpetki, szorty khaki wyprasowane w kant.

Teraz moja kolej, żeby skręcić, i prawie mogę zajrzeć do tego wozu, gdy szeryf w brązowym mundurze i kapeluszu przepuszcza mnie machnięciem ręki i patrzy tam, gdzie ja patrzę, i zastyga, jakby nie wierzył własnym oczom, a potem odwraca się i mnie pogania. Mrugam oczami, bo też nie wierzę w to, co widzę.

Z tyłu trąbi klakson.

– O w dupę jeża – mówię sam do siebie, próbując rozróżnić czarne sylwetki ułożone jedna na drugiej. – Czy to są, kurwa, spalone trupy?

Tamale w moim żołądku chce wyskoczyć jak kaseta z odtwarzacza, więc mocno przełykam, patrzę w drugą stronę i dociskam pieprzony gaz.

Może się nie znam, ale jeśli to robota ekipy Big Fate'a, to wjazd zielonych cyborgów nabiera nagle sensu. Tony sensu.

Jestem jak ogłuszony, bardziej widzę to, co widziałem przed chwilą, niż to, co teraz widzę. Bo wydaje mi się, że tam sterczał kałach. I tyle popiołu...

Fernwood, dalej Atlantic, dalej Olanda, znowu mijam Wright przy Olanda i jakby przytomnieję, i zatrzymuję się przed domem ciotki Izel.

Wchodzę od tyłu, zadowolony, że to nie jest dzień otwarty. Bo czasem ciotka prowadzi tutaj małą garkuchnię, a ja pomagam. Pochodzi z Tlaxiaco w Oaxaca, gdzie mają porządne azteckie jedzenie. Dwa dni w tygodniu wystawiamy stoliki na trawnik, a ona gotuje i ludzie się schodzą. Piecze kurze udka w żółtym *molé*, który najpierw przygotowuje przez dwa dni w glinianym garnku. Tortillę potrafi zrobić z niczego. Ale w okolicy znają ją z *lentejas oaxaqueñas*. Dwa dolce za miskę soczewicy z ananasem, bananem rajskim, pomidorami i przyprawami korzennymi.

W każdym razie dziś jest jej normalny dzień i niektóre stragany wreszcie się pootwierały, więc wyszła po zakupy, a dla mnie to dobrze, bo wpadam i wypadam jak złodziej.

Zwijam szczoteczkę i pastę do zębów, dezodorant Right Guard, wodę kolońską Santa Fe, potem zgarniam jeszcze swój zestaw wandala, czyli piórnik z materiału z napisem „G.I. Joe", co go mam, odkąd pamiętam. Dodatkowe dwie minuty zajmuje mi, żeby do rozsuniętej torby podróżnej wrzucić T-shirty, dżinsy, bluzy, skarpetki, bieliznę i ulubione reeboki. Zabieram dwa czarne szkicowniki z rysunkami i to by było na tyle. Kartki są pozakładane listami od tej drugiej ciotki w Phoenix. Z kuchni biorę masło orzechowe i resztkę bochenka chleba, może z pięć kromek. Zaraz potem siedzę z powrotem w aucie i odjeżdżam, zanim ktokolwiek się zorientuje, że w ogóle tu byłem.

Modlę się tylko, żebym miał szczęście i po drodze zaliczył parę lejapów.

7

Wiedzieliście, że San Francisco ma tylko siedem mil kwadratowych? Ja nie wiedziałem. Mózg mi normalnie stanął, jak mi w zeszłym tygodniu Fat John o tym powiedział. Bo L.A. to nie ma końca. Są plaże, wzgórza, jeziora asfaltowe, góry, śródmieście, pustynia i wielka betonowa rzeka. Jedzie się i jedzie. Jesteśmy jebanym osobnym krajem. Teraz czuję to bardziej niż do tej pory.

Krążę po Lynwood, szukam lejapów. Sprawdzam jedno znane mi miejsce przy Atlantic, po drugiej stronie stopiątki. Pudło.

Radary mam nastawione na zaparkowane autobusy. Prawie zawsze od głównej ulicy odchodzi jakiś zaułek, no wiecie, kawałek asfaltu przy bulwarze, może na terenie przemysłowym, albo ślepa uliczka, z poboczem na tyle dużym, że można zaparkować autobus, bo czasami z jakiegoś powodu nie wracają do zajezdni czy na bazę, bo może coś się zepsuło albo kierowca zachorował lub spóźnił się na zmianę, nie zdążył zjechać albo przejąć roboty po koledze, więc parkują gdzieś, aż ktoś się zjawi i odwiezie, a może były jakieś pierdolone rozruchy ciągnące się całymi dniami, co zakłóciło komunikację miejską, może działo się najróżniejsze niewiadome gówno. W tej chwili autobusy to Święty Graal dla graficiarzy, zrobić autobus to najlepszy sposób, żeby wasza ksywka krążyła po całym mieście, żeby pokazać, o co wam chodzi.

Przez całe moje życie ludzie mówili, że graffiti to wandalizm. Że to kompletnie bezużyteczne. Rozumiem gadkę o wandalizmie, bo tak jest. Ale że bezużyteczne? Skąd. Dla mnie to jak gra wideo. Dzięki temu nauczyłem się używać mapy, nawigować. Nauczyłem się polityki. Jaki gang gdzie jest, kto gdzie rządzi. Gdzie można iść. Gdzie lepiej nie chodzić. Jak uważać na siebie. Jak być odważnym. Gdy zaczynałem, to byłem tojem, który gówno wiedział, bałem się broni, ale z czasem człowiek się wyrabia, jak się nie zniechęci; uczy się, szybko dostosowuje. Dzięki temu stałem się bardziej wolny. FREER czyli. To właśnie ja. Dzięki graffiti. I dzięki Ernesto.

Znowu mam w głowie ten jego ostrzelany dom. Jakoś nie mogę uwierzyć, że mieszkał z tymi ludźmi, z Big Fate'em, pod jednym dachem i jednocześnie nie był w branży. Dopiero teraz dociera do mnie, jak bardzo chciał się z tego wypisać, i aż robi mi się smutno. Jak trafiliśmy na tę suszarnię z torowiskiem od frontu, to potem bez przerwy o niej gadał. Miał plany, ten facet. Różne. To było inspirujące, wiecie? Przy nim ja też zaczynałem marzyć. Zachciało mi się być kimś więcej. Więc się przyłożyłem. I teraz jestem FREER.

Każdy pieprznięty wandal potrzebuje mieć sprzęt. Na fotelu pasażera jedzie mój plecak z piórnikiem, a w środku sześć wrednych mazaków, parę kwadratowych papierów ściernych, dwa rylce, no i spreje, które zabrałem, krylony i testory. Papier ścierny jest na duże napisy, spreje to wiadomo, ale to wredne mazaki są znakiem Los Angeles. Można nimi pisać na wszystkim, na samochodach, szkle, metalu, na wszystkim. To sztyft z farbą o dużej gęstości. Przekręcasz u dołu, a wtedy sączy się u góry. Można nawet wycisnąć wszystko, rozciąć to wzdłuż i zmieszać kolory. Ostatnio zrobiłem się coś psychodeliczny, więc kroję moje sztyfty, żeby łączyć żółty, biały i niebieski. Rylce są do drapania, wyglądają jak groty strzał ze spiłowanymi bokami, idealne, żeby porysować wszystko, zwłaszcza szkło.

Sprawdzam jeszcze jedno miejsce, ale znowu nic i powoli się zniechęcam, bo wygląda, że nie dam rady złożyć hołdu Ernesto, więc spisuję w głowie listę ścian, jakbym za chwilę znowu na nic nie trafił.

Cholera, mam straszną ochotę zrobić autobus. Tu chodzi o status. Taki numer jest tylko dla odważnych, bo można wpaść z milion razy. To ciągła zabawa w chowanego, totalna adrenalina. Kierowcy zawsze mają oko na graficiarzy. Tajniacy zawsze wkładają sportowe buty i nerki, w których trzymają odznaki i to całe policyjne gówno.

Czasami autobus zalicza pełna załoga i wtedy próbują pomalować całe wnętrze, nawet sufit, a kiedyś słyszałem, że jakiś tajniak dopadł takich, próbował ich zamknąć w środku, więc stu kolesi musiało awaryjnie otworzyć tylne drzwi i wyrywać, żeby nie dać się złapać. Mówiłem już, że to Dziki Zachód. Powaga.

Walę w trzecie miejsce, zaraz za Tom's Burgers przy Norton, rzut beretem od Imperial i MLK, przejeżdżam, myśląc, że to kolejny niespełniony lejap, gdy nagle słońce odbija się od jakiejś szyby, prawie mnie oślepiając. Skręcam samochodem Glorii w lewo, totalnie intuicyjnie, i nagle staję nos w nos z przepięknym autobusem. Ale przepięknym, ludzie. Ideał.

Może zostawili go tu parę minut wcześniej, a może wczoraj. Kto wie i kogo to obchodzi? Stoi tutaj i jest czyściuteńki, tylko to się liczy. Niewiarygodne, żaden skurwiel go nie napoczął. Jestem pierwszy. To ja go rozdziewiczę.

Ciężko to wyjaśnić, ale czuję się takim farciarzem, że dopada mnie paranoja. A może to podpucha czy coś? Gliniarze go wystawili, żeby złapać wrajterów? E, nie, chyba mają teraz większe problemy na głowie.

Uznaję, że nawet jak podpucha, to jebać to. Muszę przynajmniej spróbować. Ten autobus może być moją legendą. Jeśli odpowiednio go zrobię, ziomki będą o tym gadać przez lata. Przez lata.

Nawet nie pamiętam, że się zatrzymałem na zamkniętym parkingu przy banku po drugiej stronie ulicy, ale widać tak zrobiłem, bo tu właśnie teraz sterczę, a silnik jest zgaszony. Otwieram plecak i wysiadam, szperam w piórniku. Jestem taki podrajcowany, że mam sucho w ustach i coś bełkoczę pod nosem, wkładając słuchawki na głowę.

8

Uderzam od przodu, czując w ciele mrowienie aż do stóp. Wciskam play w walkmanie. Do uszu wjeżdża Wagner z walkiriami, a smyczki dodatkowo mnie rajcują. Ale faza.

Tak się podjarałem, że dygoczę, więc szybko biorę głęboki wdech, żeby się uspokoić, żeby mi się ręce nie trzęsły. Wypuszczam powietrze i już jest dobrze.

A jednak… Taki dziewiczy autobus tylko dla mnie? Autobus GMC z przyciemnianymi bocznymi szybami, który zaraz zrobię sztyftem przygotowanym wczorajszej nocy?

Mój Boże, kolego.

Czuję, jakbym umarł i poszedł do nieba, wmaszerował przez perłową bramę, a Marilyn Monroe błagała mnie o seks.

Serce mi napierdziela jak nakręcone, waląc o żebra. Zaraz zaliczę pętlę na przedniej szybie. Jebany nowiutki mazak, kolego. Zdejmuję zatyczkę, farba pachnie jak windex, idealnie jak windex.

Tagowanie przedniej szyby nazywa się zaliczaniem pętli, bo tam, nad głową kierowcy, wyświetla się, dokąd kursuje autobus. Ale teraz tablica jest zgaszona, bo autobus nie jedzie. Nagle postanawiam, że najpierw coś napiszę.

Wyciągam rylec i jadę szeroko w miejscu, gdzie byłaby głowa kierowcy: F.R.E.E.R! z interpunkcją i tak dalej, wrzynam się w szkło, ale uwaga, bo jest w tym pierdolone szaleństwo – robię to na odwrót. W ten sposób wszyscy pasażerowie będą to mogli przeczytać, tak samo jak ludzie jadący przed autobusem, patrzący w lusterka!

Zrobione. Chwilę odczekuję. Jeśli mają zawyć syreny, jeśli mają przylecieć gliniarze, to właśnie teraz. Czekam dziesięć sekund, czekam jeszcze dziesięć, no i nic się nie dzieje, więc hulaj dusza, piekła nie ma.

Biorę wredny mazak, zrobiony, biały z żółtym i niebieskim, staję na przednim zderzaku i napierdalam najbardziej zamaszyście, jak się da. Od samej góry do dołu, przez całą szybę, z lewej walę: F-R-E, a potem przeskakuję na drugą stronę tego wąskiego czarnego paska przedzielającego szybę i dopisuję: E-R.

Przypatruję się kilka sekund, żeby sprawdzić, czy litery mają odpowiednio ostre kanty. Poprawiam drugie „R", wyostrzam nóżki, aż mogłyby kogoś pochlastać. Potem dopisuję małe „x" do prawych nóżek „R", jak w logo Pharmacy, bo mój styl jest taki jakby aptekarski.

A pod tym wszystkim podpisuję się ksywką w mojej załodze.

Jeszcze nigdy nie miałem tyle czasu. Nigdy.

Jak wcześniej zaliczałem pętlę, to tylko trochę z lewej strony, i to jak Fat John odciągał uwagę, kłócił się z kierowcą o przesiadki, wtedy się nachylałem i pisałem na chybcika. Ale to? To jest arcydzieło, psiamać! Cały FREER.

Jadę teraz z lewej strony, jedna litera na każde przyciemniane okno. Robię kanciaste throw-upy, jak te gówniane litery na kurtkach sportowych, a na drzwiach wejście-wyjście walę pionowo, bardziej odręczny styl, z popierdolonymi zakrętasami, równie dobrze mógłbym nawijać spaghetti. Tak mnie wciągnęło, że dopiero jak kończę robić drzwi, to dostrzegam, że kierowca zostawił pierdoloną kurtkę od uniformu, a taka kurtka, wierzcie mi, ludzie, to największe punkty w świecie graficiarzy.

Nie wiem, ile czasu mi zajmuje, żeby wybić kopniakami dolną szybę w drzwiach, ale gdy w końcu się roztrzaskuje, wpycham się do środka i zgarniam kurtkę. Wciskam się w nią, o numer za mała, ale nieważne. Nie zdejmę jej, bo to jak skóra z niedźwiedzia, którego się upolowało. Taki fejm z takiej kurtki. Mam odjazd, ale zaraz dociera do mnie, że przecież mogę coś napisać w środku, to by dopiero było szaleństwo, więc walę jeszcze raz na szybie obok kasownika, żeby widzieli wszyscy, którzy wsiadają, a potem się wygrzebuję na zewnątrz.

Z prawej strony srebrnym krylonem robię wielkiego one-linera, co znaczy, że przykładam koniec mazaka i jadę jednym pociągnięciem po całej długości, płynnie, nie odrywając, przechodząc z litery do litery. Trochę oszukuję, bo nigdy wcześniej tego nie robiłem i napis kończy mi się sporo przed tylnym kołem, więc wracam, poprawiam, dokładam tu i tam parę zawijasów i strzałek, żeby wyglądało, jakby leciał, i tak dalej.

Gdybym miał więcej czasu, walnąłbym cały rysunek, ale dalsze sterczenie tutaj może być niebezpieczne. Każda mijająca sekunda grozi zawałem serca. Czuję, jakby za chwilę mieli wjechać gliniarze, bo ciągle mi to śmierdzi podpuchą. Ale nie mogę się powstrzymać. Najlepsze zostawiłem na koniec.

Idę na tył, naprzeciw ulicy, i staję na zderzaku. Robię ramkę na srebrne tło i wypełniam ją w środku jak skurwysyn. Gęsto, jakby to miało być wielkie srebrne lustro na czarnym autobusie, ale przypomina trochę żaluzje, więc poprawiam w prześwitach, żeby było równo i jednolicie.

Na tym srebrnym tle robię grube czarne autlajny, piszę: E-R-N-I-E. Wychodzi tak wyraźnie, że litery konturowane na czarno ze srebrną wypełką widać chyba z odległości dwóch boisk, jak się spojrzy pod dobrym kątem. U góry liter robię nawet sprejem małe pęknięcia i szpary, żeby wyglądało trochę jak skała. Na podstawie drugiego „E" dopisuję R.I.P. na czarno. Potem kitram sprzęt z powrotem do plecaka i wyjmuję głupopstryk.

Robię zdjęcia z różnych stron. Z przodu. Z boku. Z tyłu. Z drugiego boku. Spod spodu. Z daleka. Z bliska. I właśnie jak podchodzę, to nagle czuję na sobie czyjś wzrok i się odwracam.

Dziesięć metrów dalej, na parkingu, stoi jakiś dzieciak i patrzy się na mnie.

Zdejmuję słuchawki i idę do niego.

9

Ma ze dwanaście, może trzynaście lat. Ciemne brwi i duże tępawe oczy. Włosy przylizane do tyłu, ubrany jak mały gangsta, oddycha przez usta. Ustnik tak zwany.

Rzucam mu spojrzenie, ale nie reaguje, więc pytam:

– Chcesz zaliczyć?

Chodzi mi o autobus. Ale się nie rusza. Tylko się wlepia, więc każę mu podejść. Podchodzi. Staje obok i luka na mojego ERNIEGO.

– Co to?

– Na czyjąś cześć.

– Po co?

Patrzę na napis, na chłopaka i zadaję sobie pytanie: czy on faktycznie jest taki głupi? Mruży te swoje oczy, więc chuj, uznaję, że równie dobrze mogę wyjaśnić oczywistości.

– Znałem jednego Erniego. Umarł kilka dni temu – odpowiadam. Kiwa głową, ale nic nie mówi, no to pytam: – Graffiti cię nie kręci?

– Eee, nie, nie za bardzo. Ale jak rysowałeś, widziałem, że masz broń za paskiem. To mnie kręci. Ile chcesz?

– Nie wiem. – Przypatruję mu się i rzucam cenę, na którą pewnie nie będzie go stać. – Sto baksów.

– Mam połowę.

Patrzę, jak ze zwitka banknotów wyciąga pięćdziesiątkę.

– Bez ciśnienia – odpowiadam. W sensie, że nie, dzięki. – A co, szykujesz się na coś albo na kogoś? A w ogóle to skąd masz tyle kasy?

Milczy. Ani tak, ani nie. Tylko wyciąga rękę, ale tym razem jest w niej setka.

– Bierz, bo się rozmyślę.

Rzucam mu spojrzenie w stylu „do kogo się sadzisz, siurku?". Ale zaraz potem myślę sobie: co tam, jebać to. Opylam tandetę i wciskam pieniądze do kieszeni. Chłopak ogląda rewolwer. Obraca go w rękach, potem bierze w lewą dłoń, odbezpiecza i celuje we mnie.

Uśmiech spływa mi z twarzy do gardła, ale nie dlatego, że się boję, tylko że nie mogę uwierzyć, że gówniarz chce mi wyciąć taki numer.

– Oddawaj stówę – mówi. – I wszystko, co masz. Już.

Jestem czterysta trzydzieści osiem dolców do przodu. Jak ten małolat myśli, że odzyska swoje sto dolarów, to jest głupszy, niż na to wygląda, a przecież sam jego wygląd to już szczyt głupoty.

– A wiesz, że to gówno nie jest naładowane? – pytam. Łypie na mnie, jakby podejrzewał, że blefuję. – Sprawdź – mówię. – Zaczekam. – Cofam się o krok, żeby nie peniał, że wyrwę mu broń. Luzuje bębenek i przysuwa rewolwer do twarzy. W otworze komory widzę jego brązowe oko w całej tej matowości. Mruga powiekami. – Jak będziesz kupował amunicję, pamiętaj, że to dwudziestkadwójka – mówię. – Inne nie będą pasować. Poradziłbym ci, żebyś zrobił włam do tego sklepu z bronią, skroił koszyki z przeceną, ale podobno się spalił.

– Spalił – potwierdza. – Dwudziestkadwójka?

– Ehe.

– Dobra.

Z daleka dolatuje dudnienie śmigłowca.

– Masz już jakąś ksywkę czy coś? – pytam.

– Może.

Rozgląda się.

Zgaduję więc, że nie ma, w takim razie podsunę mu coś do przemyśleń, ale nagle zza rogu przychodni lekarskiej po drugiej stronie ulicy wyłazi ta kobieta. Ma sukienkę do pół tyłka i szpilki zdarte od chodzenia, czarne włosy, starsza ode mnie, wygląda na dwadzieścia kilka lat, mocno zużyta. Nawet z tej odległości widzę strupy na ustach i podbite limo.

– Ej! – woła do pleców gówniarza, ale on się nawet nie odwraca. – Idziemy czy jak?

Nie chcę być niegrzeczny, jednak pytam, bo to od razu przychodzi mi do głowy:

– To twoja mama?

– Zamknij mordę, kretynie – warczy do mnie. – To moja *fresa*, ziomek. Ta dziwka ciągnie mi druta.

Jezu, mam nadzieję, że jednak nie, z takimi strupami na warach? Nie mam nic do stracenia, więc mówię:

– Ty się zamknij, kurwa. Ledwo od ziemi odrosłeś, nawet ci jeszcze nie staje.

Łapie się za pasek.

– Gadaj se, ziom.

Jego *fresa* wtrąca trzy grosze:

– Staje, staje, i to bardzo dobrze!

Fresa znaczy „truskawa", ale w slangu to kobieta, która daje za narkotyki, zwykle za crack i kokę. Ludzie, jestem tak zgorszony tym obrotem spraw, że tylko uśmiecham się blado do gówniarza, właściwie w reakcji na jego chojractwo. Ten mały skurwysynek to diler, a może i alfons. Stąd ten zwitek banknotów i forsa w mojej kieszeni. Ciężki chleb dla dziewczyny.

– Nazwę cię Watcher – mówię. – Bo się gapiłeś. Możesz sobie wziąć ode mnie tę ksywkę, a możesz ją wyrzucić do śmieci, jeżeli ci się nie podoba.

Ma minę, jakby chciał się jeszcze sadzić, ale tylko oblizuje wargi, odchyla głowę i pokazuje mi podbródek.

– Watcher – powtarza, jakby przymierzał ksywkę do siebie.

– Ehe. Brzmi dobrze. Trzymaj się.

W tył zwrot, ruszam do samochodu.

Po drodze słyszę, jak *fresa* pyta go, czy może pójść do Tom's Burgers na shake'a orzechowego.

– Dziwko, zamknij ryja... – odpowiada gówniarz, ale dalej nie słyszę, bo wsiadam i odjazd w pizdu.

Odprowadza mnie wzrokiem, jakby chciał zapamiętać moją twarz, jakbym go wydymał z tym przehandlowaniem rewolweru i resztą, a on mi tego nigdy nie zapomni. Śmieję się jakby, no bo, ludzie, nie potrzeba mi takiego gówna.

L.A. dostało zajoba. Totalnie.

Walę znowu ulicami, a gdy jestem już tak daleko, że żaden gliniarz nie skojarzy mnie z autobusem, wtedy oddycham głęboko i myślę o kończącym się dniu i że to wszystko nie poszło tak, jak zaplanowałem; że powinienem po prostu spadać z tą kasą, którą mam. To brzmi rozsądnie.

Bo myślę, że w przypadku każdego faceta, który działał na ulicy, nawet jak dużo działał, zachodzi różnica między tym, co chciał zrobić, a tym, co faktycznie zrobił, i w tym momencie czuję, tak właśnie czuję, smak porażki, chociaż przed chwilą zrobiłem z miejskiego autobusu galerię graficiarstwa swojego imienia. To będzie legendarny numer, jak ludzie to zobaczą. I będą mówić o Erniem. Będą się zastanawiali, kim był. A ja na moment będę żył w ich umysłach. Ale mnie już tu nie będzie.

Ludzie będą mówili o mnie przez chwilę. Tortuga i Fat John na bank to zobaczą, a mimo to postanawiam, że zrobię odbitki zdjęć i im przyślę. Potem przez chwilę rozmyślam o tym autobusie, że miałem zajebiste szczęście.

Może to całkiem dobre pożegnanie, a może nie, może finał skromny, bez fanfar. Ludzie pewnie powiedzą, że zdezerterowałem, ale ja się nigdy nie pisałem na to drugie, na gangsterkę. Zawsze tylko chciałem być wolny. Chciałem krążyć po całym mieście, Hollywood, centrum, Venice, wszędzie pisać „©" pod swoją ksywką, jak OILER i DCLINE, bo to dla mnie złoty czas, kończę siedemnaście lat.

Uznałem, że mam rok, żeby poszaleć; zastanawiałem się, że jak mnie złapią, to ile mogę dostać za graficiarstwo. Pewnie wlepiliby mi kilkaset godzin robót społecznych i kilka weekendów w „szczękach", w JAWS znaczy, czyli Juvenile Alternative Work Services, a w najgorszym wypadku krótki pobyt w poprawczaku, ale żadnego więzienia, nic poważnego, nic, co by mi zostało w papierach. Dlatego to był mój czas, mogłem zaszaleć, być sławny, a teraz już tego nie ma, tak samo jak nie ma Erniego.

Ludzie nie rozumieją, że graffiti to sposób, żeby być kimś, żeby wkurzać innych, sposób obsikania własnego terytorium, ale też sposób upamiętniania. Ostatni rysunek zrobiłem na cześć Ernesto i tego miasta, które go wykończyło. ERNIE R.I.P. – głosi autobus. To tylko litery, no pewnie, ale też coś więcej.

Środkowy palec i nagrobek w jednym.

10

Na dworcu autobusowym w Long Beach kupuję bilet specjalny do Phoenix w jedną stronę i idę zadzwonić do Glorii, żeby jej dać namiary, gdzie stoi wózek. Nie powiem, żeby była szczęśliwa, nie powiem też, żeby mnie to zdziwiło. Mówi, że mnie zabije, ale luz, bo nie jest to śmierć, jaką zafundowałyby mi zwierzaki z osiedla, gdyby mnie znowu spotkały i usłyszały, że nie chcę się przyłączyć.

– Przez ciebie zadzwoniłam do matki, bo cię szukałam. Jermy, przysięgam...

Muszę jej przerwać:

– Nie miałem wyjścia. Przepraszam. Naprawdę przepraszam. Nie chciałem ci zepsuć randki. Kiedyś ci to wyjaśnię i zrozumiesz.

Jest nieludzko wkurzona. Słyszę to w jej głosie, gdy mówi:

– Lepiej powiedz teraz, o co chodzi.

– Zadzwonię. Jak już będę tam, gdzie jadę.

– A gdzie jedziesz?

– Lepiej, żebyś nie wiedziała, bo prędzej czy później ktoś cię o to spyta. Nie chcę cię okłamywać i nie chcę, żebyś ty ich okłamywała.

Po linii telefonicznej zapierdala przeciągłe westchnienie, prawie wrrr.

– Jak chcesz – mówi w końcu.

W tle rozlega się jakieś stukanie i Gloria milczy; słyszę, jak idzie w kapciach do drzwi; potem robi się jeszcze ciszej, więc pewnie filuje przez judasza. Nagle jakby odzyskuje gwałtownie oddech i domyślam się, że coś się stało.

– Co jest? – pytam.

– Eee, muszę kończyć.

– Co jest?

– Nie co, tylko kto. Pod drzwiami stoi siostra Ernesto.

Znowu słyszę pukanie, tym razem dużo wyraźniej. Najpierw przychodzi mi do głowy, że tamta przylazła po mnie, ale to byłoby bez sensu.

– Poczekaj, Jermy – mówi Gloria i szeleści ubraniem, jakby przycisnęła słuchawkę do brzucha czy coś.

Bardzo cicho słychać odciąganą zasuwkę, a potem lekko skrzypią otwierane drzwi.

– Ej, podobno jesteś pielęgniarką? – pyta Lupe.

Moja kuzynka chyba kiwnęła głową, bo sekundę później Lupe dodaje:

– Umiesz usztywnić złamane kości?

Gloria chyba znowu kiwa głową, bo Lupe drąży:

– A co do tego trzeba?

W głowie mi zapieprza, bo zastanawiam się, co się stało, ale pierwsza myśl jest wyraźna: cyborgi spuściły wpierdol.

Nie ma jednak szans, żebym coś powiedział, bo Gloria rzuca szybko do słuchawki:

– Muszę kończyć.

I dalej to już słyszę tylko sygnał ciągły.

– Na razie – mówię mimo wszystko.

Odwieszam słuchawkę, czując lekki smutek. Muszę się odkleić od aparatu, bo czarny koleś z tyłu chce dzwonić. Wygląda, jak wyglądałby Martin Luther King, gdyby zdążył się zestarzeć i utyć.

Przygnębia mnie myśl, że w Phoenix nic nie ma. Zero fanu, zero ludzi, zero niczego. Tylko ciotka i znowu pewnie robota przy garach, i nagle do mnie dociera.

W Arizonie jest więcej wolności, niż mi się kiedykolwiek śniło.

Tam nikt nie obrywa za chodzenie po ulicy, w stylu „ej ten kretyn wygląda na wrajtera, nie ma dziar, to go dorwijmy". Tam nie będę się musiał martwić gangami, podziałem terenu ani tym, że ludzie pomyślą, że dezerteruję, że nie dorastam. I wtedy ten borsuk w brzuchu trochę się uspokaja.

W głośnikach zapowiadają mój autobus, więc idę na stanowisko, daję kierowcy mój wór, a on wkłada go do luku bagażowego, który zamyka się jak drzwi w deloreanie w *Powrocie do przyszłości*. Nawet tak samo słychać, jak się otwiera. Takie szmmp. Plecak zatrzymuję przy sobie, wsiadam do autobusu, wybieram miejsce pośrodku. Śmierdzi czerstwym chlebem i psią sierścią. Zaczynam wertować szkicownik.

Nigdy tam nie byłem, ale jak chodzi o graffiti, Phoenix to jakieś przedszkole.

Zaraz.

Może nie jest tak źle? Może to znaczy, że mam nowe możliwości? Może FREER nie umiera, tylko się zmienia w kogoś nowego i silnego?

Mógłbym tam rozwinąć nowy, zaawansowany styl. Może mógłbym być pierwszy. Zaczyna mi się to podobać. I to bardzo. Mógłbym tam normalnie otworzyć franczyzę stylu losangelesowskiego. Mógłbym być tym czymś z fizyki, jak to się nazywa? Katalizatorem. Tak. Tym mogę być dla sceny w Phoenix, podciągnąć ją kilka pięter do góry. A poza tym jestem FREER. Przecież mogę stamtąd wyjechać, kiedy będę chciał. Czy może być większa wolność?

Nie może.

Wygląda na to, że w tym autobusie siedzą też inni, którzy wynoszą się z miasta. Wcisnęło się mnóstwo Meksykanów i środkowych Americanos. Mają dzieci ze sobą. Co się dziwić. Psiamać, jakbym miał dzieci, też bym je zabrał. W tej chwili, przez to całe plądrowanie i strzelaniny, łatwo się zniechęcić do L.A.

Kurwa, przecież nie będę tęsknił za dwunastoletnimi dilerami-alfonsami, którzy kupują ode mnie sześciostrzałową tandetę, a potem próbują mnie nią skroić ze wszystkich pieniędzy.

Nie będę tęsknił za Big Fate'em, który stawia mi ultimaty.

Nie będę tęsknił za rzucaniem mnie na glebę przez oddział cyborgów, którzy wciskają mi lufy karabinów w twarz.

L.A. dostało kurewskiego zajoba, ludzie. Ale za samym miastem to będę tęsknił.

Ech, kto wie? Może spadam stąd w dobrej chwili. Zanim to wszystko pieprznie i osunie się w ocean.

Wciskam play w walkmanie, ale coś nie teges. Czasem się zacina. Guzik jest czarny i duży jak mój kciuk. Wciskam jeszcze raz i przytrzymuję, no i wreszcie wałki ruszają i gra muzyka!

Słychać smyczki, gdy kierowca rusza; za szybą zachodzi słońce, normalnie robi się magicznie, jak z Long Beach Boulevard wjeżdżamy na nadmorską autostradę; głos Nancy Sinatry splata się z pomarańczowym zmierzchem, śpiewa dla mnie, mówi mi, że żyję tylko dwa razy. To mnie nieźle rozluźnia, więc tylko siedzę i patrzę na budynki uciekające za oknem, gdy walimy przez miasto, nad resztkami rzeki i dalej na północ do siedemsetdziesiątki.

JOSESITO SERRATO
AKA WATCHER

3 MAJA 1992

20.17

1

Mam tę klamę i wreszcie czuję się autentycznie. Gotowy. Dobrze się czuję. Wszyscy wiedzą, że Momo skasowany. Wszyscy wiedzą, że leżał na tym wózku, co go psy znalazły przy Wright Road. A przynajmniej leżało tam to, co z niego zostało. Jak dla mnie skurwysyn dostał, na co zasłużył, za to, że stanął przeciw Big Fate'owi. Albo jesteś big, albo jesteś dead. Ja chcę być z Big Fate'em, z nim i jego ekipą. No to idę do tego Mini Vegas, o którym wszyscy ciągle nadają, pukam i czekam, żeby mnie wpuścili. Wpuszczają, wiskają, znajdują klamę i ją zabierają. Jest tam ta pani pielęgniarka. Dziwnie na mnie patrzy, bo mnie poznaje z wtedy, jak brat pani Payasy zginął między garażami. Pani Payasa też jest. Obok pielęgniarki. Pani Payasa mówi jej, żeby już lepiej poszła, dziękuje jej za wszystko. Wciska jej pieniądze do ręki. Jakieś zwinięte stówki. Będzie z tysiak według mnie. Pani pielęgniarka patrzy, jakby chciała mnie ze sobą zabrać. Jakby kombinowała, żeby mnie ratować czy coś. Ale pani Payasa wypycha ją na dwór, drzwi się zamykają przed nosem pani pielęgniarki, mówiącej jeszcze, że wszyscy, których opatrzyła, muszą się szybko znaleźć w szpitalu. Big Fate pod ścianą ma ramię na takim jakby dużym temblaku. Tak samo masa innych kretynów. Ten Sherlock Homeboy ma na łbie guza jak piłka, przykrytego workiem z lodem. Obok niego siedzi jakaś fajna skośnooka suczka z nadgarstkiem owiniętym jak mumia. Wystarczy tylko spojrzeć, że jest z tych, co narwańcy sporo by zapłacili, żeby wydymać. Ale wolę tego nie mówić. Zwłaszcza że widzę, że ten skurwysyn Apache, co skalpuje ludzi, też dostał wpierdol. Zdrową ręką gra na automacie, tam wiruje i dzwoni, on siedzi w kącie, pijąc coś złotego z dużej butelki. Big Fate widzi, że filuję te wszystkie złamania, gipsy, całe to gówno. Przywołuje mnie, wzrusza ramionami i rzuca, że zasada „spuść łomot i puść do domu" ciągle cieszy się wzięciem w mieście Los Angeles. Nazywa mnie małolatem i mówi, że mogą nas przetrącić, ale zawsze wrócimy, i to silniejsi. – *La neta* – mówi. To ja też mówię *la neta*. Taka jest prawda. Sama prawda. Ciągle tu są. Wszyscy. Dostali wpierdziel, ale dalej się trzymają. Inaczej niż Momo. Inaczej niż Trouble. Inaczej niż masa kretynów. Ta ekipa to autentyczni kilerzy. Niezniszczalni. Twardzi jak skurwysyn. Nawet jebani szeryfowie nie dadzą im rady. Nagle Big Fate pyta, jak się nazywam, bo chce wiedzieć. Miałem przezwisko, którego nienawidziłem i którego wszyscy używali. Baby. Ale teraz mam nowe. Nadymam się i odpowiadam, że jestem Watcher; ale nie zamierzam się przyznać, skąd wziąłem tę ksywkę. Kiwa głową, jakbym dobrze się sprawił. Mówi, że mu się podoba. Więc ja wtedy wypowiadam nazwę ekipy. Dumny w chuj. Mówię też „Lynwood *controla*". Bo to oni rządzą teraz w Lynwood, nikt inny. Wtedy patrzy na mnie tak jakby dziwnie i mówi, że się o mnie rozpytywał, od kiedy pomogłem. Że słyszał, że diluję dla Momo. Od razu odpowiadam. Że tak, że dilowałem. Wtedy on się śmieje. I pyta, czy jestem gotowy na coś nowego. – No jasne, cholera – mówię, bo czuję wielki szacunek dla niego za to, jak zrobił to, co musiał zrobić. – To co, jesteś gotowy? – pyta mnie Big Fate. – Kurwa, no jasne, że jestem – mówię dwa razy i przez całą rozmowę kiwam głową.

La clica es mi vida! Do jebanej grobowej deski. To też mówię. Odczekuje chwilę. W pokoju robi się bardzo cicho. No to mu przypominam, jak od razu przyszedłem i bez kitu powiedziałem mu o bracie pani Payasy. Przyznaje, że dobrze pograłem. A potem mówi do reszty, że trzeba wziąć tego małego skurwysyna. Oł je, kurwa. Jestem taki szczęśliwy, że przed pierwszą piąchą zamykam oczy. Piąchą czy kopniakiem. Nieważne. Chuj mnie obchodzi, co i od kogo. Będzie bolało. Mocno bolało. Ale warto. Wszystko, żeby być w ekipie.

DZIEŃ 6
PONIEDZIAŁEK

BYŁY PIĘĆDZIESIĄT DWIE OFIARY ŚMIERTELNE.
WYDAWAŁO SIĘ, ŻE SZEŚĆDZIESIĄT, ALE OKAZAŁO SIĘ, ŻE JESTEŚMY PO PROSTU NIEDOINFORMOWANI.
TO, ŻE KTOŚ ZMARŁ W TYM CZASIE, NIE ZNACZY JESZCZE, ŻE TO BYŁO BEZPOŚREDNIO ZWIĄZANE Z ROZRUCHAMI...
CO RODZI INTERESUJĄCE PYTANIE.
CZY STRZELANINY MIĘDZY GANGAMI MAJĄ ZWIĄZEK Z ZAMIESZKAMI NA ULICACH?
PRZECIEŻ GANGI STRZELAJĄ DO SIEBIE CODZIENNIE PRZEZ OKRĄGŁY ROK.
JAKI MAMY DOWÓD, ŻE AKURAT TE INCYDENTY ZWIĄZANE BYŁY Z ROZRUCHAMI...?
INTERESUJĄCY BYŁ JEDEN PRZYPADEK, KTÓRYM MUSIAŁEM SIĘ ZAJĄĆ NA KOMENDZIE W HOLLINGBACK [SIC]. HOLLINGBACK TO EAST L.A. WE WSCHODNIM LOS ANGELES NIE ODNOTOWANO ŻADNYCH ZGONÓW ZWIĄZANYCH Z ZAMIESZKAMI.
NO WIĘC, HM, ZNALEZIONO, HM, JEDNEGO FACETA I NIE PAMIĘTAM JUŻ, CZY ZAKŁUTO GO NOŻEM, CZY ZASTRZELONO.
LEŻAŁ W RURZE KANALIZACYJNEJ, NO I UZNANO, ŻE TO W ŻADNYM RAZIE NIE MIAŁO ZWIĄZKU Z ROZRUCHAMI.
NIE WIEM, CZY BYŁA TO KŁÓTNIA KOCHANKÓW, CZY...
RÓŻNICA ZDAŃ PRZY SPRZEDAŻY PROCHÓW, ALE STWIERDZONO Z CAŁĄ STANOWCZOŚCIĄ, ŻE NIE MIAŁO TO NIC WSPÓLNEGO Z ROZRUCHAMI, ŻE TO PO PROSTU JESZCZE JEDNO ZABÓJSTWO.

PORUCZNIK DEAN GILMOUR,
URZĄD KORONERA HRABSTWA LOS ANGELES

JAMES

4 MAJA 1992

9.00

1

Wszystko się fajczyło u Najświętszej Marii Panny Królowej Aniołów. Nawet ludzie. Ten włóczęga, jak spał, to ktoś mu podpalił tyłek – z czegoś takiego nie da się ujść z życiem. Nie ma mowy. Odwala się kitę. Idzie się na wieczny spoczynek.

Widziałem wczoraj kłęby dymu. Za mostem na północ, po mojej stronie rzeki. Tylko pojęcia nie miałem, że to ten facet się dymi. Pojawiły się po tym, gdy dwa czarne pojazdy przejechały korytem rzeki, jakby to była ich prywatna autostrada. Tuż obok mojej rury. Duże i szybkie, strasznie ciche jak na takie wielkie coś. Na ten widok zrobiłem swój znak przywołujący Opatrzność i obróciłem się dwa razy.

Normalnie jak siedzę w swojej rurze, to zaciągam zasłony. Mam do tego specjalny drąg i wszystko co trzeba. Krzesło też. Tak czy siak zasłaniam i świat przestaje mnie widzieć, nawet z pociągów jadących na drugim brzegu. W ten sposób robię się niewidzialny. Ale tego dnia nie zaciągnąłem zasłonki, bo zobaczyłem dym. Wpierw to nie wiedziałem, o co chodzi.

I wtedy wtrąca się Najświętsza Maria Panna: „Wiedziałeś, wiedziałeś".

Odpyskowuję jej. Tłumaczę, że nie wiedziałem, że zorientowałem się dopiero, jak podszedłem i zobaczyłem. Chudy czarny szkielet na posłaniu – tyle po nim zostało. Wyczułem woń benzyny na ziemi. Przykro było patrzeć, jak włóczędzy rozdzielają między siebie jego rzeczy. Miał na imię Terry. Nazwiska nie znam. Terry i już. Patrzyłem na jego kości, gdy tamci zgarniali resztę rzeczy. Nawet nie oddali szacunku jego duszy. Sakramenckie skurwysyny. Ograbili go do czysta. Przepadł jego pies, którym się opiekował. Przepadły spodnie wyjściowe, co je wieszał na ogrodzeniu. Wszyscy na świecie tylko chcą człowieka okraść albo dopaść i pobić, tylko brać i brać.

Zacząłem wypytywać trampów, jak zginął Terry. Odpowiedź była krótka. To robota Puppeta. Pytam, skąd wiedzą, no to odpowiedzieli, że wiedzą i już. Trampy znają twarze z okolicy. Gadają. Potrafią wyniuchać co i jak. I wiedzą, że ktoś o ksywce Puppet przyszedł z kanką benzyny do obozowiska i oblał nią śpiącego Terry'ego, a potem go podpalił. Nie mieli pojęcia dlaczego.

Jak to usłyszałem, posłałem wiąchę Najświętszej Marii Pannie: „Z ciebie to jest jedno wielkie sakramenckie czarne miasto! Czarne miasto z czarnym sercem i czarnym popiołem buchającym po czarnym asfalcie twoich ulic. Tym byłaś. Tym jesteś. I tym będziesz po wsze czasy. A jedyne, co masz dobrego, to rzekę".

A ona na to, że nieprawda.

To jej jeszcze dowaliłem. Powiedziałem, że nie ma prawa mi mówić, co powinienem czuć, jak stoję obok prochów martwego człowieka, którego ktoś spalił bez powodu, a trampy rozkradają jego rzeczy, nie mając dla niego choćby dobrego słowa na odchodne.

Trampy są niby lepsze od meneli. Nie podoba mi się określenie „menel", tak samo jak „bezdomny". Nijak się to ma do życia. Tak samo zresztą jak wszystkie inne słowa, poza „włóczęgą", no bo się włóczymy. Tak bardzo kochamy niebo, że musimy je widzieć co noc. Nie znosimy żyć w zamknięciu. Jesteśmy wolni.

A to jest wolny kraj! Chcemy więc czuć, gdzie żyjemy. W najbardziej żywiołowym miejscu na świecie.

To akurat też prawda. U Najświętszej Marii Panny zdarzają się pożary lasów. Wiatry pustynne. Jest też ocean, a ziemia wygląda, jakby zaraz miała się zatrząść. Przy takim układzie trzeba czasem wyrzucić z siebie zło. Żeby się nie nagromadziło.

Znowu mi przerywa: „Och, czyżby?".

„Sryżby – odpowiadam. – Taka twoja natura".

Potem siedzi cicho, ale to, że nic nie mówi, nie oznacza, że jej przy mnie nie ma. Chodzi za mną krok w krok, zawsze wciska mi pytania do głowy. Na przykład teraz, gdy na głodniaka idę Imperial, na której nie widać nic imperialnego.

Bo żeby poznać Najświętszą Marię Pannę, trzeba ją zleźć na własnych nogach. Nie ma lepszego sposobu. Trzeba mieć ją na wysokości oczu. Pod stopami. Czuć jej ciepło. Wdychać ją, wąchać. Chłonąć te jej sakramenckie atomy, odkładać w sobie. A najlepszym do tego miejscem jest rzeka. Korytem można iść całymi kilometrami, znaleźć wszystko co trzeba. Nikt o tym nie wie lepiej ode mnie.

Całe życie przesiedziałem nad rzekami. Missisipi. Kolorado. Mekong. Rzeki mnie chronią. Opiekują się mną. Tylko przy nich czuję się bezpieczny. W innym razie robi się nieswojo, rozpraszam się. Tracę punkt ciężkości i źle się zachowuję. Na ten przykład chleję. Ale nad rzeką to nie. Co to, to nie. Wody Najświętszej Marii Panny są bardzo stare. Sięgają czasów, gdy była małym pueblo na kupie piachu. Już wtedy Meksykindianie wiedzieli, że Arroyo Seco to święta studnia z nektarem o tak wielkiej mocy, że pewnego dnia powstanie tu sakramenckie miasto kipiące od ludzi. Taką właśnie moc ma ta rzeka. Daje początek.

Teraz miasto ma teraz naście lat, jest żywe i rozgniewane, rozdziera się na kawałki. Pożary widziałem prawie wszędzie i błyskające czerwone wozy strażackie na czarnych ulicach. Nie tylko Terry'ego widziałem, ale i zwłoki jednego razu, praktycznie bez twarzy, bez uszu nawet, na ulicy. Płonące ciężarówki, budynki, dom też. Może cała dzielnica poszłaby z dymem, gdyby ludzie nie polewali dachów ze szlauchów. Ale też od razu wiadomo, co myśleli o tym jednym domu.

Mówię wtedy ludziom tak: „Widziałem, jak to miasto przenosi się w kawałkach do nieba".

Tak właśnie działa ogień. Zabiera. To najładniejsze i najszpetniejsze równanie matematyczne, jakie kiedykolwiek powstało. Pożar miasta jest jednak najgorszy, bo zabiera za dużo. Nie zna miłosierdzia. Karze wszystkich. Nawet tych niewinnych, jak Terry. Pożar miasta jest nienażarty. Ale to po prostu ogień jako ogień. Musi wszystko zniwelować, dążąc do zera, dlatego rozkłada na najmniejsze kawałki. Na strzępy, co je może unieść wiatr. Są szczątki. Ale widzieć to je widzimy dopiero, jak się zlepią w słup dymu. Tak właśnie sumują się małe drobinki, rozumiecie? Razem dają wielki czarny fakt.

MIGUEL „MIGUELITO" RIVERA JUNIOR

AKA MIKEY RIVERA

4 MAJA 1992

9.00

1

Budzik dzwoni, a ja otwieram oczy z beatem z piosenki The Specials w głowie, więc skopuję kołdrę, znajduję taśmę z tym nagraniem i wrzucam do magnetofonu. Puszczam *A Message to You Rudy*, a ojciec puka w przestrzeń obok drzwi, gdyby drzwi w ogóle były. Robimy remont. Właściwie to on robi remont – znowu.

Tam gdzie miałem ścianę, jest teraz szkielet z drewnianych wsporników, który zapełniłem książkami, bo wyglądał jak smutna pusta biblioteczka, ale też dlatego, żeby mieć więcej prywatności, choćby trochę. Tylko że i tak widzę ojca patrzącego na mnie zza grzbietów szmiry Richarda Allena.

Ojciec robi w budownictwie i nieruchomościach. Skończył kreślarstwo na Santa Monica City College, ale nie zajmuje się tym za bardzo. Przeważnie sprzedaje kafelki i urządza – łazienki, kuchnie, tego rodzaju rzeczy. Jego tytułem do chwały jest wykończenie włoskim marmurem obu łazienek w pawilonie gościnnym w posiadłości Raquel Welch. W Tile Planet, jego sklepie, wisi jej zdjęcie w ramce, z autografem. Sklep jest przy Western, na tym krótkim odcinku Palos Verdes wcinającym się w San Pedro. Stamtąd widać całe L.A. Z góry. Między innymi chyba dlatego ojciec tak lubi to miejsce. Lubi patrzeć z góry, zwłaszcza na ludzi.

– Nie musisz pukać – mówię, ale muzyki nie wyłączam. – W ścianie są dziury.

Nie chwyta ironii. Wchodzi na krok do pokoju i pyta:

– Chcesz śniadanie?

Zerkam na niego, a ska bryka między nami. Ojciec nienawidzi tej muzyki. Działa mu na nerwy i właśnie dlatego ja jeszcze bardziej ją kocham.

– Nie? – Zakłada ręce na piersi. – Zrobiłem. Nie chcesz?

– Właśnie się zastanawiam.

– To może zastanawiaj się szybciej – mówi poirytowanym głosem. Rozkrzyżowanie rąk oznacza, że za długo zwlekam z odpowiedzią. Sześć lat wcześniej byłaby to zapowiedź kłopotów, bo nie postawił na swoim, ale teraz tylko zaciska pięści z gniewu. Napina się blizna na jego lewym ręku, robi bardziej fioletowa. Na sam widok wywracają mi się kiszki. Bo dawniej, przez całe lata, był to wstęp do czegoś złego. Fiolet na jego ręku zwiastował siniaki na moim ciele. Widzi, że patrzę, rozluźnia palce i mówi: – Zadałem ci proste pytanie.

– No dobra – odpowiadam, żeby się odczepił. – Coś tam zjem.

Przez szpary w drewnie, nad książkami, widzę, jak się wycofuje. Widzę fale czarnych włosów przesuwające się obok *Zabić drozda* i *Ciężkich czasów* Terkela z serii Najwybitniejszej Prozy Amerykańskiej. Wchodzi do kuchni po drugiej stronie domu i wtedy tracę go z oczu, ale słyszę, jak się krząta, stuka talerzem i sztućcami.

Od dawna nie jest między nami dobrze. Ale w ostatnich dniach jakoś inaczej się zachowuje. Jakby bardziej zwracał uwagę. Mimo to – po co zrobił mi śniadanie? Czuję, że chce czegoś ode mnie.

Tata zawsze dosłownie traktował swoją przynależność do pokolenia bitników. Jak byłem młodszy, też myślałem, że należę do tego pokolenia, bo ciągle byłem bity. Ujmijmy to w ten sposób: w lepsze dni miałem tylko pręgi po pasku. W gorsze w ruch szła klamra. Zostały mi niezłe blizny na plecach. Moja była biała dziewczyna spytała mnie kiedyś, czy oberwałem odłamkami granatu. Nie do końca żartowała. Ojciec zawsze był porywczy, a ja jestem jedynakiem, więc tak to się działo, aż wreszcie skończyłem trzynaście lat i pewnego dnia wyciągnąłem nóż, gdy chciał mnie uderzyć. Odtąd już więcej nawet nie próbował. Najdziwniejsze było to, że nie wrzeszczał, tylko się uśmiechnął i powiedział, że jest ze mnie dumny, bo się postawiłem, a potem odszedł, jakbym wreszcie przestał sprawiać mu zawód.

To mi nie dawało spokoju przez długi czas, bo przypominałem sobie te wszystkie sytuacje, kiedy mnie bił, i zastanawiałem się, ile z tego było celowe, a nie spowodowane gniewem. W ten sposób wydawało się to jeszcze gorsze, więc teraz staram się o tym nie myśleć. Lecz to nie był koniec rozczarowań. Bo potem ojciec znalazł we mnie inne rzeczy, z których nie mógł być dumny, na przykład to, jak pierwszej nocy rozruchów zaliczyłem z Kerwinem kwas, a potem wskoczyliśmy na choppery i pojechaliśmy w miasto.

Nie był zadowolony, jak się dowiedział, że robiliśmy rundki, żeby się gapić na pożary. Nie umiałem mu wytłumaczyć, że było warto, że widziałem ptaki i smoki wzlatujące z płomieni, wzbijające się w niebo, tysiące ich, tysiące, czerniejące, stające się nocnym niebem. O mało nie zabrał mi motocykla, jak mu o tym powiedziałem, i wcale się mu nie dziwię. Jak przynosisz do domu nieprzytomną dziewczynę, to musisz się gęsto z tego tłumaczyć, zwłaszcza gdy w tym domu rządzi mój ojciec.

2

Mam vespę, model P-125. Nazywamy takie chopperami, bo je rozbieramy do gołego. Jak taki rozwalę, to łatwiej mi będzie go złożyć z powrotem niż kupić nowy. Podrasowałem mocno silnik. Zdjąłem osłony, wydłużyłem widelec. Dzięki temu z zabawki rozwijającej maks siedemdziesiąt kilometrów na godzinę mam ponad sto czterdzieści. Jazgot słychać w drugiej dzielnicy. Praktycznie to rumak wojownika szos.

I właśnie na tej vespie jechałem, jak wracałem rano po nocy u Kerwina, i gdy skręciłem w naszą ulicę, zobaczyłem tego rozdygotanego facia wrzucającego mołotowa przez drzwi do domu Momo. Nie mogłem uwierzyć. Gówniarz, chyba młodszy ode mnie, ubrany na czarno, tylko z kawałkiem białego plastra na linii włosów, przyklejonym zakrzepłą krwią. Obok na trawniku stała furgonetka. Przyhamowałem i podjechałem, bo nie miałem pojęcia, co kombinuje. Stał przez najdłuższą chwilę w życiu, trzymając w ręku palącą się butelkę.

Już myślałem, że mu wybuchnie w palcach. Wyglądało, że mówi do siebie, coś szepcze, nie zwracając uwagi, że zrobiło się naprawdę grubo, no i chyba zaczęło go w końcu parzyć, bo wrzasnął i rzucił tym z całej siły przez otwarte drzwi. Zaraz potem odwrócił się do furgonetki, spojrzał na mnie, jakby chciał jakoś zareagować na to, że siedzę tam na chopperze, ale tylko się zabrał i odjechał.

Podbiegłem do drzwi, bo chciałem zobaczyć, czy może uda się coś uratować z tego, co Momo ma w środku; zajrzałem i od razu dostrzegłem dziewczynę leżącą na brzuchu w salonie, i wszystkie wcześniejsze myśli mi wyparowały.

Bo obok niej zasuwał po ścianie pofalowany trójkąt pomarańczowego ognia, jak w filmach, tyle że głośniejszy i strasznie gorący. Jak znalazłem się w promieniu kilku kroków, to mi się włosy na prawej ręce sfajczyły do małych czarnych kropek i do głowy przyszło mi tylko jedno, czyli żeby chwycić dziewczynę za kostki i wywlec ją na dwór. Nieźle sobie przy tym starła podbródek i policzek na betonowym ganku, ale wreszcie dociągnąłem ją na trawnik i przekręciłem na plecy. Była nieprzytomna i zakrwawiona. Spanikowany sprawdziłem jej tętno.

Gaszę The Specials w swoim pokoju. To dobrze, że kąpiel pod prysznicem uważam za sprawę mocno przereklamowaną, bo znowu wyłączyli nam wodę – remontują kanalizację czy coś. Nawet już nie pytam. Pociągam dezodorantem pod pachami, zgarniam niebieskie polo od Freda Perry'ego, stawiam kołnierz i biorę czerwone szelki. Potem to już tylko potraktowane bielinką dżinsy podwinięte tak wysoko, że widać moje czarne docsy w pełnej krasie. Ojciec ogląda mnie tak ubranego co rano i wywraca oczami. Tłumaczyłem mu mnóstwo razy, ale do dziś nie wie, co to mod ani dlaczego jego meksykańsko-amerykański syn chce kimś takim być.

Nie rozumie, że w moim pokoleniu kultura wygląda inaczej, że musimy wybierać. Nie jest tak, jak było, kiedy on miał tyle lat co ja teraz. Teraz rządzi *cholo*. Gangsterka. Samolubstwo. Nie rozumie, że uratowała mnie muzyka. Ska, two tone, wytwórnia Trojan, to mnie trzyma z daleka od tych spraw. Czasem wydaje mi się, że stary byłby szczęśliwszy, gdybym gangsterzył na mieście, bo to przypominałoby mu dawne lata, chociaż nigdy o tym nie mówi – a przecież ma blizny, których się nie nabawił na budowach, mimo że tak właśnie twierdzi.

Za to matka mnie rozumie. Jest szczęśliwa, że nie robię w branży. Tak naprawdę to z jej powodu ciągle mieszkam w tym domu, chociaż rok temu skończyłem szkołę. Wyszła już do roboty. Wczoraj wieczorem dostała telefon, że otworzą dzisiaj biuro rachunkowe, w którym pracuje, po tym, jak było nieczynne z powodu zamieszek, więc wyszła wcześniej, zanim się obudziłem, bo przestraszyła się z powodu tych doniesień w wiadomościach o strzelaniu do ludzi. Gdy jej nie ma, mnie i ojcu jeszcze trudniej rozmawiać spokojnie.

3

Siedzi przy stole w kuchni, polewając omlet keczupem, bo jest jedynym Meksykaninem na świecie, który nie używa do tego salsy. Mówi, że może jeść, jak mu się podoba, bo sam za to płaci.

Siadam i od razu pytam.

– Czego chcesz, tato?

– Jak to czego chcę? – Wymach widelcem w moją stronę. – Chcę zjeść śniadanie.

– Dobra, ale dlaczego zrobiłeś też dla mnie? Jaki masz motyw?

Nadyma się i wpycha sobie widelcem kawałek do ust.

– Motyw? Za dużo naoglądałeś się telewizji, *mijo*, skoro używasz takich słów.

Asekuruje się, bo wie, że go rozgryzłem. Wyraźnie czegoś potrzebuje ode mnie. Wystarczy poczekać, żeby się przekonać. Patrzę przez okno na niedokończoną fontannę w ogródku wyłożoną do połowy kafelkami.

Ma kształt okrągłego trzypiętrowego tortu weselnego i fosę u podstawy. Wygląda jak cmentarzysko dla pękniętych tęcz, bo kafelki są zielone, czerwone, niebieskie i żółte, fioletowe i białe, wszystkie pomieszane. Zamówienia ojciec wykonuje z dobrych materiałów, ale we własnym domu używa taniochy, dlatego wykłada fontannę pękniętymi kafelkami uratowanymi ze sklepu. Sieroty, tak je nazywa i dodaje, że musi znaleźć dla nich dom, że to jego pokuta. Pytałem, o co mu chodzi z tą pokutą, ale mi nie wyjaśnił.

Przez bite pół minuty patrzy na mnie, jakbym był skończonym dupkiem, i wreszcie mówi:

– Musisz pojechać ze mną do Compton i sprawdzić wiktoriański dom. Weź któregoś z kolegów. Nie wiadomo, czy tam jest bezpiecznie.

Uznaję, że zadzwonię po Kerwina, że pewnie już nie śpi, ale skoro tak, to ojciec musi mi się czymś zrewanżować.

– Dobra – odpowiadam. – Tylko że chcę zahaczyć o szpital i zobaczyć, co z Cecilią.

Wzdycha.

– Ta dziewczyna to duże kłopoty, synu. Trzymaj się od niej z daleka.

– Chcę się tylko dowiedzieć, jak się czuje.

Nie zamierzałem okłamywać Momo. Po prostu jakoś tak wyszło.

Siedziałem sobie w domu i oglądałem wiadomości o tym, co się dzieje na mieście, a w następnej chwili Momo wyrósł na moim trawniku z samochodem pełnym *cholos* za plecami. Nie spodziewałem się tego, spanikowałem. Wyszedłem na dwór i zanim się zorientowałem, to go okłamałem w sprawie Cecilii. Okłamałem go, bo wyglądało na to, że ją zabije, jak się dowie, gdzie ona jest.

Bo tak naprawdę nie uciekła. Nawdychała się dymu, ale było coś jeszcze. Nieźle się nagrzała. Tę jej martwotę przerywały napady paskudnego kaszlu. Położyłem ją na tylnej kanapie w hondzie mojej matki i pojechałem do szpitala św. Franciszka przy MLK i Imperial. Wypełniłem papierki, najlepiej jak umiałem, ale znałem tylko jej imię, bo spotkałem ją kilka miesięcy wcześniej, no i jeszcze adres Momo. Jak ją wwozili na oddział, to jej powiedziałem, że wpadnę później. Mówiłem serio.

W tej chwili jednak ojciec patrzy na mnie jak na kretyna, bo według niego wychodzi na to, że startuję do dziewczyny dilera. Do dziewczyny, do której w ogóle nie powinienem startować, gdyby nawet mnie pociągała – a nie pociąga – bo przecież powiedziałem Momo, że nic jej się nie stało i że sobie poszła, oficjalnie nie ma jej w Lynwood i nie jest podłączona do respiratora, więc i tak mam duże kłopoty.

– No dobra – odpowiada w końcu.

Zdecydowanie on i ja to ta sama krew. Powiedział to dokładnie tak samo jak ja, gdy się zgodziłem zjeść z nim śniadanie, w stylu, że nie jest zachwycony, no ale okej, niech będzie. Zawiezie mnie do szpitala.

Mamy umowę.

4

W południe ruszamy do szpitala, ale gdy jesteśmy na MLK, ojciec pyta, czy chcę zjeść lunch, i chociaż mu mówię, że nie jestem bardzo głodny, nie zwraca na to uwagi, tylko odbija i parkuje przy Tom's Burgers. Cały on, myślę, nie słucha, zawsze robi to, co chce. Lokal znajduje się idealnie naprzeciwko szpitala. Zdaje się, że tata musi mi coś udowodnić. Nie chciał tu przyjeżdżać, więc teraz będzie utrudniał.

W środku jest ruch. Idziemy małą arkadą w głąb, żeby zamówić. Czarny dzieciak gra na bilardzie elektronicznym, a dwaj koledzy mu dopingują. Dwa inne automaty stoją niezajęte. Ten lokal to dzielnicowa knajpa, swojak – co znaczy, że jedzenie jest tanie, sycące i czasem smaczne – a na widok mnóstwa rodzin siadających do stołu i par zajadających razem frytki przychodzi mi do głowy, że życie wraca do normy, przynajmniej trochę. Nieznajomi nie uśmiechają się do siebie, a jednak mam wrażenie, że pozostali też tak czują. Nie widać już rozbieganych oczu. Ludzie nie garbią się nad talerzami. Próbują znowu żyć. Czekamy w ośmioosobowej kolejce, zadymione jak cholera, bo wszyscy palą papierosy. Przez cały czas, jak tam stoimy, żałuję, że nie jesteśmy w Tam's na Long Beach. Mają najlepsze serowe frytki chili. Wiem, wiem: Tam's, Tom's – można się pomylić. Ale nie, gdy człowiek mieszka w Lynwood. Wszyscy moi znajomi wolą Tam's, tylko że to daleko od szpitala.

– Zorientuj się, co chcesz – mówi ojciec. – Bo od razu zamawiam, jak dojdziemy.

– Okej – odpowiadam.

Kolejna odzywka rodu Rivera.

Tata zawsze wie, czego chce, a gdy ja nie wiem – w jakiejkolwiek sprawie – doprowadzam go do szału. Czasem wykorzystuję to na swoją korzyść, ale w taki dzień jak dziś, kiedy nie jestem wcale głodny i w ogóle nie chcę tu sterczeć, to niech mu będzie, więc lustruję menu na ścianie za kasą. Decyduję się na cheeseburgera. To niczym nie grozi. Żadnego sosu tysiąca wysp, cebuli. Za to jalapeño. Keczup sam sobie zaserwuję. Zawsze stoi w kącie z dodatkami.

Przychodzi nasza kolej i mówię dziewczynie za ladą, co chciałbym zamówić. Zapisuje.

– To wszystko? – pyta.

– Wszystko – potwierdzam.

– Przecież się tym nie najesz – wtrąca się ojciec. – A potem mi będziesz mówił, że jesteś głodny. Weź jeszcze frytki.

Co za obciach. Oczywiście obciach byłby mniejszy, gdyby dziewczyna za ladą nie była taka ładna. Bo jest ładna. Ma plakietkę z imieniem Jeanette i już chcę ją przeprosić za ojca, gdy nagle facet stojący z tyłu klepie go w ramię. Ojciec się odsuwa, a tamten już nadaje:

– Proszę pana, nie zamierzam specjalnie robić problemów, ale umieram z głodu. Jestem cukrzykiem i nie jadłem porządnie, od kiedy to wszystko się zaczęło. – Brzmi to, jakby czytał litanię. – Podpalili jednego faceta, miał na imię Terry, trochę dalej, nad rzeką...

I tak ględzi. Może to prawda, a może dyżurna nawijka, ale jakoś mi się nie wydaje. Ojciec mu się przygląda – to czarny koleś, który ewidentnie miał ostatnio ciężkie dni. Wygląda jak menel. Wygląda na skonanego, ten czarny o jasnawej skórze. Ma co najwyżej sto sześćdziesiąt parę centymetrów wzrostu, ubrany w długą, czarną bluzę i brudne szorty, które ledwo przykrywają patykowate nogi. Podpiera się laską z przywiązanymi piórami. Włosy splótł w mały kucyk, który na końcu jest wiotki i wystrzępiony; ma wielką szramę na nosie, w kształcie litery „c", jakby ktoś chciał mu odciąć nozdrze i chybił, do tego policzki upstrzone jasnymi piegami i w ogóle sprawia wrażenie, jakby był nagrzany ponad ludzkie wyobrażenie – źrenice wielkie, że ledwo widać niebieskie tęczówki dokoła.

Ojciec mówi mu, żeby w takim razie złożył zamówienie przed nami, a to bardzo dziwne, bo nigdy się tak nie zachowuje. Facet prosi o cheeseburgera z bekonem i frytki z dodatkową porcją przyprawionej soli. A potem mówi mi, że mój ojciec to dobry człowiek, i pyta, jak mam na imię, no to odpowiadam, że Mikey. Pyta też ojca i dowiaduje się, że jednak Miguel. Potem się przedstawia. James. I dodaje, że cieszy się, że nas poznał, no i nic dziwnego, bo ojciec właśnie mu fundnął posiłek. Widzę, że już się odkleja mentalnie, ale tamten znowu mu dziękuje za okazaną dobroć. Ojciec chce, żeby go zostawić w spokoju bez względu na to, co zrobił.

W trakcie tego wszystkiego przyglądam się, jak Jeanette wprowadza zamówienie i dopisuje „na wynos" na rachunku, i całe szczęście, bo James nawija teraz o wojnie w Wietnamie, o tym, że jest weteranem i jak dzisiaj w tym kraju to nikogo nie obchodzi, po czym mu się wajcha w głowie przestawia i gada o rzece.

Ludzie na nas patrzą, ojciec płaci. Czekamy na resztę. Ja, wpatrując się uparcie w pęknięty kafelek na podłodze, jeden z milionów różnych kamyków sprasowanych na płask. Ojciec by wiedział, jak to się nazywa.

– Posłuchaj – przerywa wreszcie ględzącemu Jamesowi. – Kupiłem ci jedzenie, zaraz ci przyniosą, więc idź i usiądź sobie grzecznie, nie zaczepiaj ludzi. Mamy własne problemy. Nie musimy wysłuchiwać twoich.

To się może wydawać chamskie, ale tak wygląda prawda. Każdy ma swoje problemy. Tak to jest. Najlepiej walić prosto z mostu, powiedzieć od razu, co można, a czego nie można.

– Sakramenckie ludzie – odpowiada James. – Nie trzeba być niegrzecznym.

Nie wiem, co znaczy „sakramenckie", ale akcent ma jak z Południa, nie stąd. Lekki zaśpiew, miękkość, która nie pasuje do jego steranego wyglądu. Próbuję go rozgryźć, jednak w tej samej chwili ojciec łapie mnie za łokieć, ale się wyrywam i rzucam mu wściekłe spojrzenie. Patrzy na mnie, wzdycha i idzie do stolika w kącie. Ja ruszam po dodatki, biorę keczup, butelkę tapatío i jakieś serwetki. James człapie za mną.

– Mnie mówić, żebym nie zaczepiał ludzi – nadaje. – To pomieszanie przesłań. Angeles nigdy by tak nie powiedziała. Nigdy by tak.

– Payasa – odzywa się męski głos przy sąsiednim stoliku. – Weź, kurwa, ogarnij sytuację.

5

Umięśniona dziewczyna sporo wyższa ode mnie wstaje z krzesła przy stoliku z trzema kolesiami i wcina się między Jamesa a mnie. To prawdziwa *chola*. Widzę po tym, jak mnie kosi spojrzeniem. Ma jasnobrązowe oczy, w kolorze butelki po piwie, przez którą przebija światło.

– Przepraszam – odzywa się. – Czy ten facet ci się naprzykrza?

– Nie – odpowiadam. – Wszystko w porządku.

– To dobrze – mruczy, ale odwraca się twarzą do Jamesa. – Lepiej wyjdź, jak chcesz zjeść to, co ci kupili ci mili ludzie. Nie musieli tego robić. Ja bym nie zrobiła.

Przesuwam się do stolika, przy którym siedzi mój ojciec. W oczach Jamesa widzę teraz gniewne spojrzenie, błyski szaleństwa.

– To wolny kraj – odpowiada. – Jestem sakramencki weteran.

– Wiem, słyszeliśmy już, nie jesteśmy głusi. Dziękujemy za twoją służbę, a teraz wyświadcz wszystkim grzeczność i zamknij mordę.

Jamesowi szczęka opada. Zaczyna fukać i podciąga rękaw, żeby odsłonić dwie długie szramy biegnące przez całe przedramię.

– Maczeta – wyjaśnia, przesuwając palcem po bliźnie. – Weteran, wy sakramenckie skurwysyny! To wolny kraj!

Znawcą nie jestem, ale rzeczywiście wygląda to na ślad po maczecie. Zerkam na ojca, żeby zobaczyć, co myśli, ale ma spuszczoną głowę, czyta gazetę, którą zabrał ze sobą po śniadaniu. „Bradley znosi godzinę policyjną" – głoszą na pierwszej stronie, a pod spodem: „Odmówił komentarza w sprawie wyjazdu wojska".

– Jezu – wzdycha Payasa. – Co za bzdura.

Wsuwam się do boksu, patrząc, jak dziewczyna podciąga koszulę, żeby pokazać kratkę z blizn na boku.

– Tamto to żarty. To są prawdziwe ślady.

Wygląda, jakby ślepiec próbował napisać cyfry rzymskie na jej ciele, głównie I, X i V. Dopiero po chwili dociera do mnie, że to chyba stare rany po nożu. Zdążam naliczyć dziesięć i tyle, bo koszula opada.

– Wolny kraj – mówi Payasa – ale tylko jak zapłacisz frycowe.

Wydaje się, jakby chciała przestawić Jamesowi maskę.

On chyba też dochodzi do takiego wniosku, bo robi krok w tył.

– Ja już zapłaciłem – odpowiada, a właściwie skomli. Przegrał starcie, niby nie wiadomo dlaczego, ale tak właśnie się stało, bo zachowuje się już inaczej, jest zgarbiony. – Zapłaciłem daninę krwi, ot co. To jest czarne miasto!

Ludziom już wcześniej to przedstawienie odebrało apetyt. Ale teraz, jak pojawiła się kwestia rasy, sala pęka na dwie równe części. No bo jak spojrzeć, to jest mniej więcej po połowie, czarni i Latynosi, z rodziną Samoańczyków dorzuconą na dokładkę. Widać gołym okiem, jak ludzie w głowach opowiadają się po jednej albo drugiej stronie, szykują do reakcji, gdyby coś zaczęło się dziać. Ojciec bierze butelkę tapatío ze stołu i obraca ją w zaciśniętej pięści do góry dnem, jakby na serio zamierzał jej użyć, gdyby zaszła konieczność. Jest tak cicho, tak spokojnie, że o mało tego nie przegapiłem. Cały czas nie odrywa wzroku od stron sportowych z tytułem: „Lakersi nie dadzą się wyeliminować".

Payasa parska śmiechem. To wcale nie rozładowuje napięcia na sali. Tylko pogarsza sytuację.

– Nie – odpowiada – to nie jest czarne miasto, ale może powinieneś jeszcze pobyć u nas przez chwilę. Za dziesięć lat nie kupisz tu nawet żeberek, wszędzie będą tylko stoiska z taco.

Jamesowi gały prawie wychodzą z orbit. Wygląda, jakby miał eksplodować.

– A wiesz dlaczego? – ciągnie Payasa. – Bo my się bzykamy więcej od was. Mamy więcej dzieci i trzymamy się razem. Już wygraliśmy. To tylko kwestia kiedy.

James otwiera usta, ale dziewczyna za ladą ratuje sytuację. Podaje mu torbę z zamówionym jedzeniem. On patrzy na nią, na Jeanette. Ona porusza cicho ustami: „Idź pan już". On chyba dochodzi do wniosku, że to nie najgorszy pomysł, bo kieruje się tyłem do drzwi, wpatrzony w Payasę.

– Ta – odzywa się znowu *chola*, bardzo z siebie zadowolona. – Tak myślałam. Wracać do swojego jedzenia, wszyscy. Jest spokój. Przedstawienie się skończyło.

Rozsiada się, a ojciec odstawia butelkę tapatío na stół, przysuwa sobie cienką blaszaną popielniczkę, sięga do kieszeni na piersi i wyciąga paczkę fajek. Posyłam mu spojrzenie, żeby wiedział, że nie uśmiecha mi się jeść obok palącego, ale od razu rewanżuje się tym samym.

– Że co? Zgaszę, jak będziesz szamał – mówi.

Po drugiej stronie ulicy widać szklaną wieżę Świętego Franciszka przyklejoną do prostokątnego budynku i zwieńczoną krzyżem. Obok jest centrum handlowe wykończone białym sidingiem, który ojciec na pewno uznałby za ohydę. Na końcu centrum znajduje się kantor z chwilówkami, przed którym stoją strażnicy uzbrojeni w karabiny. Dwa numery dalej jest salon pielęgnacji paznokci, ale zamknięty. Od tego wszystkiego o wiele bardziej interesująca jest Payasa.

Spoglądam na nią, w stronę stołu, przy którym siedzi. Patrzy w bok, porusza umięśnionymi ramionami. Włosy ma związane mocno w dwa warkocze po bokach głowy. Wyglądają jak kitki, tylko bardziej złowrogo. Właściwie to nigdy wcześniej nie widziałem gangsterówy. No, tu i tam, ale nie tak z bliska, nie jako rozgrywającą.

Patrzę przez chwilę na jej stolik i wreszcie dociera do mnie, dlaczego to ona musiała interweniować. Pozostali trzej są trochę pokasowani. Nie trzeba być mędrcem, żeby się domyślić, że właśnie wyszli ze szpitala. Jeden z nich siedzi na wózku inwalidzkim, z podniesioną nogą i ręką na temblaku. Chudzielec obok ma bandaż na głowie i dostrzegam, że wlepia gały w rękę mojego ojca – dokładnie to chyba w bliznę. Ma martwy wzrok, taki sam, jak czasem ojcu się robi, kiedy nie chce, żeby ktokolwiek wiedział, co myśli; ale coś tam się dzieje w tej głowie, bo nagle facet odsuwa jedzenie i odwraca się całkiem do okna. Zastanawiam się, o co mu chodzi.

Ostatnio staram się mieć uszy otwarte, żeby słyszeć różne historie, i domyślam się, że musiało być ostro, skoro tych trzech tak wygląda. Dochodzę też do wniosku, że nie chciałbym się spotkać z tymi, którzy ich tak załatwili, bo sami wyglądają na niezłych twardzieli. Chodzę do El Centro Community College, gdzie uczę się zarządzania małym biznesem, bo ojciec chce, żebym mu pomagał w interesach, ale tak naprawdę chcę być pisarzem, więc wkradam się na lekcje angielskiego, kiedy tylko mogę.

– Mój burger jest przesmażony – odzywa się ten na wózku. – Trzeba było wbić do Tam's.

– Nie przejmuj się – odpowiada największy z nich. Częściowo wytatuowaną rękę pokrywa świeży gips, na którym nie ma jeszcze żadnych bazgrołów. – Gdybym mógł gotować, nie musiałbyś tego jeść, ale nie mogę. Ta knajpa jest blisko, dlatego tu siedzimy. Smacznego.

Gada jak mój ojciec, żywiciel rodziny – mocno wykorzystywany i zmęczony życiem.

– Fakt, mój błąd – przyznaje tamten.

Potem to już niewiele gadają i przychodzi mi do głowy, że oni też są nieźle zmaltretowani. Kończymy z ojcem jeść, bo się postawiłem i nie tknąłem frytek, które zamówił. Sam je wtranżolił, patrząc na mnie wymownie.

Gdy wychodzimy, czuję na nas czyjś wzrok, ale się nie odwracam. Idziemy na parking i wtedy dostrzegam autobus zaparkowany przy Norton. Cały bok ma zabazgrany graffiti, ale nie widzę dokładnie. Chyba „F" i coś. „P" i „K" może? Wygląda jak „K". Idę w tamtą stronę, przechodzę przez niski murek na parking przy banku. Z tego miejsca patrzę na tył autobusu i wreszcie mogę to przeczytać, bo jest wyraźne jak słońce: ERNIE. W podstawie drugiego „E" dopisano R.I.P.

– Widzisz? – rzucam do ojca.

– Jasne – odpowiada, szukając kluczy.

Wsiada, ale ja dalej tam stoję, bo to niezły widok. Tuż obok warczy nasz pikap, więc się cofam. Przychodzi mi do głowy, że coś takiego pojawia się tylko wtedy, kiedy komuś bardzo zależy i kiedy stało się coś bardzo smutnego. Że to na czyjąś cześć i że to ma być zauważalne. Nie wszyscy, którzy to widzą, od razu się przejmują, ale gdy skierują na to oczy, przynajmniej będą wiedzieć, że to istnieje. Zaczynam się zastanawiać, jaką historię miał Ernie, co przeżył, że jego imię wylądowało w ten sposób na autobusie.

Ojciec trąbi na mnie klaksonem.

– No dobra, dobra, idę! Nie musisz hałasować.

– To ty się uparłeś, żeby jechać do szpitala! – wrzeszczy przez zamknięte okno w szoferce.

Ma rację. Jasne, że ma rację, ale od kiedy wybuchły rozruchy, coś się we mnie zmieniło, bo zaczynam zauważać różne rzeczy. Zaczynam widzieć, zaczynam dostrzegać moje miasto. Wcześniej przestałem. Poruszanie się po L.A. było tylko przerwą między robieniem ważnych rzeczy, takich jak jedzenie i włóczenie się z przyjaciółmi, ale teraz, po pięciu dniach, gdy wjechała Gwardia Narodowa, gdy wjechali marines i znowu zrobiło się bezpiecznie, poruszanie się po mieście stało się właśnie rzeczą ważną.

Zerkam ostatni raz na ERNIEGO, z nadzieją, że miał dobre życie, najlepsze, jakie mógł, biorąc wszystko pod uwagę, ale zaraz potem wydaje mi się to głupotą, bo przecież go nie znałem, więc wsiadam do pikapa i jedziemy.

6

W drodze do pokoju, w którym leży Cecilia, na intensywnej terapii, w windzie, w której pachnie amoniakiem i pączkami, podsłuchuję rozmowę dwóch pielęgniarek o czymś, co wydarzyło się w piątek wieczorem na izbie przyjęć.

– Ci dwaj gangsterzy wparowali, wymachując bronią – mówi niższa. – Nikt nie wie, dlaczego przyszli, ale przyszli. Podeszli do trzyosobowej rodziny poparzonej w pożarze domu, poparzenia lekkie, no wiesz, ale mimo wszystko, i czekali na opatrunki, przykładając sobie mokre ręczniki do rąk i szyi, a ci dwaj doskoczyli i wycelowali im w twarze, nawet małej dziewczynce.

Wyższa pielęgniarka wzdycha z zatroskaniem i pyta:

– Ile lat miała ta dziewczynka?

– Na pewno nie więcej niż jedenaście, dwanaście. Najdziwniejsze było to, że tym dwóm chyba o nic nie chodziło. Nie chcieli nikogo obrabować. Nie zażądali portfeli. Jakby przyszli tylko po to, żeby sterroryzować ludzi, wiesz? Żeby się popisywać jak twardziele czy coś.

– Nigdy nie znałam żadnych gangsta, którzy by się tak popisywali bez powodu. Może szukali kogoś i nie mogli znaleźć? – Wyższa pielęgniarka prycha. – Ile to trwało?

– Ze dwadzieścia minut. Potem zjawiło się czterech z Gwardii Narodowej, wycelowali w nich karabiny i kazali im się wynosić w cholerę, bo inaczej będą poważne konsekwencje. Tak powiedzieli. Poważne konsekwencje.

W tej chwili pager jednej z nich wydaje trzy piskliwe tony. Nie wiem której, bo wsiedliśmy z ojcem do windy jako ostatni i grzecznie stoimy twarzą do drzwi. Słyszę, że obie sprawdzają.

– Obowiązki – mówi wyższa i wysiada, gdy dojeżdżamy na trzecie piętro.

My walimy na piąte i ku mojej uldze niższa pielęgniarka zostaje w środku.

– Przepraszam, że podsłuchiwałem – odzywam się – ale co się stało potem, gdy weszła Gwardia Narodowa?

Zerka na mnie przez chwilę, jakby chciała się przekonać, czy warto mi opowiedzieć resztę. Ma czarne włosy, niebieskie oczy i lekko zadarty nos, jak skocznia narciarska.

– Tamci się wycofali, mówiąc, że coś tam okej, nie ma problemu, tak tylko żartowali.

– Rany, niezłe żarty – wyrywa mi się.

Wzrusza lekko ramionami i przekrzywia głowę w moją stronę, jakby się chciała zorientować, czy żyję pod kloszem, czy jestem naiwny, bo tutaj członkowie gangów cały czas robią najprzeróżniejsze rzeczy, więc dlaczego nie mieliby zrobić czegoś jeszcze bardziej zwariowanego, skoro nie było nikogo, kto mógłby ich powstrzymać? Nie jestem ani taki, ani taki. To znaczy ani nie spod klosza, ani naiwny – ale ona o tym nie wie. Za to się speszyłem, bo jest bardzo ładna. Ciekawe, czy to wyczuła. Wyczuł ojciec, dostrzegam uśmieszek na jego twarzy.

Zapada dość niezręczne milczenie, a ja się zastanawiam, czy to koniec tej historii.

– I tyle? – pytam. – Wyszli?

– Ehe – potwierdza pielęgniarka. – Wyszli. A w szpitalu wszyscy zaczęli bić brawo.

– Nieźle – stwierdzam. To nie najlepsza odpowiedź, ale przynajmniej coś bąknąłem.

Wysiadamy na piątym piętrze. Ja dziękuję jej za wyjaśnienia, a ona mruga do mnie tymi swoimi niebieskimi oczami i mówi:

– Nie ma sprawy.

Drzwi się zamykają.

7

Godziny odwiedzin zaczynają się o wpół do jedenastej, ale my przyszliśmy teraz, parę minut po pierwszej. Dla mnie korytarze we wszystkich szpitalach wyglądają tak samo: białe ściany, białe kafelki na podłodze, jarzeniówki, no i bezosobowość, czystość, akustyka. Pielęgniarka za biurkiem, z dziwnymi, ułożonymi piętrowo włosami wyglądającymi jak zszarzała kapusta, mówi nam, że Cecilia właśnie kończy lunch i że zamierzają ją wypisać do... Urywa.

– Przepraszam, czy panowie jesteście z rodziny? – pyta. – Mogę udzielać informacji tylko osobom z rodziny.

Mówię, że nie, zanim ojciec zdąży otworzyć usta. Wiem, że by zaprzeczył.

– To dobrze. Bo gdybyście byli, musiałabym mocno przycisnąć w sprawie pokrycia kosztów i ubezpieczenia. Ostatnio sporo pracujemy za darmo.

Pielęgniarka podaje nam listę odwiedzających, a gdy wpisuję siebie i ojca, dodaje, że w szpitalu jest za dużo pacjentów. Więc w tej chwili tylko ratują i wypuszczają do domu. Potem kieruje nas do pokoju, w którym leży Cecilia. Idziemy. Drzwi są otwarte.

Pokój normalnie jest przeznaczony dla dwóch osób, ale teraz oprócz dwóch zwykłych łóżek wtoczono tam łóżko do przewożenia chorych, przy ścianie, pod telewizorem. To i jedno z tamtych dwóch są puste. Za oknem widzę Lynwood Park i całą zieleń, pięć pięter niżej. Jest tam też boisko do baseballu i plac zabaw z żółtą taśmą rozpiętą dokoła.

Pukam we framugę. Cecilia stoi na środku, wciska się w dżinsy. Włosy ma zmatowiałe i mokre od kąpieli pod prysznicem, ciężkie na ramionach, a na T-shircie z hasłem MARATON LOS ANGELES, TWOJE ŻYCIE, 1989 pojawia się coraz większa plama. Gdy ją przywieźliśmy, miała inne ubranie.

– Używane – rzuca, jakby czytała w moich myślach. – Możesz uwierzyć? Co za gówno! Oni mi mówią, że moje ciuchy były za bardzo zadymione i musieli je wyrzucić. Że stanowiły zagrożenie. Według mnie kłamią. – Gmera przy górnym guziku spodni. Jest bledsza niż ostatnim razem, jeśli to w ogóle możliwe, jakby szczuplejsza, jakby wypociła z pięć kilo. Zadrapania na podbródku i policzku się podgoiły. W sumie wygląda lepiej. – Chcą mnie wysłać na leczenie, ale w dupie to mam. – Jakoś dziwnie mówi. Jakby nas dostrzegała, ale jednak nas nie było. Jakby te słowa kierowała nie do nas, tylko ogólnie, ktokolwiek stałby w drzwiach. – Oni myślą, że są tacy cwani – ciągnie – mówią, że mam szczęście, bo nie doniosą policji, że brałam prochy, ale ciekawe, jak chcieliby to zrobić, skoro nie znają mojego nazwiska? – Śmieje się, jakby była piekielnie bystra, a ja czuję na sobie spojrzenie ojca mówiące: „Powiedziałem ci, że ta dziewczyna jest popierdolona". Jego wzrok pali mnie w policzek, ale udaję, że nie zarejestrowałem. – Muszę wracać do Momo – stwierdza Cecilia.

Super. To najgorsza rzecz, jaką mogłem usłyszeć. Nawet nie wiem, jak zareagować, więc dukam:

– To chyba niedobry pomysł. Bo mogłabyś teraz zacząć od nowa.

Spojrzenie ma jeszcze bardziej błędne, jakbym zasugerował kompletne szaleństwo.

– Właśnie że świetny pomysł – odpowiada. – Chcę do Momo. To z nim mogę zacząć od nowa.

Już czuję, że przegrałem, więc robię coś ryzykownego. Nie mam wyboru.

– Dla nas dwojga lepiej będzie, jak nie będziesz pamiętała, jak się znalazłaś w szpitalu. Momo myśli, że cię uratowałem, że nic ci się nie stało i jeszcze że wyłudziłaś ode mnie trzydzieści jeden dolarów i się ulotniłaś. Zapamiętasz tę sumę, jak cię spyta? Trzydzieści jeden.

Teraz z kolei Cecilia ma przerażoną minę.

– Dlaczego miałabym go okłamywać? Momo nie okłamię. Kocham go.

I tak to się ciągnie: ja namawiam ją, żeby się dostroiła do tego, co powiedziałem Momo, a ona się opiera, więc w ogóle nie posuwamy się do przodu i w końcu wychodzę sfrustrowany i przestraszony, co mnie czeka, jak Momo się dowie, że go okłamałem. Bo gdy się dowie, będzie chciał poznać powody, a ostatnią rzeczą, jaką ostry gość chce usłyszeć w takiej sytuacji, jest to, że próbowaliście zrobić to, co należało, czyli ochronić przed nim biedną dziewczynę.

Ojciec nic nie mówi – ani w korytarzu, ani w windzie, o nie, wytrzymuje dość długo i dopiero w lobby pyta:

– Jak myślisz, czy twoje życie nie byłoby teraz prostsze, gdybyś pozwolił jej spłonąć? Zamiast się mieszać.

Nie odpowiadam. Walę prosto do wyjścia.

– Posłuchaj – nadaje do moich pleców. – Nie martw się tym. Jak ona do niego wróci, to będzie okej. Niech wraca. Nie pierwszy raz kobieta chce wrócić do złego mężczyzny. Kogo obchodzi, co mu powie?

Ojciec ma mnóstwo wad, ale nigdy nie uderzył matki.

Zatrzymuję się w pół kroku. Odwracam się.

– Jak to?

– To ćpunka, *hijo*. Obudź się! Momo wie o tym najlepiej, bo prawdopodobnie przez niego taka jest. Zdaje sobie sprawę, że nie może jej ufać, bo dom mu się sfajczył, jak go zostawił pod jej opieką. Teraz wszystko, co ona powie, będzie wyglądało jak wymówka. Będzie wyglądało, że chce chronić swój tyłek. Nieważne więc, co mu powie. Nawet jak Momo przyjedzie z tobą pogadać, to i tak tobie prędzej uwierzy niż jej.

Unosi brwi.

– Skąd to wiesz? – pytam.

Wzdycha znowu i zaczyna z uwagą oglądać linoleum pod stopami. Plastik, ze wzorkiem, żeby udawać biały kamień. Kopie czubkiem roboczego buta, bo uważa, że to gówniana taniocha, ale właściwie rozumie, bo łatwo coś takiego wyczyścić.

Podnosi wzrok i patrzy na mnie, jakby się zastanawiał, co mi powiedzieć, a potem wzrusza ramionami i mówi:

– Twój stary wie więcej, niż ci się wydaje.

Cały on, mówić, że coś wie, nie mówiąc nic konkretnego. Z tym nie da się walczyć. Mój ojciec, ekspert we wszystkim.

– Boję się, że jak ona wróci, to on ją zabije.

– *Mijo*, to nie twoja dziewczyna, więc się o nią nie martw. Jesteś za wrażliwy. Za miękko cię wychowałem czy co? To już nie twoja sprawa, co się teraz będzie działo.

Proszę bardzo. Każda rozmowa, w której się ścinamy, kończy się stwierdzeniem, że jestem za wrażliwy.

– Naprawdę myślisz, że szkoda zachodu, żeby próbować uratować komuś życie? – pytam.

Marszczy czoło i robi smutną minę. Poklepuje się po kieszeni na piersi w poszukiwaniu fajek, a potem wyjmuje powoli paczkę. Wyciąga brązowego papierosa i celuje nim we mnie.

– *Hijo*, przecież już jej uratowałeś życie, jak ją wyciągnąłeś. Ale nie możesz ratować ludzi przed nimi samymi. Reszta należy do niej. Poza tym uwierz mi, ćpuny zawsze sprawią ci zawód, zawsze zachowają się tak, że pożałujesz, że w ogóle próbowałeś.

Brzmi to mocno dosadnie, jakby sam kiedyś próbował ratować „ćpuna" i nie zdołał, a to dziwne, i nie wiem, jak zareagować, bo nigdy wcześniej nie słyszałem, żeby używał tego słowa, więc spuszczam wzrok i spoglądam na zegarek. Minęła już godzina, na którą umówiłem się z Kerwinem, ale nie muszę dzwonić. Jak podjedziemy, żeby go zgarnąć, będzie siedział spokojnie przed domem, będzie czekał.

Ojciec rusza i wychodzi przez rozsuwane drzwi, za którymi trwa popołudnie, jasne i chyba gorące. Spodziewa się, że za nim pójdę, ale daje mi moment na ochłonięcie. Na dworze jeżdżą samochody, wolno, ostrożnie. Sprawia to wrażenie, jakby świat od nowa zabierał się do życia, ale z wahaniem, bo najpierw rozgląda się na boki.

8

Zgarniamy Kerwina, który czekał na zewnątrz, tak jak przewidziałem. Ma wybór: może usiąść na tyle albo wcisnąć się do szoferki, obok ojca i mnie. Woli pakę i dobrze, bo jest wielki i czarny – ma prawie metr dziewięćdziesiąt wzrostu, szerokie bary i lekki brzuszek. Cieszymy się z ojcem, że nie musimy się z nim dzielić kanapą. Kerwin opiera się łokciem o kartonowe pudło, które ojciec wrzucił na pakę. Otwieram okienko z tyłu i krzyczymy do siebie. On zaczyna:

– Pamiętasz, jak ci czarni kolesie rzucali w nas oponami, jak zaliczaliśmy pożary?

Zerkam na ojca, ale myśli ma zajęte czymś innym, więc mogę odpowiedzieć swobodnie:

– To było w realu? Myślałem, że mam halucynacje.

– Sto procent realu – odpowiada ze śmiechem Kerwin.

Gramy w jednym zespole. Forty Ounce Threat. Ja gram na basie i śpiewam. Kerwin to gitara prowadząca. Głównie to oi!, uliczny rock and roll.

Ojciec wiezie nas do Compton, a ja zajmuję się radiem. Odnajduję KRLA, licząc na soul, ale leci akurat doo wop, którego nie znam. W lusterku widzę Kerwina kiwającego głową, gdy z Imperial skręcamy w lewo w North Alameda. Odkręcam szybę, żeby lepiej widzieć przesuwające się do tyłu miasto.

Jedziemy tylko z sześć przystanków, coś koło tego. Cała okolica ma charakter mocno przemysłowy, produkcyjny, i nie widać żadnych śladów po rozruchach. Są zakłady sprzedające szyby samochodowe, granit, drewno. Mijamy Del Steel i tamtejsze magazyny wyglądają na nietknięte. Firma robi różne ozdoby. Ojciec współpracuje z nimi czasem. L&M Steel, czyli te magazyny z wypukłym dachem, też wygląda dobrze. Ojciec mówi, że w latach sześćdziesiątych ta okolica tętniła życiem, interes kwitł, ale dzisiaj wszystko padło i dogorywa. Bo jest tańsza stal z Chin, przyjeżdża już szlifowana albo po obróbce cieplnej. W dodatku amerykańscy pracownicy kosztują dużo pieniędzy. Dlatego produkcja od pewnego czasu wynosi się gdzie indziej. Zaczęło się jeszcze przed kryzysem.

Piosenka się kończy i wchodzi didżej, mówi, że burmistrz Bradley zniósł godzinę policyjną, więc już. Rozruchy minęły.

„Witamy w normalności". Didżej mówi to z ironią.

Ojciec prycha.

Na ulicach wygląda teraz zwyczajnie. No, przynajmniej tak zwyczajnie, jak było przed rozruchami. Widzę takie South Central, jakie zawsze znałem: przeważnie spokojne, z ludźmi załatwiającymi swoje sprawy, pracującymi ciężko. A jednak wszyscy na całym świecie myślą, że Los Angeles to teraz miasto dyszących gniewem czarnych, miasto podpalaczy i gangsterów. Ci ludzie pewnie sądzą, że to, co przydarzyło się Rodneyowi Kingowi, to sprawa odosobniona, nie wiedzą, że w sąsiedztwie każdy ma takiego Rodneya Kinga, kogoś, kogo gliniarze wymłócili jak bęben, bo mieli dobry albo zły powód. To wcale nie musi być czarny facet. Może mieć śniadą skórę.

Mijając Banning, widzimy pierwsze oznaki zniszczeń. Najpierw czujemy smród. Nie wiem, jaka firma mieściła się w tym magazynie. Teraz jest kompletnie wypatroszony, stoją tylko sczerniałe szkielety dwóch ścian. Na tle innego białego magazynu wygląda to bardziej jak szkic węglem niż coś, co kiedyś było solidne. Stary mężczyzna w czapce Raidersów wali siekierą w dach – dach, który się zapadł i teraz leży równo z ziemią. Zamykam okno i pytam ojca, co tam się znajdowało.

– Obrabiarki.

– Wiesz, kto jest właścicielem?

Nie wie. Z North Alameda skręcamy w El Segundo i widzę szkołę Willarda na rogu. Nie spalono jej, ale ktoś z jakiegoś powodu pociął ogrodzenie nożycami do blachy, więc podejrzewam, że może próbowano obrabować szkołę, ale zaraz ta myśl wyparowuje, bo spodziewam się, że za chwilę zobaczę nasz piętrowy apartamentowiec, biały z czarnym dachem, trzynaście lokali, tuż obok szkoły.

Tam nic nie ma.

Tam gdzie był nasz budynek, jest teraz pusta przestrzeń.

– *Hijo de su chingada madre!* – Ojciec wyprostowuje się gwałtownie na samym skraju siedzenia. – Straciłem to całe gówno, które zbudowałem.

Wali kilka razy pięścią w kierownicę. Krzywię się, ale właściwie to się cieszę. Bo kilka lat wcześniej to ja bym oberwał.

Zbliżając się, widzimy szczątki, czarną skorupę wsysającą resztki zachodzącego słońca. W kilku miejscach prześwitują kawałki niespalonej białej ściany. Reszta jest czarna. Biegnę spojrzeniem w kierunku wiktoriańskiego domu – wydaje się nietknięty – ale dalej, na następnej parceli, wbrew oczekiwaniom znowu nie ma apartamentowca, tego, który był lustrzanym odbiciem pierwszego, na tym samym planie i tak dalej: białe ściany, czarny dach, trzynaście lokali. Tam też nic nie ma. Właściwie to jest lustrzane odbicie – czerń – a wiktoriańska rezydencja stoi sobie między dwiema ciemnymi parcelami, bo tamte budynki spłonęły na popiół.

Coraz trudniej mi oddychać, ojciec tymczasem wjeżdża obok wiktoriańskiego domu w mały zaułek biegnący wzdłuż terenu. Z tego miejsca widać wyraźnie, co zostało z drugiego apartamentowca – sterczą tam dwa czarne wsporniki jak okopcone słupki bramki. Zatrzymujemy się na piachu, przy nietkniętym wiktoriańskim domu w stylu królowej Anny, którego ojciec jest właścicielem i który wykańcza, odkąd miałem dziewięć lat. Sam postawił z przodu płot z białych sztachet. Dalej wznosi się ten jednopiętrowy dom z dwiema spiczastymi wieżyczkami sterczącymi z boków – front wygląda jak twarz, bo dwa prostokątne okna to oczy, drzwi to nos, płaska weranda to usta.

Jasne, cieszę się, że ten dom został, ale ciągle przetrawiam to, że wyparowały dwa apartamentowce, i nagle przychodzi mi do głowy coś, o czym powinienem pomyśleć kilka dni wcześniej, skoro uczę się zarządzania małym biznesem.

– Tato, czy my jesteśmy zrujnowani?

9

Głupie pytanie. Odpowiedź mam przed oczami. Od kiedy zacząłem się uczyć rachunkowości, ojciec pokazuje mi rozliczenia kredytowe z ostatnich miesięcy. Próbuje nauczyć mnie prowadzenia biznesu, żebym przejął, gdy jego zabraknie. W tych trzech nieruchomościach utopił ponad milion dolarów. Zadłużył się po brwi, żeby zdobyć takie pieniądze.

To dlatego, że nigdy nie oszczędza na materiałach, kiedy coś buduje, ale musi jakoś ciąć koszty, więc machnął ręką na wszelkie rodzaje ubezpieczenia oprócz trzęsienia ziemi. Myśli, że jak będzie budował szybko, to nic złego nie zdąży się stać. Wiktoriański dom jest jedynym wyjątkiem od tej reguły. Został zbudowany w 1906 roku, kiedy Bulwar Zachodzącego Słońca był jeszcze polem poinsecji. To cudo ojciec ubezpieczył. Bo to klejnot w jego koronie.

Zamyka oczy, robi głęboki wdech i zaczyna kasłać. Nie mogę na to patrzeć, więc ściągam Kerwina do zaułka, gdzie kiedyś stał staroświecki dystrybutor paliwa, obok drzewa awokado tak dużego, że mogłoby grać w filmach.

Kerwin przerywa szeptem milczenie:

– Wszystko się spaliło twojemu ojcu?

– Wszystko oprócz tego – odpowiadam, wskazując dom podbródkiem. Ojciec odkupił go od Kellych, którzy wynieśli się z Compton jako jedna z ostatnich białych rodzin. – Tu był dystrybutor – mówię i wskazuję długi pas ziemi z tyłu, gdzie już nawet nie rośnie trawa.

Kerwin się dopytuje, więc mówię mu, że ten dom jest starszy niż stacje benzynowe. Ojciec handluje nieruchomościami od ponad dziesięciu lat. Mama twierdzi, że zawsze chciał wciągnąć South Central na wyższy poziom, chciał je polepszyć, no to kupił jeden budynek, sprzedał go i kupił dwa. To się stało prawidłowością. Po czterech transakcjach rozkręcił handel kafelkami przy Western, a teraz ma pięć nieruchomości: trzy w Compton, jedną w Watts i jedną w Lynwood, ale wiktoriański dom ze sklepionymi sufitami, dwiema sypialniami, biblioteką i gabinetem stanowił zwieńczenie wysiłków.

– To było jego marzenie – tłumaczę. – Dowód, że potrafi budować rzeczy nie tylko dobre, ale też piękne. Tak przynajmniej myśli mama. Przez długi czas tata był szczęśliwy, jak tu przyjeżdżał. Zabierał mnie ze sobą w weekendy, jak wykańczał wnętrze.

Pamiętam piłę zawsze leżącą w kuchni. Przez całe lata w domu pachniało świeżo rżniętym drewnem i walały się trociny. Podawałem mu wszystko, czego potrzebował – młotek, klucz. Gdy miałem czternaście lat, nauczył mnie kłaść instalację elektryczną. Wiem, że robota, którą wtedy wykonałem, była jedną z niewielu rzeczy mojego autorstwa, z których jest dumny. Pomogło to, że nigdy z niczego nie spadłem, nie wlazłem na żaden gwóźdź. Byłem uważny. Szybko się nauczyłem, bo karą za każdy błąd mógł być pas.

– Ta okolica się potem zmieniła – mówię. – Różne stare domy wyburzono. Pobudowali magazyny, widziałeś, jak jechaliśmy. Dlatego nikt już nie chciał mieszkać przy tej ulicy.

Kerwin wzrusza ramionami.

– Jasne, kto by chciał mieszkać obok magazynów?

– Nikt – przyznaję, choć jego pytanie nie wymaga odpowiedzi.

Pomimo przemian w sąsiedztwie ojciec nadal wykańczał dom. Udało nam się wynająć ludziom cztery apartamenty w jednym budynku i pięć w drugim, ale wiktoriańskiego nie można było ani wynająć, ani sprzedać.

– Dziś to po prostu relikt stojący w złym miejscu, ale tak jest już od dawna. Najgorsze, że tutejsi o tym wiedzą. Wiedzą, że nikt tu nie mieszka, więc dzieją się różne rzeczy.

– Jakie rzeczy?

Kerwin jest z South Central. Doskonale zdaje sobie sprawę, co za syf się tutaj dzieje, ale nie umie się powstrzymać, żeby nie zapytać. Może nikt nie umie. Może to zwyczajnie ludzkie.

– W naszym zaułku podrzucono zwłoki, tutaj, na nasz teren. Dowiedzieliśmy się, jak dwaj szeryfowie zjawili się w Lynwood i chcieli zabrać tatę na przesłuchanie. Mniej więcej dwa miesiące później był gwałt zbiorowy pod tym awokado.

Wskazuję drzewo. Stoimy dość blisko tego miejsca przestępstwa. Gapię się, bo coś zwraca moją uwagę. Nie chodzi o to, że drzewo jest dorodne, że ma gałęzie obwisłe od owoców, których nie zerwaliśmy w zeszłym roku, bo jakoś się nie złożyło, tylko o to, że coś tam leży przy pniu, po drugiej stronie. Robi się już ciemno, więc za cholerę nie wiadomo, co to jest. Za duże na psa, ale podobne. Pies się wyciągnął pod drzewem?

– Czekaj – mówię szeptem. – Widzisz?

Kerwin przykuca obok mnie.

– Tak – odpowiada półgłosem.

– Czy to…? – Mrużę oczy, wpatrując się w ten długi kształt leżący na ziemi, ciągnący się od pnia. To nie pies. – Czy to…?

– Tak – potwierdza. – Ludzkie nogi, kurwa.

10

Nogi są chyba gołe, no i włochate. Na końcu prawej, czyli na prawej stopie, jest biała skarpetka. Podchodzimy – Kerwin i ja. Zbliżamy się, walimy lekko po łuku i wtedy widzę, że skarpetka jest brudna od spodu, prawie czarna. I nagle ukazuje się całe ciało, oparte o pień, z tymi wyciągniętymi nogami.

Słyszę przyśpieszony oddech Kerwina. Ma ze sobą małą pałkę Dodgersów, chyba zabrał ją z domu. Drewniana, długości może trzydziestu centymetrów, taka, co je rozdają w ograniczonej promocji na meczach.

– Zastrzelony? – pyta. – Zakłuli go czy jak?

– Krwi nie widzę.

Widać za to, że ten człowiek nie ma spodni, tylko brązowoczerwone szorty. Wyżej trzy flanelowe koszule, wszystkie mankiety rozpięte, rękawy podciągnięte do łokci. Tyle na nim ubrania, że trudno powiedzieć, czy oddycha.

– Dotknij go – mówię do Kerwina. – Szturchnij czy jak. Zobaczymy, czy się rusza.

– Sam go dotknij.

– Przecież to ty masz kij!

Kerwin patrzy na swoją rękę, jakby chciał się upewnić, że rzeczywiście trzyma to cholerstwo w garści, a potem wzrusza ramionami, że niby może go szturchnie, a może nie.

I wtedy dostrzegam coś na ręku tego faceta.

– Ej, widzisz? – pytam.

Wskazuję palcem.

Kerwin się wpatruje. Obaj się wpatrujemy.

– Ehe – odpowiada. – Ble.

Ze zgięcia w łokciu sterczy igła, ale nie strzykawka, po prostu sama igła. Jakby komuś zależało na strzykawce, więc skoro igła utkwiła, to ją odkręcił, zostawił ją jak wbitą agrafkę. Dokoła wyschnięta krew, ślady ukłucia, a niżej na ręku wydziarane słowo wysokimi kanciastymi literami w stylu nagłówka „Los Angeles Times".

Wskazuję tatuaż.

– Co tam jest napisane? – pytam.

Kerwin przechyla głowę, żeby przeczytać. Ja robię to samo, ale ciężko się zorientować z powodu krwi i brudu. Mam ochotę zetrzeć to z ręki, ale się powstrzymuję.

– Sleepy – mówię wreszcie. – Chyba napisane Sleepy.

– Nie żyje? – pyta Kerwin i zatyka dłonią usta. – Wygląda, że nie żyje.

– Nie wiem – odpowiadam, ale tak mi się wydaje. Facet ma twarz w połowie zarośniętą, w połowie zmatowiałą od brudu. W kolorze brudnych popielniczek mojego ojca. Na włochatych nogach szaleją mrówki, jest nawet kilka bąbli po ukąszeniach, takich wypukłych i czerwonych, że wyraźnie widać mimo kiepskiego światła. – No weź go dotknij – mówię, ale Kerwin się waha, więc go szturcham ramieniem. – No już!

Dźga faceta kijem. Przykłada mu grubszy koniec do piersi, tuż nad sercem, i dociska. Z ciała wymyka się trochę powietrza, jakby westchnienie czy coś, i obaj odskakujemy. Ale powieki tamtemu nawet nie drgną. Ani na milimetr.

– Chyba miał oddech uwięziony w płucach czy jak? – myślę na głos.

– A skąd mam wiedzieć? Teraz twoja kolej. – Kerwin podaje mi kij. – Wiesz co? Dobrze, że nie jesteśmy na kwasie.

– Oj, dobrze.

Nie wiem, co mam zrobić z tym kijem, czego on do tej pory nie zrobił, więc tylko trzymam go z boku. Robię krok do przodu i wyciągam wolną rękę do twarzy tego faceta.

Kerwin aż świruje.

– Mikey, co ty robisz?!

Serce mi wali w gardle, bo nie wiem, co wyprawiam, ale po prostu muszę się przekonać, czy on oddycha, a upewnię się wtedy, gdy poczuję jego oddech na palcach, więc się przysuwam, bo stoję za daleko. Jeszcze jeden krok i nagle czuję, że coś przydeptałem stopą. Spoglądam na ziemię i cofam się gwałtownie, bo to jego prawa ręka! Nie widziałem jej po ciemku. Dociera to do mnie, a Kerwin oddycha jeszcze szybciej. Podnoszę wzrok, zaglądam facetowi w twarz i widzę, że ma otwarte oczy.

Odskakuję prosto na Kerwina, odbijam się od jego ramienia, z trudem łapiąc równowagę. Facet dźwiga głowę do góry. Cmokta kilka razy i otwiera usta.

– Co robisz, kretynie? – Słowa wychodzą powoli, takie jakby zakurzone. Nawet nie to, że jest wściekły, tylko zdezorientowany i odwodniony. – Czego po mnie łazisz?

Brak czasu, żeby na to odpowiedzieć, bo już mnie nie ma. Kerwina też nie. Wycofujemy się szybko tyłem, nie odrywając wzroku od tego faceta, którego uznaliśmy za trupa. Nie zamierzamy prowadzić z nim rozmów. On jednak coś nadaje, jakby próbował przyciągnąć naszą uwagę, ale my się zwijamy, wracamy do mojego ojca.

– O kurwa – stęka Kerwin. – W mordę, o mało nie dostałem zawału.

Ja tak samo. Nie wiem, co bardziej mnie przeraziło: czy to, że myślałem, że znaleźliśmy zwłoki, czy to, że zwłoki okazały się żywym człowiekiem.

Gdy docieramy na werandę, ojciec akurat zagląda do środka przez okno po prawej stronie drzwi. Pod butami chrzęści mi szkło i dopiero wtedy dostrzegam, że tego okna właściwie nie ma. Wybite, ojciec patrzy przez zwykłą dziurę. Spoglądam nad jego ramieniem i widzę coś, od czego kiszki mi się wywracają w brzuchu, ale co wyjaśnią obecność tamtego gościa przy drzewie.

11

Ćpuny urządziły sobie zabawę, cała banda, nie tylko ten facet spod drzewa. Może nawet przesiedzieli tutaj całe rozruchy. W środku śmierdzi jak w klatce z małpami. Na podłodze w bibliotece, gdzie ojciec wbudował regały w ściany, walają się pęknięte fiolki, roztrzaskana szklana fifka, kilka strzykawek bez igieł. W kącie, gdzie robiłem sobie fort z dwóch koziołków i brezentu, pod którym wieszałem lampkę i czytałem *Wyspę skarbów*, leży sterta zwiniętych gazet, którymi niezapowiedziani goście wycierali sobie tyłki i które z niewiadomej przyczyny zostawili na później. Nie mam pojęcia, dlaczego ktoś to zrobił, jednocześnie odechciewa mi się zaglądać do łazienek.

– Jeden z nich siedzi pod drzewem – mówię.

Ojciec kiwa głową. Widzę, że przetrawia tę informację, a potem odpowiada:

– Jakaś cholerna bajka o Złotowłosej, co? Niebezpieczny jest?

– Nie. Nawet się nie rusza.

Zerka w tę stronę, z której przyszliśmy, na zarys drzewa na tle fioletowoczarnego mroku. Stąd na pewno nie widzi tego faceta i najwyraźniej mu to nie przeszkadza.

Złazi z werandy i mówi:

– Trzeba go zostawić. – Wyjmuje papierosa z paczki i zapala. Zaciąga się i wydmuchując dym, dodaje: – Ten dom jest zakażony.

Kerwin patrzy na mnie z niepokojem w oczach. Już wcześniej widziałem u ojca dziwne miny. Znam się na tym lepiej niż ktokolwiek inny, widziałem tę żyłę nabrzmiałą na czole, więc wiem, że lont się dopala. Odwraca się do mnie i widzę błyski w oczach.

– Jak ten gówniarz spalił dom Momo? – pyta.

Ciągle myślę o facecie pod drzewem, więc dopiero po chwili kojarzę i odpowiadam:

– Wrzucił mołotowa przez drzwi.

– Tylko tyle?

– No tak.

– Dobra – odpowiada ojciec i rusza do pikapa.

Podchodzi i ściąga kartonowe pudło z paki. Ze środka wyjmuje butelkę whisky pełną w trzech czwartych, odkręca ją i wciska szmatę do szyjki aż do oporu.

– Rany – stęka Kerwin i cofa się o krok. – Czy…?

Patrzę dalej, w kierunku ulicy, żeby sprawdzić, czy ktoś nas obserwuje, ale nikogo nie ma. Jesteśmy sami.

– Tato! – wołam.

Nie słucha. Wymija mnie – słyszę wódkę chlupoczącą w butelce, gdy stawia kroki – dochodzi do werandy, którą własnoręcznie wyłożyliśmy listwami, wyjmuje papierosa z ust i przykłada go do szmaty.

– To moja własność – mówi. – Mogę to zniszczyć, jak mam ochotę.

12

Właściwie to nie wiem, co teraz czuję. Nie chcę, żeby to zrobił, ale go rozumiem. Cała ta praca, którą włożył w dom – którą razem włożyliśmy – cały ten czas. Wszystko to staje w płomieniach w chwili, gdy butelka rozbija się w kącie biblioteki i whisky rozpryskuje się po gazetach i u podstawy regału, ciągle pustego po tylu latach.

Mrugam oczami, ale ojciec już siedzi w pikapie i włącza zapłon. Radio ożywa, a on przydusza silnik i przechyla się na bok, żeby otworzyć drzwi od strony pasażera. Po nocy rozlewa się kawałek The Shirelles w połowie chórków, *Dedicated to the One I Love*.

– Wsiadaj, *mijo*! – woła ojciec, próbując przekrzyczeć muzykę. – Jedziemy!

Nie mogę. Patrzę jak zaczarowany na ostatnie chwile naszego wiktoriańskiego domu.

– Kerwin, do jasnej cholery! Wsiadaj!

Kerwin spełnia polecenie. Wciska się do szoferki i zatrzaskuje drzwi, a wtedy ojciec znowu wrzeszczy do mnie:

– Mam cię siłą tu wciągnąć?!

W ogóle nie czuję, żebym poruszał nogami, ale chyba jednak idę, bo po chwili włażę na pakę i siadam plecami do szoferki, tak jak wcześniej siedział Kerwin.

– Jest! – mówi do mojego ojca.

Pikap rusza do tyłu i nagle widzę El Segundo Boulevard wybiegający nam na spotkanie, bo tata skręcił za ostro i prawe koła walą po krawężniku. Wykatapultowałoby mnie z paki, gdyby Kerwin nie przytrzymał mnie przez okno za ramię.

– Mam cię! – woła, gdy chcę mu podziękować.

Patrzę do tyłu, zastanawiając się, czy to ostatni pożar podczas tych rozruchów, czy może gdzieś, z innego powodu, ludzie robią to samo. Kumam logikę ojca. To jedyna nieruchomość, którą ubezpieczył od pożaru, więc czemu nie, ale gdy spalimy dom, i tak nie wyjdziemy na zero – odszkodowanie nie będzie aż tak duże, żeby zniwelować stratę wszystkich trzech nieruchomości – zarazem w tej chwili to jedyny sposób, aby stracić mniej niż więcej.

Przychodzi mi do głowy, że może dla tutejszych ludzi o to właśnie toczy się gra w tych rozruchach. Człowiek zdaje sobie sprawę, że poniesie stratę, ale walczy pazurami, żeby odebrano mu jak najmniej. Może to być nieruchomość, własne zdrowie albo ktoś ukochany, jak ERNIE, ale zawsze coś jest, a kiedy to tracimy, tracimy na zawsze. Dziś wieczorem nikt nie zazna spokoju, nie zaznaliśmy go zresztą od wielu dni. Zniosą godzinę policyjną, ale to nie znaczy, że sprawy wróciły do normy albo że krzywdy zostały naprawione. Ani nawet że to się niedługo stanie.

Znaczy tylko jedno – że L.A. wygląda inaczej niż wtedy, gdy ostatnim razem wyszliśmy wieczorem na miasto, i odtąd, gdy będziemy mówić o tych dniach, będziemy mówić o tym, jak się na nas odcisnęły i co straciliśmy, a w dzieje miasta zostanie wbity klin. Po jednej stronie znajdzie się wszystko, co było przedtem, a po drugiej to, co będzie później, bo jak się napatrzysz zła, to albo się załamujesz już na zawsze, albo przemieniasz w kogoś nowego – kogoś, kogo być może w pierwszej chwili nie znasz ani nie rozumiesz, ale może to nowy ty, jak wtedy, gdy zasieje się ziarno, które dopiero musi zakiełkować.

Kerwin podbija muzykę i słychać chórki, a pode mną rozwija się asfalt jak ze szpuli, z przerywaną żółtą linią pędzącą i niknącą w czerni. Myślę o tym, że na ten show facet z igłą w ramieniu dostał miejsce w pierwszym rzędzie, a wiatr smaga mi twarz.

Magazyny stojące obok bliższego z dwóch spalonych apartamentowców szybko przesłaniają mi wiktoriański dom i widzę już tylko okno biblioteki migoczące na pomarańczowo jak lampion z wydrążonej dyni, lecz oddalamy się i światło zaraz niknie. Z całego domu pozostało już tylko to, co idzie do nieba, słup czarnego dymu. Mam nadzieję, że wszystko będzie widać lepiej z większego dystansu, że wtedy będzie łatwiej pojąć, bo może gdy zobaczę resztę spalonej okolicy, zobaczę, że inni ludzie też stali się celem i cierpią, to wtedy zrozumiem, ale w tej chwili potrafię myśleć tylko o naszym domu – i to mocno boli – widzę, jak znika, a rosnący dystans wcale nie daje mi żadnej perspektywy.

Więc zamykam oczy.

Kładę ręce na burty paki, trzymam się kurczowo metalu i odłażącej farby, a podskakująca na wybojach fura rzuca mną rytmicznie w przód i w tył. Przez okienko z tyłu dobiega piosenka. Słyszę, jak splata się z wiatrem, miesza z szumem powietrza, i wyobrażam sobie, jak to wcześniej było. Widzę, jak wyglądał wiktoriański dom, kiedy miałem czternaście lat, jasnoniebieski w porannym słońcu. W trawie widzę niedojrzałe awokado, twarde są i zielone, takie, jakie zgarniałem, kopałem jak piłkę; a dalej stoi drzewo, z którego pospadały. Widzę jeden z dwóch apartamentowców prężący się jak wartownik na służbie, z dachem pomarańczowym w blasku świtu. Coś mi przygniata pierś, kiedy wyobrażam sobie swoje osiedle, to, na którym się wychowałem, znowu nietknięte. Widzę drewnianą ścianę do handballu w Ham Park, ciągle stoi, dzieciaki biegają przy niej, dorośli mężczyźni też, a dudniące odgłosy sobotnich gier odbijają się echem po ulicach, aż do miejsca, gdzie znajduje się dom Momo, brzmiąc jak bicie serca – i może rzeczywiście było to serce tego miasta, lecz biło za szybko? W mojej głowie ten dom jest cały, nienaruszony, od frontu stoi samochód, a Momo idzie z kluczami w ręku, kiwając mi głową na powitanie, gdy przejeżdżam obok na chopperze; i nagle dociera do mnie, że moja pamięć to teraz jedyne miejsce, w którym będę mógł to wszystko znowu zobaczyć, i zaczynam się zastanawiać, czy na tym polega rola pisarza, na odtwarzaniu miejsc w umyśle – miejsc dawno już utraconych, miejsc, które znikają – i pytam siebie, czy to także prawda w odniesieniu do ludzi, którzy giną?

Piosenka cichnie. Głosy dziewczyn mieszają się z pochodem basu, resztki tej harmonii wydane na pastwę wiatru i warkotu silnika ojcowskiego pikapa. Przez chwilę odmierzoną dwoma oddechami nie słyszę nic oprócz syren wyjących w oddali. Nic oprócz dociskanych osi kół. Zaczyna się nowa piosenka, inna, z głośnym beatem perkusji, ale jej nie poznaję; a ta ulotna myśl mnie przenika, dudni, narasta z każdym budynkiem śmigającym do tyłu. Z każdą kolejną mijaną ulicą czuję coraz większe pogodzenie z tą myślą. L.A. też ma własny silnik, który nie zamiera. Nie może zamrzeć. Jest warunkiem przetrwania. Będzie pracował bez względu na wszystko, przedrze się przez te wszystkie płomienie i wyłoni po drugiej stronie jako coś okaleczonego, pięknego i nowego.

GLOSARIUSZ

abuela, abuelo – babcia, dziadek

adónde – gdzie

bala – kula

banda – tradycyjny meksykański zespół muzyczny składający się z instrumentów dętych i perkusyjnych

bonjuk – koreańska potrawa ryżowa nieco przypominająca owsiankę

cabrón – obraźliwe określenie; świnia, skurwiel itp. w zależności od kontekstu i tonu wypowiedzi; także „trudny", „zajebisty"

carnicería – targ albo sklep mięsny, w którym sprzedaje się także artykuły spożywcze

cerote – balas; w slangu obraźliwe określenie używane przez Meksykanów w stosunku do Salwadorczyków

chaval, chavala – ktoś ubierający się lub zachowujący jak gangster; nieletnia dziewczyna lub młoda osoba; forma zdrobniała *chavalita* – mała dziewczynka

chichis – cycki

chilaquiles – tradycyjne meksykańskie śniadanie sporządzone z podsmażonej tortilli polanej salsą albo sosem mole, czasem z dodatkiem jaj i mięsa

chola, cholo – określenie członkini albo członka gangu w środowisku chicanos, ubierających się w stylu typowym dla południowej Kalifornii: flanelowa koszula, podkoszulek, szorty khaki

Cinco de Mayo – 5 maja, kiedy obchodzona jest rocznica zwycięstwa wojsk meksykańskich nad francuskimi w bitwie pod Pueblą w 1862 roku

clica – osobny gang albo gang osiedlowy, będący częścią większego

compadre – kumpel, przyjaciel, dosłownie: „ko-ojciec", bo najbliższych przyjaciół uważa się za ojców chrzestnych

cucaracha – karaluch

culero – dupek, skurwiel; słowo używane przez Meksykanów także na określenie tchórza

culo – dupa

El rey ha muerto. Viva el rey! – Umarł król, niech żyje król!

esé – slangowe słowo oznaczające „koleś" albo „facet", od *sureño*, czyli „południowiec"

fe – dosłownie: „wiara", ale także „intencja" lub „wola"

felicidades – gratulacje, powinszowania, życzenia; słowo stosowane przy takich okazjach jak urodziny lub Boże Narodzenie

gabachos – obraźliwe określenie osób anglojęzycznych o nielatynoskim pochodzeniu

grito (grito mexicano) – melodyjny, piskliwy okrzyk

Hijo de su chingada madre – dosłownie: „synu twojej pierdolonej matki"; w środowiskach Latynosów, zwłaszcza Meksykanów, uważane za najgorszą obelgę z powodu znaczenia etymologicznego („synu zgwałconej kobiety"). Czasownik *chingar* pochodzi z języka nahuatl i znaczy „gwałcić". Kiedy Hiszpanie przybyli do obu Ameryk, gwałty dokonywane przez nich na rdzennych kobietach były zjawiskiem tak powszechnym, że *chingar* stało się przekleństwem.

hina – pożądana dziewczyna, sympatia

huevos – dosłownie: „jaja", w slangu: „jądra"

jefe – szef

La clica es mi vida – dosłownie: „gang to moje życie”
lejap – (ang. *layup*) bocznice kolejowe lub parkingi dla autobusów będące celem graficiarzy
lengua – język, najczęściej ozór wołowy
lentejas oaxaqueñas – meksykańska potrawa z soczewicy ze stanu Oaxaca
leva – zdrajca, sprzedawczyk
Lil TJ – Little Tijuana
loca, loco – szalona, szalony
Los Doyers – Dodgersi
machismo – męska duma o zabarwieniu seksistowskim
manflora – lesbijka albo gej w slangu meksykańskim
mayate(s) – dosłownie: „żuk gnojarz”; w slangu meksykańskim obraźliwe określenie czarnoskórych; czarnuch; pejoratywne określenie homoseksualistów
Mi corazón – czule „serce ty moje”
Mi vida loca – dosłownie: „moje szalone życie”; używane często na określenie życia gangstera
MLK – Martin Luther King Freeway
mole – tradycyjny sos meksykański z chili i przypraw
neta (la neta) – dosłownie: „prawda”, używane też jako „naprawdę? poważnie?”; „to jest to”
ojos – oczy
Pachuco – pochodzący z El Paso znak przynależności do gangu tatuowany między kciukiem a palcem wskazującym lewej ręki: krzyż z promieniami rozchodzącymi się u góry
paisa (paisano) – dosłownie: „wieśniak”; osoba pochodząca ze wsi; rodak, krajan, swojak
palillo – wykałaczka
panadería – piekarnia, w której sprzedaje się także artykuły spożywcze
panocha – cipa

papas – ziemniaki; czasem: frytki

pinche – przekleństwo w meksykańskiej odmianie hiszpańskiego; „pieprzony" (choć bez nawiązania do stosunku seksualnego)

pozole – meksykańska zupa z kukurydzy i kurczaka albo wieprzowiny

prima, primo – kuzynka, kuzyn

prométeme – obiecaj mi

puchica – w slangu salwadorskim przekleństwo znaczące „gówno" lub „cholera"; słowo pochodzące z rdzennego dialektu caliche

puta, puto – obraźliwe określenie; skurwiel, dupek, kurwa, skurwysyn, pedał; stosowane w rodzaju męskim i żeńskim

Qué onda vos – „Co jest, koleś?", „Co tam, ziom?"; w hiszpańskim Ameryki Środkowej (zwłaszcza w Salwadorze) zaimka *vos* (druga osoba liczby pojedynczej) używa się obok lub zamiast *tu*.

Qué pasa – dosłownie: „Co jest? Co się dzieje?"

queso – ser

raza (la raza) – dosłownie: „rasa, lud"; określenie oznaczające jedność i dumę wśród Latynosów

salsa – dosłownie: „sos"; na bazie pomidorów, zielony (*verde*) i czarny (*negra*), albo nawet na bazie cebuli

Salwi – w slangu chicanos obraźliwe określenie Salwadorczyka; słowo używane także przez samych Salwadorczyków na określenie swojej tożsamości

Señor Suerte – dosłownie: „Pan Szczęściarz"; ikoniczna postać stworzona przez artystę Chaza Bojorqueza w 1969 roku: czaszka w ciemnych okularach i kapeluszu krzyżująca palce, wizerunek przejęty przez losangelesowski gang The Avenues

símon – w meksykańskiej odmianie hiszpańskiego: oczywiście, bezwzględnie

tager – (ang. *tagger*) określenie graficiarza „podpisującego się" na murach

tia, tio – ciotka, wuj

Tienes pisto? – dosłownie: „Masz pieniądze?"; *pisto* – pieniądze w hiszpańszczyźnie Ameryki Środkowej (zwłaszcza w Salwadorze)

toj – (ang. *toy*) początkujący graficiarz lub rysunek początkującego graficiarza

TRW – Thompson Ramo Wooldridge, firma inżynieryjna, w 2002 roku przejęta przez Northrop Grumman Corporation

varrios (barrios) – osiedle, sąsiedztwo

vato – w slangu meksykańskim: człowiek; słowo o podniosłym zabarwieniu

viejo – stary

CYTATY

Cytat z wypowiedzi Joego McMahana (**DZIEŃ 2**) zaczerpnięto z programu telewizyjnego *7 Live Eyewitness News.*

Wypowiedź komendanta policji Daryla Gatesa (**FAKTY**), a także słynne słowa Rodneya Kinga (**DZIEŃ 3**) można znaleźć w książce *Official Negligence: How Rodney King and the Riots Changed Los Angeles and the LAPD* autorstwa Lou Cannona.

Wypowiedź generała Jamesa D. Delka (**DZIEŃ 5**) pochodzi z jego książki *Fires & Furies: The L.A. Riots.*

Wypowiedź porucznika Deana Gilmoura (**DZIEŃ 6**) można znaleźć w *Twilight: Los Angeles, 1992* autorstwa Anny Deavere Smith. Dodałem „sic", ponieważ w Los Angeles nie ma „komendy w Hollingback", jest natomiast komenda w Hollenbeck.

Wymienionym autorom zawdzięczam pogłębione rozumienie wydarzeń, które rozegrały się między 29 kwietnia a 4 maja 1992 roku.

Wszystkie zamieszczone dane statystyczne zaczerpnąłem z książek Cannona i Delka – z wyjątkiem liczby pocisków wystrzelonych w ciągu dwóch pierwszych dni rozruchów (rozmyślania Anthony'ego) i informacji o ponaddziewięciomilionowej populacji hrabstwa Los Angeles.

Nieocenionym źródłem wiedzy przy pracy nad książką okazał się dla mnie dziennik „Los Angeles Times". Zacytowane nagłówki są autentyczne.

PODZIĘKOWANIA

Pragnę podziękować swoim doradcom i ekspertom za nieocenioną pomoc, bo dzięki nim wydarzenia opisane w tej książce nabrały autentyczności. Dziękuję zwłaszcza Alvarowi za jego wkład i wspaniałomyślność, emerytowanemu strażakowi Ronowi Roemerowi, emerytowanemu strażakowi Johnowi Cvitanichowi, emerytowanemu funkcjonariuszowi policji drogowej Chuckowi Campbellowi, doktorowi Williamowi J. Peace'owi, Stanleyowi Coronie i Evanowi Skrederstu, który zawsze słuchał z uwagą.

Podziękowania kieruję także do wszystkich w UGLAR (Unified Group of L.A. Residents): Chrisa „Horishikiego" Branda, Espi i Steve'a Martinezów.

Dziękuję Marisie Roemer, która wysłuchała każdego rozdziału zaraz po jego napisaniu i od razu wiedziała, co brzmi prawdziwie, a co nie.

Dziękuję mojej rodzinie: babci Annazell, mamie, tacie, Brandonowi, Karishmie, siostrze Char i Aleksie – motywowała mnie ich miłość okazywana podczas moich potknięć.

Dziękuję Kevinowi Staniecowi, Corrie Greathouse i mojej niewiarygodnie wspierającej artystycznej rodzinie w Black Hill Press, która zawsze jest do mojej dyspozycji.

Dziękuję studentkom Jennifer Eneriz i Zoe Zhang z Chapman University Independent Study (prace redakcyjne) za przygotowanie tekstu przed złożeniem, redakcję faktograficzną i wydatną pomoc przy sporządzaniu glosariusza.

Dziękuję panom Gustavowi Arellano i P.S. Serrato, wspaniałym, niezrównanym nauczycielom kultury południowej Kalifornii.

Dziękuję Bryce'owi Carlsonowi, któremu nigdy nie nudzi się rozmawianie o Los Angeles i który nauczył mnie onomatopei, zwłaszcza „szmmp".

Moje podziękowania dla Lizzy Kremer, Harriet Moore, Laury West, Alice Howe i Nicky Lund z David Higham za ich wiarę w moją pracę od pierwszego dnia i wysokie wymagania.

Dziękuję Simonowi Lipskarowi z Writers House za uczynienie dla mnie wyjątku i Kassie Evashevski z UTA, która pomogła mi zrealizować marzenia.

Wreszcie chciałbym serdecznie podziękować tym, którzy służyli mi bezcenną pomocą, a którzy pragną pozostać anonimowi. Spełniam Wasze życzenie. Musicie jednak wiedzieć, że bez Was ta książka by nie powstała, więc żadne słowa nie oddadzą mojej wdzięczności.

PLAYLISTA

DZIEŃ 1

The Supremes, *Run, Run, Run* (*Uciekaj*)
The Temptations, *I Wish It Would Rain* (*Pragnę deszczu*)
Kid Frost, *Mi vida loca* (*Moje szalone życie*)

DZIEŃ 2

Boston, *More Than a Feeling* (*Niezwykłe uczucie*)
Bill Haley, *Rock Around the Clock* (*Przetańczyć całą dobę*)

DZIEŃ 3

Mr. Big, *To Be With You* (*Być z Tobą*)
Toots and The Maytals, *54-46 Was My Number* (*Miałem numer 54-46*)

DZIEŃ 4

Cypress Hill, *Hand On the Pump* (*Z pompką w ręku*)
Hall & Oates, *Crime Pays* (*Zbrodnia popłaca*)

DZIEŃ 5

John Williams, *Star Wars* (*Gwiezdne wojny*)
Ennio Morricone, *A Fistful of Dollars* (*Za garść dolarów*)
Tears For Fears, *Everybody Wants to Rule the World* (*Wszyscy chcą rządzić światem*) z filmu *Real Genius* (*Prawdziwy geniusz*)
America z musicalu *West Side Story*
Tex Ritter, *High Noon* (*W samo południe*)
Hugo Montenegro, *Hurry Sundown* (*Szybki zmierzch*)

Be Kind to Your Neighborhood Monsters (*Bądź dobry dla potworów z sąsiedztwa*) z *Ulicy Sezamkowej*
Richard Wagner, *Walkürenritt* (*Cwał Walkirii*)
Nancy Sinatra, *You Only Live Twice* (*Żyje się tylko dwa razy*)

DZIEŃ 6

The Specials, *A Message to You Rudy* (*Ogarnij się, Rudy*)
The Shirelles, *Dedicated to the One I Love* (*Zadedykowane mojej miłości*)

SPORZĄDZIŁ BOB THE BOB